VICK

DE DERDE VROUW

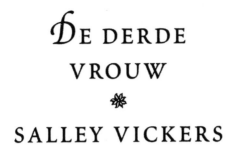

ĐE DERDE
VROUW

❊

SALLEY VICKERS

Oorspronkelijke titel: *Instances of the Number 3*
Oorspronkelijke uitgave: *Fourth Estate, UK, 2001*

© 2001 Salley Vickers

© 2002 Nederlandstalige uitgave:
Van Buuren Uitgeverij BV
Postbus 5248
2000 GE Haarlem
E-mail: info@vanbuuren-uitgeverij.nl

Vertaling: Hanneke Nutbey
Bronvermelding: Shakespeare-vertalingen van Bert Voeten
Omslagontwerp: Wil Immink Design
Omslagillustratie: Erich Lessing/ABC Press
Opmaak: Nyvonco, Heerhugowaard

ISBN 90 5695 160 2
NUR 302

Voor Rupert Kingfisher
Zijn toneelstuk *Het dilemma van de gevangene*
reikte mij als eerste de creatieve mogelijkheden
voor het getal 3 aan

Het moet vele eeuwen gekost hebben om uit te vinden dat een koppel fazanten en een paar dagen beide gevallen waren van het getal 2: de mate van abstractie die daaraan te pas komt is verre van gemakkelijk.

BERTRAND RUSSELL

Voorwoord

Men zegt dat er klassieke denkwijzen zijn geweest die 3 een instabiel getal noemden. Als de redenen voor die overtuiging al ooit bekend zijn geweest, dan zijn ze in de loop der jaren verloren gegaan. Een driepotig krukje bewijst het tegendeel van deze bewering, evenals – minder prozaïsch – naar men zegt de christelijke drie-eenheid dat doet. Hoe het ook zij, het is een feit dat drie een onbestendig getal is: onder bepaalde voorwaarden vertoont het de neiging in te zakken tot twee – of zich uit te breiden tot vier...

Hoofdstuk 1

Na de dood van Peter Hansome stonden de mensen verbaasd over de hoeveelheid tijd die zijn weduwe met zijn maîtresse doorbracht. Bridget Hansome was er de vrouw niet naar om de discrete, maar regelmatige bezoekjes van haar man aan het appartement van Frances Slater in Turnham Green niet op te merken. Maar als je met Peter Hansome getrouwd was moest je haast wel geleerd hebben om af en toe een andere kant op te kijken. Als je de vrienden en kennissen van de Hansomes gevraagd zou hebben een weddenschap af te sluiten op de reactie van Bridget op een maîtresse die pas na de dood van haar man aan het licht gekomen was (vooropgesteld dat je het kon maken om te gokken op het eventuele effect van de ontdekking van langdurige ontrouw op een weduwe), dan zouden ze waarschijnlijk voorspeld hebben dat Bridget Frances wel zou toelaten op de begrafenis, op voorwaarde dat er met geen woord over gerept werd waarom ze daar was.

Maar de gokkers zouden hun weddenschap verloren hebben, want dat gebeurde niet. Hoewel Frances in de buurt woonde – de crematie werd gehouden op een kerkhofje aan de Lower Richmond Road – verscheen ze niet op de begrafenis. Haar herinnering aan de warme avond waarop hetzelfde kerkhofje het tafereel was geweest van een vrijpartij waarbij Peter zich van zijn vurigste kant had laten zien, lag haar nog vers in het geheugen. Of dat de reden was, plus het feit dat ze het moeilijk vond om op die plek afscheid te moeten nemen van het lichaam dat nog maar zo kort geleden – geflankeerd door marmeren engelen en andere graffiguren – genot aan het hare had beleefd, is een vraag die we voorlopig maar even zullen laten rusten. Wat we wel weten is dat Frances op de dag van de begrafenis de Eurostar nam naar Parijs, waar ze een wandeling langs de Seine afsloot met een bezoekje aan de Notre-Dame – die ze binnenging met een bosje anemonen dat ze gekocht had aan een bloe-menstalletje.

Bridget Hansome wist donders goed dat ze niet de enige vrouw was aan wie haar man zijn liefde schonk. 'Handsome is as handsome does!'[1] was een favoriete woordspeling van haar op haar mans naam, die ze meestal debiteerde met een ironische glimlach om haar lippen, een glimlach die je omschrijven kon als toegewijd, maar die je voor hetzelfde geld sluw kon noemen. Wat de waarheid ook geweest mag zijn (en het is ook waar dat de menselijke emotie veelal bestaat uit verschillende, en vaak tegenstrijdige, componenten), Peter bleef er vrolijk onder. Hij begreep niet precies wat het gezegde betekende, of althans, hij deed er niet echt zijn best voor dat te begrijpen – want dom was hij niet; hij was ijdel en hij vond het wel leuk dat zijn vrouw vond dat hij er zo goed uitzag dat ze daar grapjes over maakte, zelfs al had dat bepaalde consequenties.

Een van die consequenties was Frances. Er waren er in de loop der jaren nog wel meer geweest – niet zo heel veel, trou-wens – maar Frances was de enige van wie je kon zeggen dat ze een lange adem had. En Bridget was nota bene zelf de oorzaak van de kennismaking geweest, tijdens een van haar reizen in het buitenland.

Al vroeg in haar huwelijk had Bridget ontdekt dat haar man het vervelend vond als ze niet thuis was. Het is niet waarschijn-lijk dat Peter zich er zelf van bewust was dat zijn buitenechte-lijke escapades meer te maken hadden met zijn onvermogen om alleen te zijn dan met het uiterlijk waar hij heimelijk zo trots op was, want vrouwen hebben de – wellicht perverse – neiging ontvankelijker te zijn voor tekenen van innerlijke zwakte dan voor mannelijke schoonheid. Maar het is wel een feit dat je makkelijker met een zwakheid kunt omgaan wanneer je er niet dagelijks mee wordt geconfronteerd. Aanvankelijk was Bridget geschokt toen ze ontdekte dat Peter onhandelbaar werd en openstond voor wat ze stilletjes 'dwaasheden' noemde als zij

1 Engels gezegde dat betekent dat niet iemands uiterlijk maar zijn gedrag bepaalt of hij mooi is of niet.

10

weer eens op reis moest naar het buitenland, vervolgens had ze zich er zorgen om gemaakt en ten slotte begon ze zich er meer en meer aan te ergeren.

Bridget verkocht oude Franse *bric-à-brac*. Ze was met een kraampje op Portobello Road begonnen maar runde nu een bloeiende winkel in Fulham, waar ze tuinmeubelen, oud linnengoed, emaillen pannen, kanten gordijnen en parasols verkocht – artikelen van een verbleekte schoonheid uit een Frans pastoraal verleden waar ze een goed oog voor had. In deze tijd van armoedige sjiek wemelt het van dat soort winkeltjes. Maar Bridget had al vroeg in de gaten dat het ons in het moderne leven juist ontbrak aan aftandse, traditionele zaken, en werd daarmee een pionier van de hedendaagse smaak. Zij was een aanhanger avant la lettre van de overtuiging dat eerbiedwaardige dingen stijlvoller kunnen zijn dan sjieke – de toonaangevende constructies van glas en staal waar de rijke stinkerds hun huizen mee inrichtten. Voordat men haar begon te imiteren was ze al een soort van autoriteit op dit gebied; in de woonrubrieken in kranten en tijdschriften viel haar naam voortdurend als het ging over de nieuwste 'oude' stijlen.

Bridget was ook gezegend met bronnen waar ze rijkelijk uit kon putten voor de spulletjes die ze in haar winkel verkocht – nog geheime plekjes in dorpjes in het hartje van Frankrijk die door pure pech of gebrek aan doorzettingsvermogen verborgen bleven voor haar latere concurrenten. Het doorzettingsvermogen was nodig voor de combinatie van een lange rit en nog langere gesprekken in plat Frans, overgoten met grote hoeveelheden koffie of wijn of, naarmate de dag vorderde, geestrijker vocht uit ingewikkelde flessen. Deze *tête-à-têtes* hield ze met oudere mannen of vrouwen in vervallen tweederangs kasteeltjes, die de schimmelende restanten van een voorbije levensstijl met veel plezier van de hand deden aan de blonde Anglaise die zo oprecht van hun land en de daarbij horende kunstvoorwerpen leek te houden.

En dat Bridget oprecht was leed geen twijfel. Een van haar kenmerkende eigenschappen was dat ze een vrouw was die zich niet anders kon voordoen dan ze was – sommigen vonden haar zelfs ronduit bot. Maar dat betekende niet dat ze zomaar alles prijsgaf wat er in haar omging. Nee, in de jaren dat ze met Peter onder één dak woonde had ze wel geleerd om veel van haar gedachten voor zich te houden; alleen roekelozen en wreedaards namen geen blad voor de mond. En daarom hield ze ook haar mond tegen haar man toen ze eindelijk – voor haar wat aan de late kant – in de gaten kreeg dat hij haar miste, maar verzocht ze Mickey, de buurvrouw, een oogje op Peter te houden.

Mickey woonde al lang in de straat met rijtjeshuizen voordat Peter en Bridget trouwden en het huis naast het hare kochten. Het was geen erg gewild huis geweest toen ze het kochten, maar ze moesten toch behoorlijk krom liggen om het te kunnen betalen, want in die tijd was Bridget nog maar net met haar winkel in Fulham begonnen en Peter moest nog een andere vrouw en een ander huis – met kinderen erin – onderhouden. De buurt was sinds die tijd mondainer geworden, maar Mickey was er overgebleven uit eenvoudiger tijden omdat ze het huis van haar moeder had geërfd, die ze met haar vrouwelijke zorgen had omringd tot de dag dat de oude dame stierf.

'Ik ben er trots op dat mijn moeder nooit een ziekenhuis van binnen heeft gezien,' had Mickey tegen Bridget gezegd toen die wat suiker was komen lenen voor de thee van de verhuizers, waarmee ze de toon zette voor een burenrelatie waarin Mickey haar nu al twintig jaar lang met een zekere regelmaat van suiker voorzag. Mickey was dol op een kletspraatje en aangezien Peter daar in een bepaalde bui ook best van hield – want Bridget liet het soms aardig afweten als het op een kletspraatje met haar man of haar buurvrouw aankwam, dat wist ze zelf maar al te goed – had ze gehoopt dat Mickey de leemtes die Bridgets reisjes naar Frankrijk achterlieten aardig zou vullen.

Mickey hield ook wel van een glaasje. Als Bridget door het stille platteland van Midden-Frankrijk toerde en keek naar de bollen mistletoe in de hoge populieren die zwart afstaken tegen de weidse blauwe hemel, dan dacht ze aan haar man en Mickey, samen aan de whisky; het viel haar makkelijker om dol op ze te zijn als ze weg was.

Op een van die keren, toen Bridget in Normandië was om

voor Pasen nog wat leuke dingen op de kop te tikken, nodigde Mickey Peter bij zich uit. Het was buitengewoon mooi weer, de zon was al heel krachtig voor maart, en ze zaten buiten en bewonderden de fraaie, op kleur gepote rijen narcissen in Mickeys tuin.

'Dit is mijn vriendin Frances,' had Mickey gezegd terwijl ze wees naar een magere, donkere vrouw die heel wat jonger was dan haar gastvrouw, maar die wat Peter later zou omschrijven als 'oude' ogen had. Dat Frances een vriendin van Mickey was, klopte niet helemaal. Mickey had een groot hart en Frances bleek iemand te zijn die Mickey toevallig ontmoet had op het makelaarskantoor waar ze 's woensdags en 's zaterdags werkte.

Frances was op zoek naar een huis in de regio en Mickey, die het heerlijk vond om mensen te helpen (Bridget had Mickey ook voor Peter ingezet om wat van die behulpzaamheid te absorberen – want ze wist dat ze daar te weinig een beroep op deed), had Frances uitgenodigd om iets bij haar te komen drinken 'om een idee te krijgen van het type huizen', omdat Frances had aangegeven dat ze iets dergelijks zocht.

Uiteindelijk kocht Frances een appartement in Turnham Green, omdat de huizen in Fulham te duur voor haar geworden waren; na een passende tussenpoze bracht Peter haar daar een bezoek tijdens een van Bridgets zomerreisjes naar de streek rondom Vichy.

'Ik hou van mijn vrouw,' had hij verklaard, want dat was zijn standaardgebaar van trouw jegens Bridget bij dergelijke gelegenheden. 'Als we hiermee doorgaan moet je goed begrijpen dat ik niet van plan ben haar te verlaten.'

En Peter was niet eens onoprecht toen hij zei dat hij van Bridget hield. Het feit dat hij van een kletspraatje hield was niet, zoals men soms wel denkt, een teken van oppervlakkigheid, net zo min als de neiging om te zwijgen diepgang hoeft te betekenen. 'Kletsen' was voor Peter een manier om te zorgen dat hij in leven bleef.

Frances, die net een relatie had beëindigd met een man die zo stom was geweest om te zeggen dat zijn vrouw hem niet begreep, vond het niet onprettig om een man zonder schaamte over zijn liefde voor zijn vrouw te horen praten. Hoewel Frances niet gewend was erg diep in haar ziel te kijken, voelde ze onbewust dat een man is zoals hij spreekt: een verklaring van echtelijke liefde was een teken van een toegewijde – en in zekere zin loyale – aard. Peter zou in elk geval zijn relatie met haar niet gaan 'uitleggen' als het product van het feit dat een ander hem slecht had behandeld. Frances had weinig behoefte aan de rol van therapeut – seksueel of anderszins. Ze wilde graag – net als de meesten van ons – gewaardeerd worden om haar eigen goede en slechte eigenschappen, en niet als reactie op de eigenschappen van iemand anders.

Frances was zesendertig toen ze Peter ontmoette – een leeftijd waarop vrouwen vaak een zekere behoefte beginnen te krijgen aan 'vastigheid'. Of haar affectie voor Peter net zo min een reactief element had als de zijne voor haar is dan ook nog maar helemaal de vraag.

Hoofdstuk 2

Peter was tweeënzestig toen hij stierf. Een vrachtwagenchauffeur stak zijn hand uit naar de volumeknop van zijn cassetterecorder met *Elton John's Greatest Hits*, keek even niet uit, zag de auto niet die op de rotonde van Hogarth af kwam rijden, week uit en ramde in plaats van die auto Peters BMW in de flank. Op zichzelf had dat niet fataal hoeven zijn, ware het niet dat de BMW daardoor in de baan van een aanstormende Mercedes terechtkwam. In de botsing die daarop volgde liep de vrachtwagenchauffeur een shock op, de chauffeur van de Mercedes blesseerde zijn arm, maar Peter brak zijn nek.

Toevallig was de rotonde van Hogarth de plek waar Peter linksafgeslagen zou zijn als hij naar Frances zou zijn gegaan. De rotonde was ook het laatste traject van zijn normale weg naar huis. Niemand kon vermoeden dat Peter op weg was naar geen van deze twee bestemmingen, maar naar een huis met een keurige voorgevel in Shepherd's Bush waar men in de behoefte van alle mogelijke ongebruikelijke smaken voorzag. Hoewel geen van beide vrouwen iets van deze andere bestemming wist, zou Bridget van hen tweeën zeker de minste moeite gehad hebben met deze wetenschap.

Na Peters dood was Bridget wekenlang niet in staat om zijn spullen op te ruimen. Ze kon nog geen paperclip van zijn bureau pakken en liep op de raarste uren door het huis te luisteren naar oude grammofoonplaten, sloeg boeken open en dicht en at koude witte bonen in tomatensaus. Soms maakte ze trage, statige danspassen op de stem van Nat King Cole, Johnny Mathis, Eartha Kitt – deuntjes uit de tijd dat Peter en zij nog jong waren, 'gingen stappen', zoals zij dat toen noemden; ze raakte vooral verslaafd aan het liedje *Love for Sale*.

Omdat Bridget ouder was dan Peter was ze er altijd vanuitgegaan dat zij wel het eerst dood zou gaan. Dat had haar weleens dwarsgezeten; ze was conventioneel genoeg om te denken dat zij beter in staat zou zijn te leven met een permanente leegte dan haar man. Van tijd tot tijd had ze zich de luxe gepermitteerd om zich voor te stellen hoe Peter haar, als zij doodging, zou missen. Ze had zich geen duidelijk beeld gevormd van de vorm die dit gemis zou aannemen, maar een nog niet eerder vertoonde afkeer van een alternatieve bron van vrouwelijke troost paste er misschien wel in.

In de weken na Peters dood vond Bridget het het ergst als ze over hem moest praten. De telefoon stond geen moment stil; van de brieven had ze veel minder last – die kon ze beantwoorden in hun veilige tweepersoonsbed met zijn bekende geur, in een overhemd van Peter en soms, als haar voeten onverklaarbaar koud waren geworden, met zijn wollen sokken aan. Maar dat praten... o, wat had ze daar een hekel aan! En dan te bedenken hoe aardig de mensen wilden zijn – je zou haast over je nek gaan van al die 'aardigheid'. Maar hoewel Bridget zich normaal gesproken weinig gelegen liet liggen aan uiterlijk vertoon, vond ze het nu toch niet gepast om haar antwoordapparaat aan te zetten. Ze moest haar verlies niet oppotten– ze had het gevoel dat ze het moest delen, dat het beschikbaar moest zijn voor iedereen, net als de stortbuien die ze die herfst over zich heen kregen.

En inderdaad leken de hemelen een geheime sympathie te koesteren voor haar dode man: ze huilden en jammerden op indrukwekkende toon, en stelden haar eigen gebrek aan tranen aan de kaak.

Bridget ontdekte dat ze niet kon huilen om Peter. Ze was zich er zelfs van bewust dat ze bij het voeren van de obligate gesprekken waar ze zo'n hekel aan had, sprak op een toon die in haar situatie wel vreemd moest klinken. Ze begreep ook dat dit voor de mensen die belden om haar te condoleren nogal onthutsend was.

Het zou onjuist zijn om die toon 'opgewekt' te noemen. Er klonk geen opgewektheid in Bridgets stem, maar het had er wel voor kunnen doorgaan; dus toen Frances eindelijk genoeg moed bij elkaar geraapt had om het nummer in Fulham te draaien, dacht ze bij het horen van Bridgets straffe stem aan de andere kant van de lijn meteen: Ze zit er niet mee!

'Met Frances Slater,' zei ze. En wachtte af.

Bridget wist natuurlijk wie Frances was. Peter had eens, met een voor hem ongebruikelijke vooruitziende blik, gezegd, 'Als er ooit iets met mij gebeurt is er iemand die misschien contact met je zal zoeken,' en Bridget, die precies begreep waar hij op doelde – had geantwoord, 'Ach, natuurlijk gebeurt er niks met jou – doe toch niet zo melodramatisch.' Maar ze had er, minder bits, aan toegevoegd, 'Natuurlijk zou ik iedereen die belangrijk voor je was te woord staan.'

Maar nu ze Frances inderdaad aan de telefoon kreeg zei ze alleen maar, 'O, ja!', hetgeen Frances ontmoedigend in de oren klonk.

'Peter en ik kenden elkaar,' had Frances vervolgens gezegd, en ze slikte nog net op tijd de woorden 'een beetje' in. Ze had er geen behoefte aan Peters vrouw te paaien door de relatie met Peter te bagatelliseren.

Bridget hield er niet van om gepaaid te worden. 'Dat weet ik,' zei ze. 'Je zult je wel vreemd voelen, denk ik?' hetgeen Frances verraste na het ontmoedigende begin.

De twee vrouwen spraken af voor een kopje thee bij het snelbuffet van John Lewis. Dat was Bridgets idee – ze had geen behoefte aan de geur van camelia's. En voor Frances, die vlakbij het warenhuis werkte, in Soho, kwam het heel goed uit.

'Ik heb een nachtlampje gekocht,' kondigde Bridget aan toen Frances haar gevonden had ('Je zult me wel herkennen, denk ik, ik ben fors en blond en ik heb iets groens aan.') Een taps toelopend, doorschijnend lampje waar gekleurde zeepaardjes in ronddobberden stond, nogal absurd, op de lichte nep-teakhouten tafel tussen de twee vrouwen in. 'De zeepaardjes gaan op en neer als het lampje brandt.'

'Slaap je wel goed?' vroeg Frances, die het gevoel had dat die vraag van haar verwacht werd.

'Gaat wel,' zei Bridget. 'En als je hem uitdoet verschijnt er onderin een zeemeermin die haar haren kamt en zichzelf bewondert in een spiegel. Kijk maar!' Ze wees naar een kleine, maar perfect gevormd meisje met een welgevormde groene plastic vissenstaart.

Frances, die snel van begrip was, wist nu waar ze aan toe was: er zouden geen emotionele ontboezemingen worden gedaan. 'Ik heb vroeger ook eens zoiets gehad,' droeg ze bij. 'Zo'n bol die je als kind cadeau krijgt – als je ermee schudde begonnen er losse stukjes te dwarrelen.' Die opmerking was een schot in het duister.

Maar gelukkig trof hij doel. 'Ja, meestal sneeuw,' stemde Bridget in. 'Wil je thee? Dan bestel ik nog een pot, ik heb deze al bijna helemaal op.'

Buiten regende het tranen met tuiten. Bridget dacht: Ze valt best mee, en kreeg het gevoel dat zij op een dag mogelijk ook tranen zou storten.

'Je ziet er niet uit als een vrouw die zo nodig moet praten,' zei Bridget. 'Ik kan je maar beter meteen eerlijk vertellen dat ik niet van plan ben om te praten. Maar – ' ging ze door, alsof Frances geprobeerd had haar in de rede te vallen, hetgeen niet het geval was, want Frances luisterde zwijgend en geboeid – 'op de een of andere manier lijkt het onheus tegenover Peter als we elkaar links laten liggen, al weet ik eigenlijk niet goed wat we met elkaar aan moeten.'

Frances dacht: Waarom moet ze zo *anders* zijn? Hardop zei ze, 'Ik vind het ook niet zo nodig om te praten – al zijn er dingen die ik waarschijnlijk alleen tegen jou zou kunnen zeggen.'

'Da's waar,' gaf Bridget toe, en verzonk in een somber gepeins.

Frances liet de thee ronddraaien in haar kopje en keek naar een stel aan een tafel een eindje verderop; ze hadden ruzie. 'Je hebt altijd al een oogje op haar gehad – dat kun je toch niet ontkennen!' hoorde ze de vrouw zeggen – een vrouw met slordig aangebrachte make-up en achterovergekamde haren. Dat soort scènes blijft ons tenminste bespaard, dacht Frances. Voor het eerst kwam de gedachte bij haar op dat ze een *ménage à trois* waren – zij, Peter en Bridget. Of, een triootje *waren geweest*, moest ze nu eigenlijk zeggen.

'Zo dadelijk begint er een concert in de Wigmore Hall –' zei

Bridget, plotseling alert – 'Schubert – waar ik van hou – en Mahler – waar ik niet van hou, maar we kunnen na de pauze stilletjes verdwijnen – of hou jij wel van Mahler?'

Frances zei dat ze eigenlijk niet zo goed wist wat ze van Mahler moest vinden. En eerlijk gezegd, wat ze van Schubert vond wist ze net zo min.

Hoofdstuk 3

'Het punt is,' zei Bridget, luidruchtig sabbelend aan een kippenbot uit de restjes van haar *coq au vin*, 'dat Schubert nooit gekunsteld is – en Mahler soms wel.'

Ze zaten, na het concert, te eten in een restaurant waar beide vrouwen ook met Peter geweest waren. Beiden waren zo tactvol daar geen enkele toespeling op te maken. Ze leverden commentaar op de inrichting, de elegante jonge kelners en serveersters, en zeiden niets wat erop duidde dat ze diezelfde dingen mogelijk ook besproken hadden met de dode man die hen had samengebracht.

Frances zei, 'Ik weet niks van muziek – maar ik vind het geloof ik mooier als het niet zo hard is.'

'Je hebt groot gelijk,' zei Bridget. 'Symfonieën worden zwaar overschat.' Ze klopte een sigaret uit een blauw pakje Gauloises. 'Vind je het erg als ik rook?'

Als ik dat vind, dan is het nu al te laat! dacht Frances. 'Nee hoor, ga gerust je gang.'

'Je weet het tegenwoordig maar nooit.'

Frances dacht: Ze moet vroeger mooi geweest zijn, met die teint.

Bridget dacht: Zo'n kromme, aristocratische neus zou ik ook wel willen hebben.

De kelner kwam naar hun tafeltje en begon ontspannen met de twee vrouwen te flirten, maar meer met Bridget, vanwege haar Frans. Bridget vroeg uit welke plaats in Frankrijk hij kwam, en er ontspon zich een geanimeerde discussie over worsten uit Arles.

'Waar heb je dat geleerd?' vroeg Frances.

'Gewoon doen. Van pingelen leer je het meest. De Fransen hebben meer respect voor je als je flink afdingt – maar dat lukt je alleen als je ze goed van repliek kunt dienen.'

'Ik ben niet goed in talen,' zei Frances. 'Dat zijn al twee dingen waar jij beter in bent – talen en muziek.'

'Zeg, het is geen wedstrijd!' merkte Bridget koeltjes op.

Frances ging altijd met de metro naar haar werk, dus bracht Bridget haar thuis. Toen ze langs Turnham Green reden zei Bridget, 'Hier zijn ze toch geklopt?'

'Geklopt?'

'In de burgeroorlog,' legde Bridget uit. 'De Royalisten werden hier verslagen door de Roundheads en maakten toen rechtsomkeert – vandaar de naam "Turn'em Green"[2] – dit was een slagveld.'

'Aha.' Frances luisterde niet echt. Ze vroeg zich af of ze Bridget al dan niet binnen moest vragen als ze bij haar appartement kwamen, en zat bepaald niet te wachten op een lesje geschiedenis over haar eigen buurt. Om haar irritatie van zich af te schudden zei ze: 'Nou, dat is dan het derde onderwerp waar je meer van afweet dan ik; muziek, talen en plaatselijke geschiedenis.' Dat soort opmerkingen maakte ze altijd tegen Peter, en die zou er zeker om gelachen hebben. Ze voelde zich plotseling verdrietig dat ze dat nooit meer zou kunnen doen. Ze besloot Bridget toch maar niet binnen te vragen.

'Kan ik je nog wat te drinken aanbieden?' hoorde ze zichzelf zeggen, en ze was dubbel zo boos toen Bridget de uitnodiging aannam. Ik maak er echt een potje van, dacht ze, terwijl ze Bridget binnenliet in het appartement waar ze Peter altijd ontvangen had.

Frances' appartement was net als Frances. Bridget zwierf door de kamer en merkte op dat de boeken allemaal op alfabet stonden. Weinig ornamenten, maar drie heel goede schilderijen aan de zonnebloem-gele muren.

'Is dat geen Kavanagh?' Bridget tuurde naar een schilderij van een naakte vrouw op hoge hakken die een boek lag te lezen in een ligstoel. (Een schilderij dat Peter voor Frances' zevenendertigste verjaardag had gekocht. 'Ik vond dat ze op jou leek,'

---

2 Turn'em: laat ze omdraaien   Green: grasveld

had hij gezegd, en vervolgens had hij haar al haar kleren uitgetrokken, op haar schoenen na.)

'Ja,' zei Frances kort, blij dat ze met haar rug naar Bridget bezig was whisky met water in te schenken.

Bridget, die over de gebruikelijke dosis telepathische gaven van haar land beschikte, grijnsde nogal gemeen naar de rug. Het was haar niet ontgaan dat het naakt wel wat van Frances had; Peter hield van dat soort confrontaties: hij had Bridget eens een klein, krachtig bronzen beeld cadeau gedaan van een naakte vrouw op een paard.

Ze liet zich achterover zakken, opzettelijk breeduit over de strakke lijnen van de bank, en stelde zich haar man hier voor. Hij had zeker ook whisky met water gedronken. Frances had haar Jameson ingeschonken, het merk dat Peter graag dronk. Frances zelf, zag ze, dronk cognac.

'Wonderlijk, hè,' zei Bridget gemoedelijk, 'Ik kan nog steeds niet geloven dat hij dood is. Kun jij erom huilen?'

'Nee, helemaal niet,' loog Frances. Hier had ze geen zin in. 'Ik heb het te druk gehad,' voegde ze er, nodeloos, aan toe. Het was niet waar; de tijd had om haar heen gehangen als een humeurige tiener.

'Weet je,' zei Bridget, zonder in te gaan op Frances' camouflagepogingen, 'een mens is meer dan alleen vlees en bloed, zoals jij ook wel zult weten. Een mens bestaat in je, bepaalt je gemoedstoestand. Peter en ik zagen elkaar soms wekenlang niet – maar dat weet jij natuurlijk ook wel! – dus mijn systeem is nog niet gewend aan het verschil. Ik verwacht nog steeds dat hij er zal zijn als ik thuiskom. En als dat dan niet zo is, als ik naar binnen ga en alles ligt er nog net zo bij als ik het achtergelaten heb, dan denkt mijn systeem alleen maar: Nou ja, hij zal zo wel komen, waar maak je je druk om?'

Frances, die vooral het tussenzinnetje – maar dat weet jij natuurlijk ook wel – geregistreerd had, was gedeeltelijk gerustgesteld. 'Ik ben er ook nog niet aan gewend,' gaf ze toe. 'Maar zijn bezoekjes aan mij waren natuurlijk maar lapwerk.' Ze voelde zich beter nu ze het over haar ontmoetingen met Peter kon hebben.

22

'Lapwerk en nog wat,' zei Bridget lui. 'Waar was dat ook weer uit...?'

Maar Frances wist het niet. Ze dacht dat het misschien niet zo moeilijk geweest was voor Peter om verliefd te zijn op zijn vrouw. Die gedachte zat haar slechts vaag dwars: Peter had haar ook nodig gehad, haar ordelijkheid had hij nodig gehad. Bridget had iets angstaanjagends over zich: ze vond onrust wel leuk, misschien genoot ze er zelfs wel van als ze de kans kreeg.

'*Hamlet,*' zei Bridget plotseling. 'Natuurlijk, *Hamlet*, dat is het, als ik niet uitkijk, vergeet ik mijn eigen naam nog. *"Een koning van lapwerk en lompen"*.' Triomfantelijk zakte ze onderuit op de fletse bank.

'Wij hebben *Hamlet* een keer opgevoerd op school,' zei Frances, vastbesloten om zich ditmaal niet te laten overtroeven. 'Ik was Gertrude; ik vond het een naar mens.'

'Hmmm,' zei Bridget, niet overtuigd. Ze kon wel sympathie opbrengen voor de koningin die met de moordenaar van haar man getrouwd was. '*Hamlet* is een goed voorbeeld,' – zei ze duister. 'Kijk maar eens wat er gebeurt als zijn vader sterft – hij gaat niet weg, nee hoor, denk dat maar niet. Hij komt terug en gaat als een bezetene tekeer.'

'Ik hoop niet dat Peter terugkomt en als een bezetene tekeergaat,' zei Frances, die vond dat ze nu wel wat humor kon riskeren.

Hoofdstuk 4

Bridget vond het vanzelfsprekend dat Frances het als eerste te horen kreeg.

'Ik ben bezig een huis in Shropshire te kopen,' had ze gezegd.

'Maar je gaat toch niet helemaal weg uit Fulham?' had Frances gevraagd, met het beklemmende gevoel dat ze in de steek gelaten werd.

Frances en Bridget hadden elkaar nu al een paar keer ontmoet. Regelmatiger, had Frances opgemerkt in een poging Bridget te vermurwen, dan ze Peter ontmoet had. Maar Bridget liet zich niet vermurwen. Ze was uitstekend in staat Frances leuk te vinden zonder dat ze het leuk vond wat Frances voor Peter betekend had.

De meeste vrouwen in Bridgets plaats zouden Frances zonder meer gehaat hebben. Maar dit is geen verhaal over vrouwelijke jaloezie of wraak, en niet alle mensen (zelfs vrouwen niet) reageren zoals hun omgeving dat van hen verwacht. Bridget was geïnteresseerd in Frances omdat Peter dat was geweest. Ze vond het niet leuk dat Frances de minnares van haar man was geweest, maar ze besefte wel dat haar gedachten of gevoelens nu niets meer konden veranderen – als ze dat al ooit gekund hadden – aan de harde feiten van Peters genegenheid voor een andere vrouw.

Frances had, op haar beurt, ook best een hekel aan Bridget kunnen hebben, maar zij had, nu Peter er niet meer was, juist min of meer het idee dat Bridget een laatste schakel met hem was.

Bridget vond het ook interessant dat zij door de telefoon met Frances praatte, want Bridget was, zoals ze dat zelf noemde, geen 'telefoonmens'. 'Ik correspondeer liever,' had ze Peter eens uitgelegd toen hij nog met een ander getrouwd was en haar verweet dat ze hem had afgesnauwd toen hij haar onverwachts vanuit een telefooncel belde. 'Met een brief weet je tenminste zeker dat je iemand niet stoort.' 'Neem me niet kwalijk dat ik je gestoord heb,' had hij, nog steeds lichtelijk gepikeerd, gezegd.

Bridget had het huis gevonden toen ze er een weekend tussenuit was gegaan, naar een hotelletje op het platteland. Het hotel was een beloning voor het feit dat ze zo flink was geweest om zich door Peters bureauladen heen te werken – een klus waar ze zich bepaald niet op had verheugd. Ze was nooit 'een snuffelaar' geweest, zoals Peter dat noemde. Wat Peter in zijn laden opborg was zijn zaak. Bridget had er niet de minste behoefte aan gehad zijn gangen na te gaan.

Dit gebrek aan speurzin werkte tegen haar toen het de dood van haar man overleefde. Bepaalde vormen van intimiteit leken Bridget misplaatst binnen de koele diepten van haar verbond met Peter. Wat haar betreft hoefde je in een relatie echt niet de badkamer met elkaar te delen, en zo waren er nog wel wat dingen die zij beschouwde als privé-terrein. Ze had het bureau al een paar maal opengemaakt, er wat paperassen uitgehaald en de sterke neiging gevoeld ze in brand te steken. Toevallig had ze net de eerste stapel bankafschriften tevoorschijn gehaald toen Frances haar opbelde, en uit pure opluchting over deze afleiding had Bridget voorgesteld elkaar te ontmoeten. Misschien dat die ontmoeting met Frances stimulerend gewerkt had, want na die lange, vreemde dag – de thee bij John Lewis, gevolgd door Wigmore Hall en daarna nog de whisky bij Frances thuis – zette Bridget haar schouders onder de klus en werkte zich verrassend snel door de inhoud van het eikenhouten bureau heen. En was toen vertrokken voor een weekendje Shropshire.

Het hotel waar ze logeerde was sjofel: openhaarden met kastanjehout en wilde eenden op het meer – en op het menu. Het was de slappe tijd voor Kerstmis en het hotel was leeg op haarzelf en een stelletje na, dat een buitenechtelijk uitstapje maakte.

Bridget nam het stelletje op met meer dan normale belangstelling. Ze deden haar erg opgeschroefd aan, zonder ook maar een spoor van de ontspannen intimiteit die zij met Peter gekend had. Maar misschien was Peter wel net zo opgeschroefd geweest met Frances? Dat moest ze haar maar eens vragen.

Op zaterdagmorgen had Bridget een wandeling gemaakt over een omgeploegd veld, dat kaal was op een neergestreken vlucht rondschrijdende kieviten na. *'Groenborstige kievit, luidruhuchtige knaap, vlieg heen en verstoor niet mijn zoehoete slaap,'* zong Bridget uit volle borst, terwijl ze bij de eerste opstap de jonge vrouw uit het hotel passeerde, alleen en zichtbaar in tranen. Nou, als dat de prijs was die je betaalde voor een vrolijke avond! Bridget, die geen zin had om zich door dit toonbeeld van ellende uit haar humeur te laten brengen, was van het voetpad afgegaan en langs een meidoornhaag een weg op gelopen.

De weg kwam uit bij een huis van rode baksteen met vier schoorstenen en een paal in de tuin met een bord 'Te Koop' eraan. Bridget, die voetstappen hoorde en bang was dat ze achternagezeten werd door de betraande jonge vrouw, schoot snel het portiek in.

'Het spijt me dat ik u lastig val,' verontschuldigde ze zich tegen de man die de deur opendeed. 'Maar ik zag het bord.'

Het eikenhouten bureau had Bridget net onthuld dat ze 250.000 pond op zou strijken van een levensverzekeringsmaatschappij. Het kwam wel heel mooi uit dat dit precies het bedrag bleek te zijn dat het huis in Shropshire moest kosten; Bridget kocht het voor de vraagprijs zonder het zelfs maar te laten taxeren.

'Dat was niet nodig,' legde ze Frances uit toen ze haar opbelde. 'Het rook droog, er zitten openhaarden in en het heeft een prachtig uitzicht.' Op heuvels – ver weg en mistig. Er zat ook een roekenkolonie in de iep achterin de tuin, maar dat had ze verzwegen.

Toen Bridget zich er eenmaal op had ingesteld dat Peter nooit meer terug zou komen, had ze ontdekt dat ze snakte naar een plek waaraan ze geen herinneringen had. Het was niet zozeer Peter zelf waar ze van los moest komen, als wel het effect dat zijn dood op haar gehad had. Zijn dood had al haar reserves uitgeput: de mensen, de genadeloze papierwinkel, het lamleggende onvermogen om te huilen. Het huis waar zij hun hele huwelijk lang hadden gewoond leek een en al verbijsterende, veeleisende onrust. Haar pogingen om dit alles het hoofd te bieden kostten haar weerzinwekkend veel moeite, en daarom wilde ze er weg, naar de roeken.

'Het is alleen maar voor de weekends,' stelde ze Mickey gerust.

Bridget had besloten Mickey iets te geven dat Peter haar zogenaamd had nagelaten. In werkelijkheid had hij alles nagelaten aan Bridget voor de duur van haar leven, maar dat weerhield Bridget er niet van het testament op haar manier uit te leggen. Mickey had Peters vrouw vervangen tijdens haar afwezigheid; het was niet meer dan billijk dat Mickey daar een beloning voor kreeg. Duizend pond leek haar een juist bedrag.

Mickey had het geld zo zonder tegenstribbelen aangenomen dat Bridget zich afvroeg of de onofficiële erfenis misschien wat aan de karige kant was; en Mickey had zich ook niet gerust laten stellen door wat Bridget zei over het huis in Shropshire.

'Als je daar de weekends gaat zitten plus alle tijd dat je in het buitenland bent, dan zal ik je niet vaak meer zien.'

'Nou ja, niet elk weekend, hoor,' had Bridget geprobeerd haar te paaien. Maar ze had wel iemand aangenomen voor de weekends om de winkel draaiend te houden, dus als ze dat wilde kon ze elk weekend weg.

'Ik vind het maar gevaarlijk, hoor, om je huis zomaar onbewaakt achter te laten. Ik mag dan honderdmaal je buurvrouw zijn, maar ik ben maar een oud mens – je denkt toch zeker niet dat ik in staat ben om inbrekers of andere gluiperds van je deur te slaan!' had haar buurvrouw met onverholen genot gezegd.

Hoofdstuk 5

Mickeys woorden lieten Bridget niet los. Misschien was het inderdaad stom om een huis in Londen regelmatig leeg te laten staan? Maar ze wilde zo dolgraag weg, alleen zijn. Het leek net alsof ze nooit meer alleen was geweest sinds ze met Peter was getrouwd. Dus toen de jongen kwam opdagen was het bijna alsof haar gebed verhoord werd.

Op een zaterdagochtend, toen ze zich in een flanellen hemd van Peter moed liep in te spreken om zich door Peters papieren heen te gaan werken, klonk de bel. Even was ze in de verleiding om niet open te doen. Maar ze had Peters kamerjas gepakt en toen ze die aangetrokken had en bij de voordeur kwam zag ze de jongen. Hij liep net het pad al weer af. Dankzij de vele malen dat ze in het holst van de nacht was thuisgekomen van een van haar buitenlandse reizen, was het scharnier van de deur zo goed geolied dat hij geluidloos openging, dus de jongen hoorde haar niet en ze had hem rustig kunnen laten vertrekken en haar vage pogingen om de paperassen in wankele stapels te ordenen kunnen hervatten. Maar bij de aanblik van de scherpe, uitstekende schouderbladen – vleugeltjes bijna, dacht ze – riep ze hem na, 'Wat kan ik voor je doen?'

Bij het horen van haar stem draaide de jongen zich om; ze zag een jong gezicht dat, zoals ze het later tegen Frances zei, 'zo mooi was als de dag – adembenemend mooi!' Frances, die tot dan toe nog slechts Bridgets harde kanten te zien had gekregen, keek even verbaasd op en moest toen glimlachen om de over-drijving. (Dat het geen overdrijving was maar de volle waarheid werd Frances pas veel later duidelijk, toen ze Zahin zelf ont-moette en hem, op haar beurt, beschreef als een 'donkere Apollo'. Tegen die tijd woonde de 'Apollo' al lang en breed bij Bridget in huis – maar laten we niet op de zaken vooruit lopen.)

De jongen aarzelde en liep over het pad terug naar Bridget.

28

Ze zag dat hij een jong takje rozemarijn had geplukt van de sterk geurende struik bij de voordeur. Hij zag er keurig uit, de jongen, in zijn witte overhemd, donkerblauwe trui en grijze broek. De broek zag eruit alsof hij net geperst was.

Geroerd door de aanblik van het jonge twijgje rozemarijn dat ronddraaide tussen zijn vingers ontdooide Bridget. 'Hallo.'

De jongen glimlachte niet, maar maakte een lichte buiging met zijn hoofd. Toen hij opkeek zag ze dat zijn ogen, ondanks zijn donkere huid en haren, intens blauw waren. 'Het spijt me dat ik u stoor.'

'Wat kan ik voor je doen?'

'Ik zoek Mr. Hansome.'

'O,' zei Bridget, 'kom dan maar even binnen.'

Hij bleef zo respectvol midden in de keuken staan dat Bridget bijna het gevoel kreeg dat ze hem op een stoel moest duwen. 'Wil je een kopje koffie?' Hij schudde zijn hoofd. 'Thee?' Weer schudde hij zijn hoofd. 'Wat kan ik je dan te drinken aanbieden?' Als deze jonge knul niet op de hoogte was van Peters dood, dan moest ze hem misschien wel sterken tegen het nieuws – of in elk geval moest ze zichzelf sterken om het hem te vertellen.

'Hebt u een glas melk?'

Dankbaar voor dit korte uitstel pakte Bridget een van de glazen die ze had meegenomen uit Limoges van de plank, en schonk het tot de rand toe vol; de witte melk glansde groen achter het dikke glas. Ze schonk zichzelf koffie in en ging tegenover de jongen aan de keukentafel zitten. 'Ik ben Mrs. Hansome,' zei ze. 'Ik moet je iets zeggen waar je vast erg van zult schrikken, maar mijn man, Mr. Hansome, is dood. Hij is een week of wat geleden omgekomen bij een auto-ongeluk.' Kerstmis stond voor de deur; het was al weer bijna twee maanden geleden dat ze zelf het nieuws te horen had gekregen van de politieagente met de behoedzame blik.

Een uitdrukking van intense verbazing deed de blauwe ogen oplichten. 'Mr. Hansome is getrouwd… ?' Het was net alsof het andere nieuws hem volledig ontgaan was.

'Ja,' zei Bridget geamuseerd. 'Hij is, of liever gezegd was, getrouwd. Ik ben zijn vrouw,' herhaalde ze, 'of zijn weduwe, moet ik nu waarschijnlijk zeggen.' En dat was de eerste keer dat ze het woord bewust met betrekking tot zichzelf had gebruikt.

De jongen legde zijn hoofd op tafel en begon te huilen. Hij huilde met zulke hartverscheurende snikken dat Bridget vervuld werd van een soort bewondering. Wat fantastisch om zo te kunnen huilen!

Ze boog zich voorover en klopte hem zachtjes op zijn schouder. 'Hij heeft niks gevoeld,' zei ze. 'Maak je maar geen zorgen – hij heeft geen pijn geleden.' Tegen een dergelijke stortvloed van tranen moest ze toch zeker wel wat troost bieden.

De jongen tilde zijn hoofd op en keek haar met droevige ogen aan. 'Ik wist het niet. Hij was mijn vriend en ik wist het niet.'

'Ja,' zei Bridget, die zich bezwaard voelde dat ze er geen idee van had wie deze jongeman was, 'ik weet hoe je je voelt. Het is vreselijk om zoiets niet te weten.'

De jongen bracht het glas melk naar zijn mond. Met grote, luidruchtige slokken dronk hij het in één keer leeg. Toen likte hij zijn bovenlip af waarop zich de vage contouren van een zacht snorretje aftekenden. 'Ik heet Zahin,' zei hij.

'En ik heet Bridget.'

'U bent Mrs. Hansome?'

'Ja,' zei Bridget. Het kwartje leek eindelijk gevallen te zijn. 'Ik ben Mrs. Hansome.'

'Dan zult u mij helpen,' zei de jongen.

'En toen vroeg hij je dat gewoon, zonder blikken of blozen?' vroeg Frances.

'Hij vroeg het niet eens – hij zei het gewoon.'

Ze zaten samen te eten in Bridgets keuken. Aan de muur achter Bridget zag Frances vanaf haar plaats het bord dat ze Peter voor zijn zesenvijftigste verjaardag cadeau had gedaan. Een zachtgroen geglazuurd bord – Chinees; zij zou het nooit aan de keukenmuur gehangen hebben.

'Maar wie is die jongen dan?'

Het eten bestond uit eieren met tomaat, die Bridget gebakken had in de zuivere olijfolie die ze uit Frankrijk meegenomen had in flessen zonder etiket, alleen bestemd voor speciale gasten. Terwijl Bridget haar bord schoon depte met een stukje stokbrood, onderdrukte ze een automatische reactie van: Bemoei je met je eigen zaken! 'Hij zegt dat hij Peter kent van een sponsorbijeenkomst – zijn bedrijf sponsorde kinderen op scholen in diverse delen van de wereld waar ze contacten mee hadden.'

Hij kwam uit Iran, had de jongen haar verteld. 'De familie van mijn vader was bevriend met de Sjah – toen hij stierf werd mijn familie verstoten – het is gevaarlijk voor de mannen in onze familie. Dus ben ik twee jaar geleden naar Engeland gekomen.'

Frances zei niet, zoals een andere vrouw misschien gedaan zou hebben: ik vraag me af waarom Peter daar nooit iets over gezegd heeft? Ze wist net zo goed als Bridget dat Peter een man was wiens leven was ingedeeld in vakjes. Ze zei: 'Maar waar heeft hij tot nu toe dan gewoond?'

Goeie vraag, dacht Bridget. Frances was zo heerlijk praktisch. 'Bij een andere familie uit Iran, maar die gaan verhuizen naar de Verenigde Staten. Kennelijk wist Peter dat en had hij beloofd dat hij, als het zover was, de jongen zou helpen een nieuwe plek te vinden. Maar het was eerder zover voor Peter,' besloot ze met een van haar lichtelijk morbide grapjes.

Het grapje ontging Frances niet, maar ze reageerde er niet op, en vroeg, 'Is het een aardige jongen? Mocht je hem?'

'Ja, ik mocht hem wel, geloof ik,' zei Bridget. 'Maar of hij "aardig" is kan ik je waarachtig niet zeggen!'

Later, toen Frances vertrokken was en ze de borden stond af te wassen – Frances' hulp had ze afgeslagen – mijmerde ze dat ze niet kon zeggen of de jongen 'aardig' was omdat 'aardig zijn' een eigenschap was die haar niet veel zei. De mechanische handelingen van het afwassen en afdrogen gaven haar rust voor het slapengaan. Maar iemand 'mogen', dat was een andere zaak. Mocht ze de jongen? Dat kon ze nog niet zeggen. Maar ze moest wel iets voor hem gevoeld hebben, anders had ze hem nooit zo plompverloren dat aanbod gedaan.

Toen ze in Peters overhemd in bed kroop, bedacht ze zich dat de jongen toch wel enig effect op haar had gehad: hij had iets in haar wakker geschud wat sinds Peters onverwachte dood braak had gelegen.

Hoofdstuk 6

Bridget ging bij Mickey op bezoek met haar kerstcadeau, een deken van felgekleurde gebreide vierkantjes. Ze was zich ervan bewust dat Mickey, traditioneel als ze was, misschien liever een wat conventioneler cadeautje gehad had – een luxeverpakking met verschillende soorten badcrème, een nachtjapon met kant, een fles port. Maar Bridget kon het nooit over haar hart verkrijgen iemand iets te geven wat ze zelf niet cadeau zou willen krijgen.

'Ik heb een huurder gevonden,' zei ze, niet in de laatste plaats om de stilte waarin Mickey de vrolijke vierkantjes bekeek op te vullen. 'Hij past op mijn huis als ik er niet ben, dus ik heb tegen hem gezegd dat hij altijd naar jou toe kan als er wat is.'

'Mijn moeder had er net zo een. Hoe kom je eraan? Het zou me niks verbazen als het de hare was die nu bij me terugkomt.'

Bridget, die de deken geruild had met een collega in Southend tegen een opgezette tapir, zei dat ze hem op een tweedehands markt in Chelsea had gekocht.

'Zie je wel – dit kan best die van mijn moeder zijn, toen ze bij mij introk heeft ze al haar spullen weggedaan.' En met het air van iemand die weet hoe het hoort overhandigde Mickey Bridget een langwerpig pakje, verpakt in hulstpapier, met rood-met-gouden linten. Een sterke geur van viooltjes bevestigde de identiteit van het cadeau. 'Coty badzout – zoals je altijd van me krijgt.' Van Mickey hoefde je geen verrassingen te verwachten.

Mickey, die eerst blij was te vernemen dat ze iemand naast zich kreeg, raakte van slag toen ze hoorde dat de huurder die Bridget in huis wilde nemen 'een bruine' was, zoals ze dat tegen haar vrienden nog altijd noemde.

'Het zal best een aardige jongen zijn,' zei ze in de pub onder het genot van een drankje om de kerst in te luiden in vertrouwen tegen Jean Clancey, 'en een plaatje om te zien, dat moet ik toegeven. Maar het is toch niet hetzelfde...!'

Wat er voor Mickey dan 'niet hetzelfde' aan was, liet ze over aan de meelevende verbeelding van haar vriendin. Voor Bridget was het zeker anders om Zahin in huis te hebben.

Sinds ze volwassen was, had Bridget nooit meer iemand anders om zich heen gehad dan Peter. Ze was jong afgestudeerd, toen ze nog op een gedeelde etage woonde, en had niet de stappen ondernomen die andere mensen zo nodig vinden om op zichzelf te kunnen gaan wonen. Haar begintijd met Peter had Bridget soms op haar zenuwen gewerkt. Het had haar geïrriteerd als Peter haar iets vroeg terwijl ze verdiept was in haar boek, of als hij wilde dat ze hem onmiddellijk hielp zoeken naar sokken of tijdschriften die hij kwijt was, of zelfs een keer naar een oud cricketblad waarin hij een cricketuitslag van jaren geleden wilde opzoeken. Dat laatste was Bridget echt te ver gegaan en ze had nogal venijnig opgemerkt dat ze hoopte dat hij hun relatie niet ging misbruiken om infantiel te worden. Peter had daar nog dagen over lopen mokken, totdat de harmonie hersteld werd doordat zij de kunst verstond haar eeuwig goede humeur te bewaren en zijn slechte humeur te negeren.

Op de kop af acht weken na de dood van Peter had Zahin op de stoep gestaan. In die acht weken had Bridget ontdekt dat zij, op de momenten dat ze Peter niet miste of dat ze, zoals ze aan Frances had opgebiecht, nog niet kon geloven dat zijn afwezigheid blijvend van aard was, niet meer zoals vroeger kon genieten van het alleen zijn. In theorie was het zeker prettig om precies te kunnen doen wat ze wilde; maar wat ze wilde werd onmogelijk gemaakt door een afschuwelijk, deprimerend gevoel van zinloosheid dat alles oversluierde. Zonder dat ze zich daar zelf van bewust was geweest, had ze de lichtstraal van haar attentie gericht op haar man, wiens steeds terugkerende eisen haar eerst hadden geërgerd, toen geamuseerd en die ten slotte haar leven waren gaan uitmaken. Nu ze geen brillen en paperassen meer hoefde te zoeken, telefoontjes moest plegen, kaartjes moest bestellen, diëten moest klaarmaken – want Peter had hypochondrische neigingen die zich uitten in diverse en vaak tegenstrijdige culinaire regimes – voelde ze zich gortdroog. De tranen die de jongen zo bitter geschreid had in haar keuken waren op de een of andere manier op dat 'opgedroogde' gevoel gevallen; toen hij zei dat hij werkelijk niet wist waar hij nu moest wonen was het dan ook meer geweest dan alleen medeleven met zijn droevige lot dat haar had doen zeggen, 'Je kunt wel bij mij komen wonen, als je wilt,' al was ze wel zo voorzichtig geweest eraan toe te voegen, 'tot je een definitieve woonruimte gevonden hebt.

Zahin had een reactie vertoond die haar deed denken aan de keer dat ze Peters 'legaat' aan Mickey schonk: hij aanvaardde haar voorstel zonder protest, alsof hij er recht op had. Mr. Hansome, zei hij, had ook gezegd dat hij wel bij hem kon komen wonen als dat nodig was. Toen Bridget dat hoorde was ze niet eens verbaasd of boos, noch over dat aanbod, noch over het feit dat Peter zo duidelijk had nagelaten erbij te vermelden dat er ook nog een Mrs. Hansome was die daar ook wel wat over te zeggen had. Ze was gewend aan Peters wispelturige buien: als de jongen was komen opdagen toen Peter nog leefde, had hij misschien wel zonder blikken of blozen ontkend dat hij ooit een dergelijk voorstel gedaan had. 'Onzin, die jongen zegt maar wat,' zou hij waarschijnlijk uitgeroepen hebben – en Bridget zou zich geroepen hebben gevoeld te zeggen dat het toch geen kwaad kon om de jongen een paar nachtjes te logeren te hebben.

Dus eigenlijk deed ze niet meer dan ze waarschijnlijk toch gedaan zou hebben, toen ze Zahin voorstelde dat hij zijn spulletjes vóór eerste kerstdag op zou halen uit het appartement waar hij gewoond had in St.-John's Wood. Dan heb ik meteen iemand om voor te koken met Kerstmis, dacht ze, in het besef dat dit meteen een probleem oploste dat ze nog niet onder ogen had durven zien.

Frances, die eraan gewend was ruim van tevoren regelingen te treffen voor Kerstmis om datzelfde gevoel van eenzaamheid dat Bridget nu voor het eerst ervoer te vermijden, zou de feestdagen doorbrengen bij het gezin van haar broer James. Haar broer was rechter in een van de noordelijke rayons en woonde in Northumberland, in een enorm huis, met een grote familie en een eveneens enorme vrouw. Zij en de vijf meisjes waren hartelijk en energiek – 'prima mensen', zoals een vriendin ze eens genoemd had.

Het is een droevig feit dat 'prima mensen' vaak saai zijn. Frances, die aan het begin van haar bezoekjes aan haar broer altijd een steek van jaloezie voelde, liet de hele familie bij haar vertrek meestal met een zucht van opluchting achter: ze mocht dan eenzaam zijn in de rust en vrede van Turnham Green, maar ze kon er in elk geval vrij ademhalen.

Na haar bezoek aan Northumberland had ze nog wat tijd nodig om bij te komen, en het jaar was dan ook al een paar dagen oud toen Frances met een cadeau bij Bridget kwam aanzetten.

'Het spijt me,' zei ze eerlijk, 'ik heb het te druk gehad om eerder te komen. Beschouw het maar als een nieuwjaarscadeautje.' Ze had er een goede reden voor gehad om Bridget niet vlak voor Kerstmis op te zoeken: de afgelopen vijf jaar had Peter op kerstavond tijd vrijgemaakt om bij Frances te zijn.

Bridget, die zelf al bedacht had dat het natuurlijk Frances was geweest voor wie Peter een smoesje verzonnen had om op kerstavond weg te zijn, had niets voor haar gekocht. Bridget pakte het cadeau uit en hield een geglazuurde schaal in haar handen die ze onmiddellijk herkende als het broertje van de schaal die Peter vorig jaar als kerstcadeau 'van een klant op het werk' gekregen had, en begreep meteen dat haar cadeau oorspronkelijk voor Peter bedoeld was geweest. Frances leek er de vrouw wel naar om ruim van tevoren haar kerstinkopen te doen.

'Leuk,' zei ze, zonder een spoor van enthousiasme, 'een schaal.' Haar blik viel op Frances' hand die de rugleuning van een stoel omklemde, en ze voegde eraan toe, 'Peter zou hem heel mooi gevonden hebben – hij kwam wel vaker met dat soort dingen thuis.'

Frances bloosde: de ijzige schimpscheut ontging haar niet. Ze zei op gespannen toon, 'Ben je de kerstdagen goed doorgekomen? Hoe was het met de jongen?'

'Ik zal je aan hem voorstellen.' Bridget riep, 'Zahin, kom

eens hier! Ik heb een vriendin van Mr. Hansome op bezoek.'
Haar stem klonk verrassend hees; Frances vroeg zich af of Peter
dat sexy gevonden had.

De jongen die in de deuropening verscheen was zo mooi dat
ze bijna hoorbaar naar adem hapte. 'Goeie genade,' riep ze uit,
'hoe kom je aan die ogen, jongen?'

Zahin die – zoals Bridget al gemerkt had – nooit iets als een
compliment opvatte, zei alleen, 'Mijn moeders familie komt
van de Kaspische Zee. Daar hebben ze blauwe ogen. Bridget,
mag ik melk?'

'Pak maar.'

Frances keek toe hoe hij melk inschonk en vond hem, in zijn
witte overhemd, net een onderkoeld modern schilderij – een
Hockney, wellicht?

'Frances was een goede bekende van Mr. Hansome, Zahin.'

Frances, die geboeid constateerde dat Peter Mr. Hansome
geworden was, vroeg, 'Hoe kende jij – eh, Mr. Hansome,
Zahin?'

'Hij kende hem van zijn werk,' zei Bridget minzaam. 'Je weet
toch nog wel dat ik je verteld heb dat Zahin tot een van de
families behoorde die door het bedrijf gesponsord werden?'

Peter had Frances opgebiecht dat het feit dat hij voor zijn
werk nooit eens naar het buitenland mocht hem rusteloos
maakte. Frances, die afwist – ja, zelfs profiteerde – van Bridgets
buitenlandse reisjes, had zich weleens afgevraagd waarom Peters
vrouw niet gemerkt had dat hij ook graag af en toe op reis
wilde. Nu zei ze, 'Waar ligt de Kaspische Zee? Aardrijkskunde
is nooit mijn sterkste kant geweest.'

De jongen dronk met grote slokken van zijn melk en keek
hoe de trage witte vloeistof aan het glas bleef hangen. Even
keken zijn blauwe ogen Frances aan. Toen zei hij kalm, 'Het
deel waar mijn moeder vandaan komt is nu Iran. Mijn moeder
stamt van de oude Meden.' Het was alsof hij praatte over
iemand die hij lang geleden gekend had.

'De Meden zijn een heel oud volk,' zei Bridget. Net als altijd
leek ze er alles vanaf te weten, dacht Frances.

Bridget had de schaal op het dressoir neergezet en veegde nu achteloos wat kruimels weg die eromheen lagen, en Frances kon het niet langer aanzien. 'Je hoeft die schaal echt niet te houden, hoor Bridget, als je hem niet wilt,' viel ze uit, 'Het is stom van me, ik had hem nooit aan jou moeten geven.'

Er viel een stilte waarin alle drie de mensen in de kamer naar de schaal keken.

Bridgets voorgevoel dat Frances de Chinese schaal voor Peter gekocht had was juist geweest. Toen ze hem uit de kast haalde waarin ze haar kerstcadeaus bewaarde, had ze zich afgevraagd wat ze er in vredesnaam mee moest beginnen: houden wilde ze hem zeker niet – het idee alleen al! – en ze speelde ook met het idee om Bridget iets te geven: en zo had Frances' wens om aardig te zijn voor Peters weduwe gestalte gekregen.

'Hij is mooi.' De woorden die de jongen sprak in de beladen stilte klonken als een klok – relatief zacht, maar daarom niet minder gezaghebbend – die geluid werd in het kader van een onbegrepen maar pittoresk ritueel. 'Ik zou hem wel op mijn kamer willen hebben. Mag dat, alsjeblieft?'

Bridget rommelde wat in een la. Zonder Frances aan te kijken zei ze, 'Als Miss Slater daar geen bezwaar tegen heeft…'

'Frances,' zei Frances vastberaden – ze had genoeg van dat formele gedoe. 'Noem me alsjeblieft Frances, Zahin. Natuurlijk heb ik daar geen bezwaar tegen – hij was bedoeld als cadeau. Maar ik bedacht me ineens dat Bridget misschien wel meer dan genoeg schalen had…'

Bridget had Mickeys badzout inmiddels gevonden. 'Alsjeblieft, dit is voor jou.'

Zahin had zijn melk op. Hij liep om de tafel heen naar de schaal, pakte hem op en draaide hem heel voorzichtig om. 'De kleur is zo blauw als de hemel.'

Hij keek Frances aan, en ze zag dat zijn ogen van hetzelfde ondoorschijnende blauw waren.

Bridget zei plotseling, 'Nou, ik laat jullie even alleen, hoor,' en liep de keuken uit.

Zahin zette de schaal zachtjes op tafel. Weer klonk zijn zilveren-klokjes-stem. 'Mr. Hansome en jij, jullie waren liefjes…?'

Hoofdstuk 7

Frances en Peter waren maar een paar keer samen op reis geweest. Tweemaal was ze met hem mee geweest naar Schotland, waar Peter voor zaken heen moest. Beide keren hadden ze doorgebracht in het appartement van een oude schoolvriend van Peter, een vrijgezel die vaak in het buitenland verkeerde. Hij vond het fijn als het appartement tijdens zijn afwezigheid gebruikt werd, en matigde zich geen oordeel aan over het morele gedrag van zijn gasten. Verder waren ze een keer naar Parijs geweest.

Het bezoek aan Parijs was voor Frances een soort maatstaf gebleven van wat mensen bedoelden met 'gelukkig' zijn. Ze hadden geslapen in een volgestouwd, enigszins smoezelig hotelletje – met schaarse verlichting en oud, versleten meubilair – op de linkeroever van de Seine.

In Parijs was Peter begonnen haar 'France' te noemen, het troetelnaampje dat alleen hij mocht gebruiken; alle andere, voorgaande pogingen zoals 'Francie', of 'Fran', of zelfs eenmaal – o gruwel – 'Frannie', waren in de kiem gesmoord door een vernietigende blik van Frances – haar 'drakenblik', zoals Peter die noemde. Er was maar één ander in haar leven geweest van wie zij het verdragen had dat hij haar naam afkortte, en dat was haar broer – niet James, de rechter, maar haar twee jaar jongere broer Hugh, die verongelukt was met zijn motorfiets toen zij negentien was.

Hugh was met volle vaart tegen de stenen hekpaal geknald van het landhuis van een vriend, die zo deftig was dat ze een oprijlaan hadden waar je 100 kilometer per uur kon rijden. Hugh had haar ook 'France' genoemd; dat er bepaalde gelijkenissen bestonden tussen Hugh en Peter was een geheim dat alleen Frances kende.

Misschien kwam het door die gelijkenis met haar jongere

broer dat Frances en Peter zo speels met elkaar omgingen. In Parijs hadden ze zich gedragen als kinderen: het was koud, en Frances had hem geleerd hoe hij zich warm kon houden door te huppelen; hand in hand – als 'twee geriatrische kinderen!', zoals Peter had gezegd – waren ze langs de Seine gehuppeld. Maar ze waren er ook geliefden geweest.

Op een ochtend na een nacht vol liefde was ze wakker geworden op het moment dat Peter, op zijn sokken, de kamer uit wilde sluipen. De intimiteit van de nacht had elke vorm van achterdocht de kop in gedrukt, dus haar eerste gedachte was niet, zoals anders misschien het geval was geweest: Hij verlaat me! Nog half in slaap had ze gevraagd, 'Waar ga jij in vredesnaam zo vroeg naartoe?' en hij had, een beetje uit het veld geslagen, gemompeld, 'Naar de mis. Ga maar weer lekker slapen.'

En Frances had zich zonder protest weer in de kuil van het oude matras genesteld. Toen Peter terugkwam zat ze rechtop, met een stug rolkussen in de rug, een boek over Matisse te lezen.

'Leuk als je vooroordelen bevestigd worden,' zei ze, want ze zag wel dat hij zich niet op zijn gemak voelde. 'Ik heb altijd wel gedacht dat die Picasso een rotzak was. Hij moedigde zijn onderkruipers van vriendjes aan om met pijltjes op de schilderijen van Matisse te gooien.' En toen Peter maar bleef rammelen met de muntjes in zijn zak zei ze, 'Ik heb op je gewacht met ontbijten – ik moet wel heel veel van je houden, liefje, want na vannacht barst ik van de honger!'

En na die woorden belandde Matisse met een plof op de grond en duurde het nog een hele poos voor ze uiteindelijk het ontbijt bestelden.

Ze had niet geïnformeerd naar de mis, omdat ze voelde dat dat een onderwerp was dat niet door haar maar door hem aangesneden moest worden, als het al gebeuren moest. En twee avonden later, tijdens het diner in een restaurant in Montmartre, bracht hij het ter sprake. 'Toen ik in de Notre-Dame was,' zei hij terloops, 'zat er een paar rijen voor me een bedelares – door en door verlopen, en nogal viezig, leek me zo. Maar toen het moment aanbrak om elkaar vrede te wensen gaf iedereen haar een kus of schudde haar hoffelijk de hand.' Ze hadden het over normvervaging in Engeland.

'Maar dat zou bij een Engelse dienst toch ook gebeuren?' Ze durfde het woord 'mis' niet goed in de mond te nemen.

'Ja, misschien wel. Maar na afloop leek ze wat wankel op haar benen te staan en toen nam een keurige jongeman – duur gekleed – haar bij de arm en leidde haar door het middenpad naar buiten. Het was geen familielid of zo, hij had niks met haar te maken – ik heb zelf gezien dat hij daarna een compleet andere kant op liep.'

'Kwam het, denk je, doordat ze Frans waren of doordat ze katholiek waren?' had ze gevraagd, want nu durfde ze het onderwerp wel aan te snijden.

En hij had langs zijn neus weg gezegd, 'Ik ben zelf ook katholiek, maar ik ben lang niet zo welgemanierd als de mensen hier – het is echt een andere cultuur.'

Frances had al voor Peters dood het vermoeden dat Bridget niet wist dat haar man katholiek was. En dat was maar goed ook, want anders had ze het hem vast moeilijk gemaakt. Peter had natuurlijk nooit verwacht dat zij en Bridget zo dik met elkaar zouden worden – als dat tenminste het juiste woord was, maar 'bevriend' dekte de lading ook niet helemaal. Nee, 'vriendinnen' waren ze zeker niet, dacht Frances, toen ze die middag dat Zahin Peter en haar zo ontwapenend 'liefjes' had genoemd de deur achter zich dichttrok.

'Liefje, je bent mijn liefje,' had Peter tegen haar gezegd. Bruisend van 'kinderlijkheid' had hij een zak gekleurde suikerhartjes voor haar gekocht. Hoe kon die jonge Iranees dat in vredesnaam weten? Vol nostalgie herinnerde Frances zich het doorgezakte Franse bed dat ze zo hadden laten kraken, en vroeg zich voor de zoveelste maal af of hun liefdesnacht de oorzaak was geweest van Peters vroege ochtendbezoek aan de Notre-Dame …

Bridget had wel een rozenkrans gevonden in een hoekje van een van de binnenlaatjes van het eikenhouten bureau, maar ze had daar verder geen betekenis aan gehecht: Peter was een man die

41

talismans verzamelde – een vingersnoer uit Griekenland, Maori-houtsnijwerk uit Nieuw-Zeeland, stukjes marmer bedekt met korstmos uit verlaten Turkse tempels. Een rozenkrans was slechts een van de vele bijgelovige fetisjen die zich aan het einde van Peters afgeknotte leven opgestapeld hadden.

Tot het einde van dat leven was Bridget onwetend gebleven van haar mans geloof en haar eigen rol in zijn naleving daarvan. Bij gebrek aan andere informatie had Bridget de crematieplechtigheid voor Peter gekozen op grond van haar eigen voorkeuren. Het zou haar goed uitkomen om as te worden – 'as' was zoals ze zich zelf voelde; het leek haar daarom volkomen acceptabel om haar man tot as te laten verworden. Ze choqueerde met kennelijk plezier de mensen van het crematorium door wetenschappelijke vragen te stellen over waar de overblijfselen van de crematie nu eigenlijk precies uit bestonden. 'Hoe zit het met de doodskist?' had ze gevraagd, toen ze haar plechtig het kistje met as overhandigden. 'Ik heb me blauw betaald voor een massief eiken kist. Hoe kan ik nu de as van die dure kist onderscheiden van die van mijn dode man?'

De aanleiding van Peters bezoek aan de mis in Parijs was niet – of in elk geval niet direct – zijn uitbundige nacht met Frances geweest. Minnaressen voorzien in vele behoeften, niet alleen in seksuele, en eerlijkheidshalve moet gezegd worden dat Peter het vrijen met Bridget vaak bevredigender had gevonden dan met Frances. Niet omdat Frances tekortschoot in bed, maar omdat ze een bepaalde gevoeligheid had waar Peter zich soms geen raad mee wist. Als Bridgets woordeloze, robuuste reacties hem beter bevielen, dan kwam dat omdat ze hem verlosten van de noodzaak zich af te vragen of zij het wel naar haar zin had. Niet dat hij dat ooit tegen Frances zou zeggen – hij was zelf ook zeker niet ongevoelig, en wist maar al te goed dat zij een deel van haar zelfrespect ontleende aan zijn beeld van haar als zijn begerenswaardige minnares. En hij kon haar ook niet vertellen dat zijn ochtendbezoek aan de Notre-Dame niets te maken had met hun buitengewoon bevredigende tijd in bed.

In het algemeen beperkte Peter zijn buitenechtelijke activiteiten tot de periodes waarin zijn vrouw weg was – misschien hield hij zichzelf voor dat haar afwezigheid hem het recht gaf alles te doen wat het draaglijker maakte om de tijd zonder haar door te komen. Hij had zijn minnares eerlijk verteld dat hij van zijn vrouw hield, en hij deed er alles aan om haar eervol te behandelen. Maar eer is geen artikel dat je op rantsoen kunt zetten: bijna per definitie krijgt ook je minnares haar deel.

Eer is echter niet de enige motor achter erotische escapades; en misschien is dat maar goed ook want de geschiedenis toont aan dat handelingen die voortkomen uit edele motieven vaker gevaarlijk zijn dan handelingen uit egoïsme. Misschien heeft Peter het zich niet gerealiseerd, maar hij ging met zijn minnares naar Frankrijk na een periode waarin zijn vrouw dat land driemaal in drie maanden bezocht had. Bridget had nogal wat ingekocht voor een internationale antiekbeurs, en was daarom vaker dan normaal naar het buitenland geweest: de mensen liepen op dat moment de deur plat voor rustieke Franse kribbes en ze had een paar adressen weten te achterhalen waar ze die op de kop kon tikken; toen kwam de oude kant die ze zelf populair had helpen maken – en oude rieten tuinmeubels raakten weer helemaal in. Ze ging vaak al 's morgens vroeg op reis en liet Peter over aan de zogenaamde zorgen van Mickey. Dus toen Peter besloot met Frances – die pips zag omdat ze griep had gehad – naar Frankrijk te gaan, had hij misschien wel bij zichzelf gezegd dat zijn vrouw hem dat idee min of meer zelf aan de hand had gedaan.

Maar toch had hij, toen hij wakker werd in de verschaalde erotische sfeer van de Parijse hotelkamer naast het warme lichaam van Frances, het pijnlijke knagen van spijt gevoeld. Het was dat knagen geweest die hem de parelkalme ochtend in gedreven had, langs de vredig stromende Seine naar de dienst in de kathedraal, waar het licht – zo dacht hij terwijl hij knielde – dat door het amethyst-met-blauwe glas van het grote roosvenster op het noorden filterde een vage belofte inhield van een nieuw leven.

Misschien had het eerlijke blauwe licht hem ertoe aangespoord Frances aan het intieme dineetje in Montmartre het verhaal van de hoffelijke jongeman en de bedelares te vertellen, de voorbode van zijn geloofsbekentenis. De dag daarop waren ze langs een bloemenstalletje gelopen, waar Frances hem een bos felgekleurde bloemen aanwees – roze, rood en het zacht glanzende blauw met paars van de glas-in-loodramen in de Notre-Dame. 'Kijk, leliën des velds! Wist jij dat dat gewoon anemonen waren?' Blij dat zijn geloof zich, voor zo lang als het duurde, als een lammetje naast zijn wereldlijke zelf genesteld had, luisterde hij naar zijn geliefde die uitlegde dat dit de bloem was uit de bergrede die, bekleed als 'Salomo in al zijn heerlijkheid' niet hoefde te arbeiden of te spinnen.

Op die mistige ochtend in oktober dat de bevriende journalist haar belde met het nieuws van het dodelijke ongeluk zag Frances de bijbelse bloemen weer voor zich. Peter had gezegd, 'Wat zien die er vrolijk uit!' Hij had een bosje voor haar gekocht en langs zijn neus weg gezegd, 'als ik doodga, dan mag je me zulke bloemen sturen.'

In een flits herinnerde Peter zich die woorden, vlak voor hij stierf, en hij bedacht zich dat Frances, in tegenstelling tot Bridget, de waarschijnlijkheid van zijn dood niet had aangevochten.

Hoofdstuk 8

'Weet Zahin het, van Peter en mij?' vroeg Frances.

Ze waren urenlang met meubels aan het schuiven geweest. De koelte rondom de kerstschaal was bijgelegd – of liever gezegd, er werd niet meer over gepraat, want beide vrouwen wilden de eer aan zichzelf houden. Maar Bridget had het verzoenende gebaar gemaakt door Frances te vragen of ze zin had om een weekendje mee te gaan naar Farings, het huis in Shropshire.

Toen ze bij het enigszins norse bakstenen huis aankwam had een cynisch stemmetje in Frances gefluisterd dat ze misschien alleen maar was uitgenodigd om de handen uit de mouwen te steken. Bridget had een heleboel meubels in de kamers beneden opgestapeld, en ze had nog geen flauw idee waar die allemaal naartoe moesten. Frances had gesleept en gesjouwd, geduwd en geschoven tot haar rug en haar ribben protesteerden. Eindelijk liet ze zich op een rol vloerbedekking zakken. 'Waar slaap ik, als ik vragen mag?'

'Verdraaid!' zei Bridget. 'Wat stom. Bed vergeten.'

'Wat?'

'Er staat maar één bed – ik was van plan een van de bedden uit de winkel mee te nemen – een bed voor geliefden, met ineengestrengelde hartjes aan het hoofd- en het voeteneind. Maar ik ben vergeten het op te halen.'

'O,' zei Frances. 'Geliefden' deed haar weer denken aan de vreemde, telepathische woorden van de jongen: 'jullie waren liefjes?' Dus vroeg ze, 'Weet Zahin het, van Peter en mij?'

Maar Bridget had het te druk met het regelen van slaapplaatsen. 'Op de bank kun je ook slapen, maar ik heb geloof ik niet eens genoeg beddengoed bij me – hè, verdomme.'

'Nou ja, niks aan te doen,' zei Frances koeltjes, 'ik slaap wel in het hotel.' Ze had zo'n gevoel dat Bridget het bed en het beddengoed met opzet vergeten had omdat ze haar toch liever niet te logeren wilde hebben.

Bridget voelde dat en zei, 'Het hotel is gesloten – ik zag het toen we erlangs kwamen – en het dichtstbijzijnde hotel ligt kilometers hier vandaan. Maar als je het niet erg vindt kunnen we best samen – ik bedoel, het is groot zat, het was het bed van Peter en mij!'

Ze keek Frances aan en begon te lachen, en Frances, gezeten op het stoffige Indische tapijt, zag er de humor wel van in en lachte mee. Ze gierden en ze brulden en kwamen niet meer bij van het lachen, en Bridget rolde zo ongeveer door de kamer.

'Grote goden,' zei Frances, terwijl ze de tranen – zowel van het stoffige tapijt als van het lachen – van haar wangen veegde. 'Dit mogen we aan niemand vertellen – de mensen zullen denken – ik weet niet wat ze wel niet zullen denken!'

'Wat kan ons dat schelen?' zei Bridget, een stuk kalmer nu.

'Wat zou Peter ervan denken?' vroeg Frances, toen ze even later samen het bed stonden op te maken.

Bridget dacht even na. Buiten, door het raam aan de west-kant, werden de heuvels in de verte indigoblauw – net als de blauwe heuvels van Housman[3].

'Hij had het vast jammer gevonden dat hij er niet bij kon kruipen,' had ze, na even nadenken, gezegd.

Bridget had Frances' vraag of Zahin het wist wel gehoord, maar ze had besloten die te negeren. Ze had zich nog geen duidelijk beeld van de jongen gevormd. Met Kerstmis was hij... ze moest er eerst nog eens rustig over nadenken...

Kerstmis met Peter was nooit een rustige aangelegenheid geweest, op de eerste jaren van hun huwelijk na. Het besef dat hij de laatste paar jaar een vaste 'verplichting' had op kerst-avond, had, lang voordat ze het voorwerp ervan ontmoet had, Bridgets heilige verontwaardiging gewekt. Want het zou te ver voeren om te zeggen dat ze zich niet druk maakte om Peters andere 'associaties', zoals ze die placht te noemen. Er bestaan

3 The Blue Remembered Hills, van AE Housman (1859-1936)

misschien mensen die zo edelmoedig zijn om degenen met wie zij hun geliefde moeten delen een warm hart toe te dragen; een dergelijke puurheid is een aanbevelenswaardige – zij het weinig boeiende – eigenschap die de mens zeker siert, maar van dat soort engelenaspiraties had Bridget geen last. Aan de andere kant had ze ook wel geleerd hoe gevaarlijk het kan zijn om rancuneus te zijn.

Bridget was geboren en getogen in Limerick, in het zuidwesten van Ierland. Haar vader was met behulp van een schijnzwangerschap een ongelukkig huwelijk in geloodst. Toen er uiteindelijk dan toch een kind geboren werd, kreeg dat een enorme dosis wrok over zich heen die vijf jaar de tijd had gehad om zich op te stapelen. Wrok uit zich in veel families slechts indirect. Joseph Dwyer was bang voor zijn vrouw, maar nog banger voor haar broer, Pater Eamonn, een priester in een naburige parochie en volgens de gelovigen uit bisschoppelijk of zelfs uit kardinaalshout gesneden. Helaas voor Bridget luchtte haar vader zijn innerlijke woede niet op de familie die hem zijn vrolijke vrijgezellenbestaantje ontfutseld had, maar op zijn dochter.

Bridget was nieuwsgierig van aard. Ze stelde iedereen vragen: haar moeder, haar grootouders – die een dorp verderop woonden – haar oom de priester, haar onderwijzers – maar de meeste vragen stelde ze aan haar vader, en dat escaleerde zo dat haar moeder er uiteindelijk aan meewerkte dat ze van huis wegliep omdat er anders, zoals Moira Dwyer in vertrouwen tegen haar broer zei, 'beslist doden zouden vallen.'

Dat er geen doden vielen was te danken aan Bridgets vroegtijdige ontdekking dat het leven zich meestal niet naar onze verlangens voegt. Ze kreeg ongewoon snel in de gaten dat er een kloof was tussen wat we willen en wat haalbaar is; sterker nog, ze leerde onderscheid maken tussen wat ze vond dat haar toekwam en wat ze in werkelijkheid kon krijgen – een onderscheid dat haar, jaren later, goed van pas kwam als haar man weer eens – de ene keer geagiteerder dan de andere – na een late avond in Turnham Green op kerstochtend uitriep: 'Ik zou toch zweren dat ik iets voor je gekocht had – nee, wacht even, ik weet het zeker – eens even denken waar ik het gelaten kan hebben…' of 'Lieve hemel, ik zal het toch niet in de winkel hebben laten liggen…?'

En dat zou allemaal zo erg nog niet zijn geweest, als Bridget niet stom toevallig een doosje gevonden had dat ze, uit pure nieuwsgierigheid, had opengemaakt en dat tot haar schrik een ring bevatte met een duur uitziende, vierkante, uitzonderlijk felblauwe saffier. Toen Frances kwam aanzetten met de kerstschaal was het dan ook die ring aan haar vinger geweest die Bridgets wrevel had gewekt; plotseling had ze weer die misselijkmakende jaloezie gevoeld die in haar was opgeweld toen ze de ring in het dure leren doosje ontdekte.

Kerstmis met Zahin was een geheel nieuwe ervaring geweest. Op kerstavond was hij, vlak voor het eten, gearriveerd met zijn spulletjes van St.-John's Wood. Bridget had geen flauw idee hoe hij het had klaargespeeld zo snel te weten te komen waar zij van hield en zijn inkopen daarop af te stemmen. Zelf had ze snel een nogal saai overhemd voor hem gekocht, omdat ze het overdreven vond om meer te doen voor iemand die ze nog nauwelijks kende. Maar kennelijk had Zahin van een dergelijke terughoudendheid geen last gehad.

Toen Bridget op kerstochtend wakker werd lag er een stapel in glanspapier verpakte cadeautjes bij het voeteneind van haar bed. Verbazing en een vage angst – voortkomend uit de aanblik van iets langverwachts dat ze nooit meer gedacht had te krijgen – streden met elkaar om voorrang; ze raapte de kleurige, glimmende pakjes op en kroop er, als een kind, weer mee in bed. Daar wikkelde ze lagen vloeipapier los met de verbazing van iemand die haar hele leven tekortgekomen is. Zijden sjaals, zilveren oorhangers, een paar fluwelen slofjes – cadeautjes die thuishoorden in een fantastische droom, of in een bazaar uit *Duizend-en-één-nacht*.

Toen ze beneden de keuken binnenkwam bleek Zahin ook daar aan het werk geweest te zijn. De tafel was gedekt met een lap oude kant die hij uit de linnenkast opgediept moest hebben, en versierd met felrode kerststerren, roze azalea's, gouden rozen. Een exquise koffiegeur vermengd met een geur van rozen hing in de kamer, als wierook in een exotische tempel.

'Zahin!'

'O, Mrs. Hansome,' had de jongen uitgeroepen. 'Wat ziet u er mooi uit! Ze staan u goed – kijk, ze kleuren bij uw huid!'

Bridget, die de sjaals om haar hals gewonden had, keek in de lange spiegel bij de keukendeur waar hij naar wees. Het was de spiegel die Peter altijd gebruikte om zijn zorgvuldig opgedofte gestalte aan een nauwgezet onderzoek te onderwerpen voordat hij de wereld tegemoet trad.

Handsome is as handsome does – weergalmden haar eigen spottende woorden in haar hoofd.

'Zahin – ik weet niet wat ik zeggen moet. Dat had je toch allemaal niet hoeven doen.'

'Maar ik vind het leuk.' De stem van de jongen had iets wonderlijk autoritairs. 'Nu maak ik koffie voor u, en geroosterd brood. U houdt van jam, honing? Kijk, ik heb ook pannenkoeken gebakken.'

Bridget had de saffieren ring niet meer opgemerkt tot Frances hem afdeed en op een schoteltje naast het bed in Farings legde, voordat ze naar de badkamer ging. Bridget wachtte tot Frances de kamer uit was en bekeek de ring toen bij het lampje naast het bed. Geen twijfel mogelijk – het was dezelfde ring. Ze overwoog hem te stelen en dan te ontkennen dat ze hem ooit gezien had. Maar wat moest ze er dan mee – weggooien? Ze kon hem toch moeilijk zelf gaan dragen! Of ze kon erover beginnen en het dan aansturen op een enorme ruzie met Frances. Dat zou haar vast goed doen. Maar uiteindelijk besloot ze dat het sop de kool niet waard was.

'Doe het licht uit als je klaar bent,' zei ze toen Frances, stomend en verbazend veel ouder in een verbleekte chenille ochtendjas, uit de badkamer kwam. 'Ik heb een kussenrol tussen ons in gelegd, voor het geval dat een van ons trapt.'

'Ik trap niet, hoor.' Frances verheugde zich niet op een nacht met Bridget.

'Nou, ik soms wel.'

Dat had Peter gezegd. Maar dat ging ze Frances niet aan haar neus hangen. Terwijl ze haar bedgenote de rug toekeerde zag ze ineens het gezicht van Peter voor zich als hij ze daar zo knus samen in zijn bed zou zien liggen – zijn minnares en zijn vrouw.

⁕

Die nacht kwam Peter Hansome inderdaad de kamer binnen waar de twee vrouwen zij aan zij lagen te slapen in het bed dat eens het zijne was geweest. Hij bleef een poosje staan kijken naar hun slapende gestaltes. Toen er een haan kraaide en het groene ochtendlicht door de gordijnen begon te sijpelen, verdween hij weer naar waar hij vandaan gekomen was.

Hoofdstuk 9

Frances had zich afgevraagd of het wel verstandig was om de saffieren ring om te doen naar Farings. Aan de ene kant leek het haar, nog afgezien van andere overwegingen, nogal onbeleefd, maar aan de andere kant zag ze er ook wel tegenop om bij Bridget te gaan logeren, en elke blik op het blauwe vierkant zou haar een kleine oase van geruststelling bieden.

Peter had Frances de saffier cadeau gedaan op de kerstavond na Parijs. Bij het zien van de steen in het stevige leren doosje had Frances uitgeroepen, 'O, wat mooi, Notre-Dame-blauw!', en Peter, die zich had afgevraagd of hij er wel goed aan deed, was blij dat hij hem gekocht had.

Het zou Bridget misschien verbaasd hebben als ze geweten had dat haar man wel degelijk besefte dat hij door dit soort gebaren zijn minnares voortrok boven zijn vrouw. Toch was hij in wezen geen oneerlijk man.

Niemand heeft ooit helemaal kunnen verklaren waarom de mens zich zo verzet tegen het gevoel dat er iets van hem ver-wacht wordt. Misschien is juist die neiging wel bepalend voor wat het betekent 'mens' te zijn – kijk maar naar het debacle in de Hof van Eden, als we dat verhaal tenminste mogen geloven. Peter Hansome vertoonde die neiging ten aanzien van Bridget omdat zij zijn vrouw was: binnen de conventie waarin hij was opgevoed hield dat in dat hij verplichtingen had jegens haar. Over het algemeen maakte hij zich niet zo druk om zijn onver-mogen om op gezette tijden zijn gevoelens te tonen; maar bij feestelijke gelegenheden, en met name met Kerstmis, werd Peter overmoedig.

Normaal gesproken zou hij zijn geweten niet zo zwaar belast hebben door een dergelijk eenzijdig gebaar in de vorm van de saffieren ring. Hij had zich laten verleiden door de prachtige kleur van de steen – dat eterische blauw – de kleur van Parijs.

Misschien – wie weet – was het de kleur van zijn ziel? Als hij die tenminste had...

Geen van de twee vrouwen wist dat Peters afkeer van Kerstmis was ontstaan toen zijn vader zijn gezin op kerstavond in de steek liet. Zijn moeder had er het beste van gemaakt – maar 'het beste' blijkt vaak erger te zijn dan een egoïstisch protest, zelfs als het voortkomt uit oprechte onbaatzuchtigheid.

Reeds van jongs af aan had Peter zijn moeders emoties van haar gezicht afgelezen. Tijdens het kerstdiner had Peter zich niet om de tuin laten leiden door een weinig overtuigend verhaal dat pappie 'op zakenreis' moest, en nog angstvalliger dan anders gelet op de uitdrukking op zijn moeders gezicht. Er was een vreselijk moment geweest tussen de kalkoen en de kersttaart – die dat jaar versierd was met een overdaad aan sneeuwpoppen en harde zilveren balletjes, die Peter sindsdien altijd gehaat had – waarop Peter zijn moeder achternageslopen was naar de slaapkamer en haar door het sleutelgat had bespied terwijl ze op haar bed met haar gezicht in het kussen haar snikken lag te smoren.

Peter, toen zes jaar oud, was zo tactvol geweest om haar alleen te laten met haar verdriet, en had zich als afleiding met ongewone energie in een luidruchtig spel met zijn grote broer Marcus gestort. Hij was ook veel toegeeflijker dan anders voor zijn kleine zusje Clare en had zo schattig met haar met het poppenhuis gespeeld dat zijn moeder- onterecht, gezien de omstandigheden – zich later had afgevraagd of ze zich daar misschien zorgen om moest maken.

Er waren ook wel andere, vrolijkere kerstfeesten geweest, waarop de glimlach van zijn moeder minder geforceerd was; en nog weer later glimlachte zijn moeder echt, toen ze zijn stiefvader – het Kamerlid – had leren kennen. Maar het jeugdige verlies had Peters vermogen om te genieten van 'de dagen van vrede en in de mensen een welbehagen' voorgoed geknakt. Het kussen dat zijn moeders pijn had gesmoord fungeerde als een permanente domper op de kerstvreugde van haar zoon. Vanaf die tijd beschouwde Peter Kerstmis, met alle verplichtingen vandien, als iets gevaarlijks, niet als een zegen, maar als een van de vele beproevingen waar je je 'doorheen moest slaan'.

Bridget werd wakker in het bed dat ze eens met Peter gedeeld had; ze liet Frances slapen en liep op blote voeten naar beneden om thee te zetten. Buiten voor het keukenraam zigzagde een groepje goudvinken over het bleke winterse land. Bridget rekte zich uit en gaapte luidruchtig. Het had zo z'n voordelen om alleen te zijn – Peter, die nogal stijfjes kon zijn, zou zeker afkeurend gekeken hebben. Hoe noemde je een groep goudvinken ook weer?

Ze had van Peter gedroomd – voor het eerst sinds hij gestorven was. Ze kon zich niet meer herinneren wat ze gedroomd had, maar ze voelde aan haar ledematen dat het over Peter was gegaan.

Bridget hield de ketel onder de kraan en keek goedkeurend de keuken rond waar Frances zakjes Italiaanse pasta en een paar grote koperen pannen aan spijkers had gehangen. De verf vond ze niet mooi – te glanzend – maar daar zou een likje matte verf snel verandering in brengen, en de oude brokaten gordijnen die al zo lang op een bestemming lagen te wachten zouden hier prachtig staan.

Ze hing een theezakje in een grote mok en roerde het in het rond om de thee goed sterk te maken; toen stapte ze met haar blote voeten in een paar laarzen. Buitengekomen keek ze uit over het veld waar ze de opvallende vinken met de flitsende vleugels en het rode voorhoofd had zien vliegen. Het braakliggende land, omzoomd door gebleekte grassen, strekte zich uit in glanzende voren, en het licht viel op de vroege-ochtenddauw.

Frances kwam nu ook beneden, en begon kastjes open te maken. 'In die kartonnen doos zit koffie.' Bridget wees ernaar vanuit de deuropening. 'Verder is er alleen thee, en in die zak zit nog wat brood maar dat is beschimmeld. Het is kennelijk vochtig hier.'

Zou ze hier champignons kunnen kweken? Plotseling wist ze het weer: een 'troep', dat was het. Een groepje vinken heette een troep. 'Waarom schilderden ze in de Renaissance goudvinken op de schilderingen van de Maagd?' vroeg ze aan Frances.

Frances fronste haar voorhoofd. In het ochtenlicht zag ze er nogal heksachtig uit, met haar puntneus. 'Vanwege die rode vlek op hun kopje, toch? De goudvink dronk uit de doornenkroon en toen werd zijn kopje gezalfd door het bloed van Christus, tenminste, zoiets was het, als je het mij vraagt.'

Frances, die ook van Peter gedroomd had, probeerde zich eveneens de droom te herinneren. Had hij iets tegen haar gezegd? Er was wel iets geweest, maar dat was meer een sfeer of een smaak – zoals de geur die blijft hangen van een interessante bezoeker.

Bridget merkte op dat Frances de saffier niet om had. 'Vergeet je ring niet, boven,' riep ze over haar schouder terwijl ze de tuin weer in liep.

De twee vrouwen hadden de hele dag hard gewerkt.

'Dat ziet er een stuk beter uit,' zei Frances, terwijl ze tevreden de zitkamer rondkeek. Ze had de houten meubels in de bijenwas gezet die de vorige bewoners in het gootsteenkastje achtergelaten hadden.

Ze schrokken toen de bel ging. 'Ik ga wel,' zei Bridget. Op de stoep stond een man met een grote, rode kop met hangwangen. Haar blik viel op zijn boord.

'Bill Dark,' zei de man en stak haar zijn hand toe. 'Ik ben de dominee, en ik kwam even kennismaken.'

Bridget diepte een fles sherry op uit een van de dozen die ze nog niet hadden uitgepakt, en Frances stak de haard aan.

'Mrs. Nettles is uw dichtstbijzijnde buurvrouw,' zei hun bezoeker ('Zeg maar "Dominee Bill" '). 'Ze loopt tegen de tachtig maar is nog heel kras.' Hij schoof zijn lege glas terloops Bridgets kant op.

'Nog een glaasje?' Bridget probeerde niet hatelijk te klinken: het was zijn vijfde – of zesde? – al. Ze was de tel kwijt.

'Dat sla ik niet af.'

Frances, die bij galerie-partijtjes wel geleerd had hoe ze mensen de deur uit moest werken, zag dat Bridget haar wenkbrauwen optrok en zei, 'Mijn vriendin blijft hier tot morgen, maar ik moet vanavond weer naar huis. Hoe kom ik van hier het snelst op de M50, als ik vragen mag?'

'Och, neemt u me niet kwalijk! De tijd vliegt als het gezellig is! Ik zal u niet langer ophouden, dames.'

'God sta ons bij!' zei Bridget, 'of liever gezegd, mij, want jij woont hier niet. Maar bedankt dat je hem hebt afgepoeierd. Moet je zien, hij heeft bijna de hele fles achterovergeslagen – de vuile flikker!' Ze wees op het bodempje sherry in de fles.

'Niks flikker – heb je niet gezien hoe geil hij naar je boezem hijgde? Hoor eens, ik pak even snel een boterham met kaas en dan ga ik ervandoor.' Frances vond het oprecht jammer om weg te gaan. Ze had zich erop verheugd om met Bridget in de zitkamer te zitten die ze zelf geboend had. Nu kreeg ze de kans niet meer om van haar eigen werk te genieten.

Op de oprit lichtte Bridget haar bij met haar lantaarn. 'Daag,' riep ze. 'En nogmaals bedankt. Ik bel je gauw!'

'Hou je taai!' riep Frances terug. Ze ontkoppelde en reed voorzichtig het glibberige pad af.

❦

Peter keek Frances na en spoedde zich toen weer naar binnen om boven Bridget te zweven die het restje sherry opdronk. Dat waken over zijn vrouwen was toch maar een hele verantwoordelijkheid.

Hoofdstuk 10

Reizen biedt gelegenheid tot reflecteren. Op de terugweg naar Londen liet Frances de gebeurtenissen van die nacht langzaam op zich inwerken. Ze keek naar de vierkante blauwe edelsteen aan de vierde vinger van haar rechterhand – de ringvinger van de ongebondene – die om het stuur lag. Ach, er waren ergere dingen dan ongebonden zijn. Het was minder zwaar geweest dan ze verwacht had om met Peters weduwe in één bed te slapen. 'Weduwe' – wat een woord! Laat Bridget het maar niet horen! Grappig dat ze die nacht gedroomd had van een hartstochtelijke seksuele uitspatting met Peter. De droom riep Parijs in haar wakker – zou het door de saffier gekomen zijn...?

Op Farings zat Bridget ook te mijmeren over onwezenlijke zaken. Ze had een tweede fles sherry gevonden en opengetrokken, en dronk die nu bij een maaltijd van kaas en brood bij de openhaard. Flarden van de droom die ze gehad had toen ze in het bed lag met Frances kwamen nu ook terug: in haar geval geen woeste vrijpartij, maar meer iets van een wandeling – over een pad waar paarse bloemen bloeiden – ergens in de buurt van Farings, dacht ze...

Normaal gesproken was het niets voor Bridget om haar dromen te analyseren, maar ze vroeg zich af of deze droom misschien een boodschap voor haar had. Betekende hij dat ze hier moest gaan wonen? Dat ze de winkel en het huis naast Mickey op moest geven en zich helemaal van de wereld af moest keren nu ze min of meer alleen was?

Als ze dat was. Ze had Frances toch, en Mickey, natuurlijk – en de jongen.

Bridget had nooit kinderen gewild, dus ze was eerder opgelucht dan teleurgesteld geweest toen ze erachter kwam dat er in Peter bepaald geen vaderfiguur school. Bij zijn kinderen – een jongen en een meisje – uit zijn eerste huwelijk leek hij zich

56

slecht op zijn gemak te voelen. Als ze in het weekend kwamen
logeren gedroeg iedereen zich onnatuurlijk en stijf, en Bridget
was altijd blij als ze weer teruggingen naar het huis van hun
moeder in Barnes; ze vond het vreselijk om te zien hoe Peter
zich uitsloofde om – geheel tegen zijn aard in – de lollige vader
uit te hangen.

Peters eerste vrouw was hertrouwd met een advocaat van een
advocatenkantoor in de City – en werd nu omgeven door
onmiskenbare welstand. Toch bleef ze zich tegen Peter – of nog
liever tegen Bridget, als die de kinderen eens thuisbracht –
opstellen als een vrouw die door haar voormalige echtgenoot
tot de bedelstaf veroordeeld is. Bridget probeerde hem duidelijk
te maken dat de houding van de moeder van zijn kinderen
zowel schadelijk was voor de kinderen zelf als voor hun relatie
met hun vader, maar dat kon ze net zo goed laten. Ze kwam er
geleidelijk aan achter dat het Peter niet veel uitmaakte wat zijn
kinderen voor hem voelden of van hem dachten. Ze had het
idee dat ze hem irriteerden, en dat hij blij was toen hun bezoekjes in regelmaat afnamen en hij verlost werd van de druk van
familieverplichtingen.

De kinderen, die inmiddels volwassen waren, hadden de
begrafenis bijgewoond; het meisje had gehuild, in milde
gehoorzaamheid aan een atavistisch gevoel van verlies – terwijl
de jongen, een effectenmakelaar in de City, in zijn nieuwe zwarte pak schaapachtig het hoofd had laten hangen. Bridget had
medelijden met ze gehad; ze hadden geen taal waarmee ze om
hun vader konden rouwen.

Hun moeder, Peters vroegere vrouw, had een zware krans van
een opzichtige witheid gestuurd met een kaartje met woorden
van medeleven die Bridget ijskoud hadden gelaten.

Nee, Peter en zijn kinderen betekenden bitter weinig voor
elkaar, en Bridget was dan ook wel wat verbaasd toen ze hoorde van zijn band met Zahin.

En in Londen zei Mickey tegen Jean, 'Ik vind het niet kloppen
dat die jongen daar een meisje ontvangt terwijl Bridget niet
thuis is. Maar ik weet niet of ik er iets van moet zeggen.'

'Misschien heeft ze wel gezegd dat het mocht?' Jean was flegmatischer dan haar vriendin.

'En als dat niet zo is?'

'Het is toch niet zo erg dat hij een vriendinnetje heeft?' Jean vond Bridget geen type om iemand keiharde regels op te leggen.

'Het leek me maar een brutaal krengetje. Helemaal opgetut, met van die hoge plateauzolen, en haar boezem vooruit – voor zover ze die had – en een dikke laag make-up! Zo'n jong ding moest trots zijn op haar eigen huid in plaats van zich zo vol te smeren, zeg ik altijd maar.'

'Ach, zo zijn ze tegenwoordig nu eenmaal, meisjes...' zei Jean, die zachtmoediger van aard was.

'Goed, ditmaal hou ik m'n mond,' hakte Mickey de knoop door. 'Maar als ze blijft komen, dat zal ik me er toch mee moeten bemoeien. Want anders krijg ik last van mijn geweten,' besloot ze, glimmend van voldoening.

Hoofdstuk 11

Bridget was minder vroeg teruggegaan naar Londen dan ze van plan was geweest. De schoorsteen trok niet goed, en ze had de tijd genomen om de *Gouden Gids* door te bladeren op zoek naar een schoorsteenveger. Ze vond een zekere Mr. Goodwin die beloofde langs te komen als ze er over twee weken weer was. En toen ze dat eenmaal geregeld had bleef ze nog wat rondhangen en een beetje naar de roeken kijken, want ze zag op tegen de rit naar huis.

Zahin stond bij het hek toen Bridget uitstapte; hij nam de weekendtas van haar over.

'Zahin! Hoe wist je dat ik al terug was?'

'Ik voelde het gewoon, Mrs. Hansome.' Ze had geprobeerd hem zover te krijgen dat hij haar 'Bridget' noemde, maar was daar niet in geslaagd.

'Ik wist zelf niet eens wanneer ik thuis zou komen.'

'Het was druk op de weg.' Zijn vragen klonken als constateringen, merkte ze op.

'Vreselijk druk!'

'U bent moe. Kom binnen en ga lekker zitten.'

Op de bank, met een glas Jameson in de hand, dacht Bridget: Als Peter me nu eens zien kon! Peter, zelf een eersteklas chaoot, wist feilloos de vinger te leggen op andermans chaos, maar nooit op die van zichzelf. Bridget was een huisvrouw van niks, en Peter streek haar met zijn pietluttige commentaren voortdurend tegen de haren in. Maar nu Peter er niet meer was en het dus niet meer kon waarderen, glom het huis van al het geboen en gepoets. Boven liep het bad vol en de geur van badzout dreef haar neus binnen.

'Zahin, wat heb je in mijn bad gedaan?' riep ze naar boven.

'Heb ik op de King's Road gekocht, Mrs. Hansome. Veldbloemen – past goed bij u!'

In haar droom over Peter waren ook bloemen voorgekomen. Of toch niet? Je geheugen kon je aardig voor de gek houden – ze was zich bewust van de menselijke neiging om wensen te verweven tot 'werkelijkheid'.

'Wat aardig van je,' riep ze terug. Zahins beleefdheid werkte aanstekelijk.

'Je hoeft niet aardig te zijn om voor iemand te zorgen die zo mooi is!'

Zahin stond nu bovenaan de trap, die bij de Hansomes in de huiskamer uitkwam. Bridget had Peter er na lang praten van weten te overtuigen dat de kamer, als ze de muur naar de hal en de trap doorbraken en die ruimte bij de kamer trokken, veel groter en lichter zou worden. Maar de verandering kwam pas werkelijk tot zijn recht met Zahin daar bovenaan de trap, als een fotomodel of een filmster. Hij was gekleed in een felblauw zijden hemd, dat Bridget niet had opgemerkt toen hij als uit het niets bij de poort opdook, en dat de kleur van zijn ogen accentueerde.

'Zahin,' zei ze, 'zoiets noemen ze een hyperbool.'

Maar ze vond het niet onprettig. Ze was niet mooi, en dat was ze nooit geweest ook – maar het was lang geleden dat iemand zelfs maar gedaan had alsof.

'Maar u bent mooi.' De jongen stond inmiddels beneden kussens op te schudden. Bridget zag door zijn overhemd heen zijn schouderbladen, die in haar verbeelding op beginnende vleugels hadden geleken. 'Mooi van geest. Ik zie dat.' Hij staarde haar aan en tot haar ergernis merkte ze dat ze bloosde.

'Hou toch op, jongen!' zei ze, en zijn stem volgde haar toen ze de trap op vloog.

'Ik weet wat een hyperbool is, Mrs. Hansome – en u bent dat niet!'

Nee, dacht ze, toen ze in bad lag met de karaf gouden whisky naast zich, overdrijven lag inderdaad niet in haar aard. Ze moest toegeven dat Peter het leven af en toe wel had opgesmukt – het mooier gemaakt dan het was, zoals hij het zelf waarschijnlijk genoemd zou hebben als je hem erop aangesproken had. Maar aan dat soort verfraaiingen had zij geen behoefte.

Niet omdat zij zoveel eerlijker was dan haar man (Bridget was nogal sceptisch over menselijke eerlijkheid, ook die van haarzelf), maar omdat ze het niet veilig vond om dingen op te poetsen of te temperen. Als je de dingen niet bij de naam noemde, kregen ze je in hun macht...

Als Peter Hansome de dingen niet altijd bij de naam had genoemd, dan kwam dat omdat hij er moeite mee had ze helder van elkaar te onderscheiden. De werkelijkheid mag dan enkelvoudig zijn, maar de beleving ervan is dat niet, en 'wat de een niet lust, daar eet de ander zich dik aan' gaat over meer dan smaak alleen. 'Een dwaze ziet niet dezelfde boom die een wijze ziet' geeft dit misschien beter weer. Veel meningsverschillen zijn te verklaren uit het feit dat waarnemingssystemen afhangen van de persoonlijkheid van de waarnemers.

In het geval van Peter school achter al zijn reacties een chronische paniek, die zijn angst voor de werkelijkheid kleurde – of verduisterde. Hoewel hij dat zelf nooit toegegeven zou hebben, kon hij die dag dat zijn halve wereld de benen nam en hem aan zijn lot overliet nooit meer vergeten. Vanaf dat moment had hij een persoonlijkheid geconstrueerd die door dat verlies geen zichtbare deuk had opgelopen; maar dat betekende niet dat er geen deuk was. Als kind had de klap ervoor gezorgd dat hij voortdurend op zijn qui-vive was. In de loop der jaren, en met veel oefening, had de behoedzaamheid een aanvaardbare laag vernis gekregen, een laag waarin een hartelijke sociabiliteit fungeerde als een gladgepolijst oppervlak waarop intimiteit afschampte; maar zijn belangrijkste karaktertrek was wel dat hij diep in zijn hart bang was voor mensen.

Het komt maar zelden voor dat een man weet dat hij bang is – en waarom. Peter was zich er niet van bewust dat hij bang was voor de macht van mensen om de benen te nemen, en dat hij Bridget gekozen had omdat ze een macht uitstraalde waar hij zich niet altijd even prettig bij voelde, maar die hem tenminste niet het gevoel gaf dat ze hem in de steek zou laten. En daar had hij gelijk in. Dat hij in staat was beschadigd te worden, misschien zelfs dodelijk, door het verlies van andermans liefde was een geheim, zelfs voor hem zelf. Slapend en dodelijk lag het verborgen in het midden van Peters heelal, tot die dag in oktober dat de vrachtwagenchauffeur aan zijn volumeknop draaide en Peters voormalige werkelijkheid opblies.

Dreiging en overtolligheid gaan vaak samen in de natuur: padden blazen hun huid op, slangen richten zich op, pauwen ratelen en spreiden hun staart uit; de gewoonte van de overdrijving is slechts een andere versie van dit bloemrijke zelfverdedigingssysteem. Bridget lag in bad en snoof de geur van veldbloemen op en dacht aan die kerstavond dat Peter zo laat thuisgekomen was van, zoals ze inmiddels wist, een bezoek aan Frances. Ze hoorde weer de bekende angsttoon die voortkomt uit de behoefte rekenschap af te leggen voor tijd waarvoor je slechts rekenschap kunt afleggen door eerlijk te zijn of door dingen te verzwijgen – 'Er was een ongeluk gebeurd op de snelweg, anders was ik heus wel eerder thuis geweest – vreselijke gewoon – het zou me niks verbazen als er doden bij gevallen zijn!' – en huilde om de betamelijkheid der dingen.

Hoofdstuk 12

De galerie in Soho die Frances runde, verkocht, naast andere eigentijdse kunstenaars, het werk van Patrick Painter. Frances was weliswaar niet de eigenares van de galerie, maar ze konden het onmogelijk zonder haar stellen: het stond als een paal boven water dat Galerie De Gambiet zonder haar capaciteiten zijn prestigieuze naam nooit had kunnen waarmaken.

Handeldrijven met Patrick Painter was aan bepaalde regels gebonden: vóór twaalf uur 's middags mocht je hem niet bellen; onder geen beding mocht je naar zijn gezondheid of zijn financiële zaken vragen, en commentaar leveren op zijn naam was al helemaal uit den boze. Een journalist van een respectabele kunstkrant had een interview dat hem was toegezegd verspeeld doordat hij het niet had kunnen nalaten hoorbaar te mompelen, 'Painter van naam...' Frances, die te laat arriveerde om deze woedebui te voorkomen, legde uit, 'Het is niet zijn eigen naam, zie je. Zijn stiefvader heette Painter – en het boterde niet tussen die twee.' 'Waarom heeft hij hem dan in godsnaam aangehouden, als hij er zo'n hekel aan heeft?' had de getroffen journalist gevraagd, zich ten volle bewust van het gat die deze ellende in de kopij zou slaan, en al helemaal van het ongenoegen van zijn redacteur.

Painter woonde in Isleworth met zijn moeder en zijn schildpadden. Frances had weleens bij zichzelf gedacht dat de moeder en de schildpadden uitwisselbare plaatsen innamen in de geest van de schilder. De reden dat Frances de vorige avond teruggekeerd was uit Shropshire was dat ze die maandagochtend een bezoek zou brengen aan Painter.

Als Painter Frances wilde spreken, dan was dat meestal om haar mening te vragen over een schilderij waarmee hij vastgelopen was. Net als alles bij hem werden deze ontmoetingen ingeleid door bepaalde rituelen; pas daarna konden ze voorzichtig overgaan tot de orde van de dag.

'Tjonge, dus jij verwaardigt je mij te komen opzoeken?' zei Painter toen hij haar opendeed en gebaarde dat ze door mocht lopen naar de voorkamer. ''t Zal verdomme wel eens tijd worden ook!' Hij veegde een stapel ongeordende tijdschriften en kranten van een stoel.

Het leek tegenstrijdig, maar het huis, dat een en al rotzooi leek, had altijd een ordenende uitwerking op Frances, waarschijnlijk doordat het zelf de meeste onderwerpen leverde van de ordelijke schilderijen van de kunstenaar.

Er bleek een probleem met de koekjes – de trommel was onvindbaar. 'Jezus, Jozef en Maria, de gemberkoekjes. Wat heeft het kreng daar in godsnaam mee gedaan?'

Frances was daaraan gewend. 'Als je Mrs. Hicks bedoelt, het lijkt me hoogst onwaarschijnlijk dat die ook maar iets gedaan heeft. Je hebt ze vast zelf opgegeten.' Ze keek rond in de met formica afgewerkte keuken en haar oog viel op een blik met een foto van de koningin met haar corgi's. 'Wat dacht je van deze theebeschuitjes, die kunnen toch ook?'

'Nou ja, d'r zit niks anders op, maar had je niet liever gemberkoekjes…?'

Frances zei dat ze liever helemaal geen koekjes had, want ze wilde niet dik worden.

'Onzin, je hebt nauwelijks billen.'

'En dat wil ik zo houden ook.'

'Flauwekul, een vrouw moet een behoorlijke reet hebben.'

Frances betwijfelde of Painter ooit van zijn leven iets met vrouwenbillen van doen had gehad, op de naaktmodellen na die hij in zijn pre-abstracte periode getekend moest hebben. Maar kennelijk hechtte hij aan de mythe van zijn erotische belangstelling, dus die hield ze in stand.

'Waar zijn de schildpadden? Zijn ze al ontwaakt uit hun winterslaap?'

'Fred wel – Ginger ligt nog in coma, het luie varken.'

'Kun je een schildpad een varken noemen?'

Frances liet zich niet voor de gek houden door Painters grove taalgebruik: ze wist dat hij een man was met een warm, zij het verborgen, gevoelsleven. Toen Peter verongelukt was had ze hem tot haar eigen verbazing gebeld omdat ze behoefte had aan de vriendelijkheid die onder zijn oppervlakkige woestheid schuilging. Bovendien kwam hij uit Cork en ze hield van een Iers accent. Misschien kon ze het daarom zo goed met Bridget vinden...?

Painter vond dat de tijd rijp was om met zijn probleem op de proppen te komen. 'Hier staat het ellendige ding,' klaagde hij en wees naar een doek met piepkleine teer geschilderde lila vierkantjes – herkenbaar als een mutatie van het behang in de gang. 'Kijk er alsjeblieft eens naar – ik denk dat ik het maar in elkaar stamp.'

'Misschien mist het alleen maar wat evenwicht,' opperde Frances voorzichtig. Ze had al lang geleden besloten dat het weinig uitmaakte wat ze tegen Painter zei over zijn schilderijen – waar het op aankwam was dat ze iets zei dat verstandig klonk. Het ging erom dat Painter haar zijn onvoltooide werk kon tonen zonder zich bedreigd te voelen. Ze voelde zich een beetje als de aangever van een uiterst gespannen komiek – hij rekende erop dat ze hem de juiste regels voerde.

'Nee, nee, nee, nee,' begon Painter met het bekende handjeklap, 'het is knudde, niks waard – ik smijt 'm eruit.'

'Hmm,' zei Frances, 'ik begrijp wel wat je bedoelt – maar het zou jammer zijn.'

Ze stonden naast elkaar naar het doek te kijken. Frances had al eerder opgemerkt dat ze het prettig vond om dicht bij Patrick te zijn: hij gaf je de ruimte; hij dreef je niet in een hoekje maar trok zich ook niet terug.

Een schildpad, waarschijnlijk Fred, kuierde naar binnen en bleef zitten in een plekje zon dat het patroon van het tapijt oplichtte.

'"En de zon scheen op z'n bolletje",' zei Painter en zette zijn voet op de rug van de schildpad. 'In de vuilnisbak dan maar?'

Dit was het cruciale moment. Frances gokte, 'Ach ja, misschien heb je gelijk...'

'Of misschien kan ik er toch nog wel wat aan doen,' zei Painter vlug. 'Wat dacht je?'

'Ik denk dat je dat zelf het beste weet.'

'Oké,' zei Painter opgelucht. 'Ik ben blij dat we eruit zijn. Dat verdomde klerewijf – ik snak naar een gemberkoekje.'

Frances wandelde met Painter naar de winkel op de hoek waar hij een pak speciale, extra sterke thee kocht en twee pakken koekjes. De vrouw in de winkel zei, 'Wilt u de Sunday Sport nog, Mr. Pinter?'

'Pinter?' vroeg Frances toen ze weer buiten stonden. 'Wat heeft dat te betekenen?'

Er gleed een sluwe glimlach over Painters gezicht. 'Ik kan er echt niks aan doen, hoor. Ze denkt dat ik Harold Pinter ben. Schrijft toneelstukken,' voegde hij er behulpzaam aan toe.

'Ik weet dat hij toneelstukken schrijft – en goede ook. Leg eens uit?'

'Ze haalt ons door elkaar,' zei Painter, een beetje schaapachtig. 'Toen de stomme trut de zaak overnam van de Patels hebben ze haar verteld dat ik beroemd was – en ze las de naam als Pinter. Ze heeft een dochter die Media-wetenschappen in Luton studeert. Ik kan het ook niet helpen dat dat mens daarop kickt.'

Nu ging Frances een licht op. 'Dus daarom bestel je er de Sunday Sport? 't Is toch niet waar, Patrick, wat ben je toch een kind!'

Hoofdstuk 13

Als u nu denkt dat Peter Hansome een beetje een lafaard was, dan hebt u het mis. Op kostschool sloeg hij zich zo dapper door de ellende van de scheiding van familie en bekenden heen dat zelfs zijn sluwste, kwaadaardigste leeftijdgenootjes niet in de gaten hadden dat hij met bloedend hart door de gangen liep. Nog stoerder was, dat hij niet toegaf aan de drang om uit pure wanhoop mee te doen met het pesten van jongens die zich minder groot wisten te houden dan hij. Hij was redelijk geliefd, maar wist nooit dat toppunt van populariteit te bereiken dat alleen de gelukkigen van meet af aan ten deel valt – als dat tenminste 'geluk' is. En met 'geluk' lag het levenspad van Peter Hansome nu niet bepaald bezaaid.

Als we dingen beginnen te verliezen, vindt het leven kennelijk dat er best nog wat meer verlies bij kan: eerst raakte Peter zijn vader kwijt, en toen verloor hij zijn moeder aan een Kamerlid dat Marcus en Clare, Peters broertje en zusje, tot mikpunt koos van zijn stiefvaderlijke zorg.

Er zijn mensen die zodra ze merken dat een bepaalde liefde niet op hen gericht is, alles op alles zullen zetten om die liefde kapot te maken. De tweede man van Evelyn Hansome voelde onmiddellijk, met de alertheid die sadisten eigen is, dat er een hechte band bestond tussen zijn vrouw en haar tweede zoon. Een dergelijke band tussen moeder en zoon is zeker niet ongewoon – de negentiende-eeuwse literatuur staat er bol van, hetgeen niet wil zeggen dat zoiets in werkelijkheid niet bestaat. Peter zag hoe zijn moeder haar liefde voor hem oppotte en begreep dat ze dat deed omdat ze hem wilde beschermen. Maar iets begrijpen wil nog niet zeggen dat het je niet raakt: hoe meer de moeder zich pantserde, hoe gereserveerder ook de zoon werd. Toen zijn stiefvader stierf kostte het Peter de grootste moeite om weer spontaan met zijn gevoelens om te leren gaan.

Tegen de tijd dat Peter in Cambridge ging studeren was hij helemaal de keurige, conventionele kostschooljongen geworden. Hij was slank en goedgehumeurd, althans op het eerste gezicht. Als hij met iemand van menig verschilde uitte hij dat discreet en op sociaal aanvaardbare wijze door het gesprek een andere wending te geven, bijvoorbeeld door van geschiedenis over te stappen op antropologie. Rond die tijd sloot hij vriendschap met zijn vader, en toen Peter afstudeerde nam deze hem mee naar een stripteasetent in Soho om dat te vieren. Peter keek met een opgewonden fascinatie, die hij later definieerde als walging, naar de wulps uitstekende borsten en billen – maar hij wist zelf niet of dat een reactie was op de glanzende, naakte meisjes of op zijn rijkelijk zwetende vader naast zich. Dat hij zich er onbehaaglijk bij voelde schreef hij toe aan zijn loyaliteitsgevoelens jegens zijn moeder. Het was het laatste jaar dat de dienstplicht nog bestond, en dus moest hij in dienst.

Hij vertrok naar Maleisië, waar hij leerde bevelen te geven en mannen te commanderen. En in Maleisië werd Peter Hansome voor het eerst van zijn leven verliefd.

Hoofdstuk 14

Zahin vertelde dat hij studeerde aan een hogeschool in de buurt van de King's Road . 'Ik doe scheikunde, en wis- en natuurkunde.' Hij zuchtte.

'Waarom doe je dat, als je het niet leuk vindt?' vroeg Bridget, en Zahin legde uit dat hij dat voor zijn familie deed. 'Ze willen dat ik scheikundig ingenieur word. In Amerika kun je daar veel geld mee verdienen.'

Bridget was al jaren geleden opgehouden te proberen zich in te leven in wat ouders bewoog. Ze kon zich domweg niet voorstellen dat je iemand zou dwingen iets te doen waartoe de motivatie ontbrak. Toch was ze indertijd zelf ook weggelopen uit rebellie tegen een ouder; misschien moest je jongeren wel dwingen te voldoen aan eisen die hun tegenstonden – om een soort overleving van de sterkste te bewerkstelligen…?

Ondanks zijn bedenkingen nam Zahin zijn academische verplichtingen kennelijk wel serieus. Elke ochtend wekte hij Bridget met een blad met thee; hij had dan al gedoucht en zag er keurig uit in zijn sobere blauwe of grijze trui. Slechts heel af en toe, op halve en vrije dagen, liet hij de teugels wat vieren en trok een gekleurd overhemd aan, zoals het blauwe zijden hemd dat hij gedragen had op de avond dat ze uit Farings terugkwam. Hij streek zijn hemden alsof hij zijn hele leven niet anders gedaan had. Maar het leukst van alles vond hij, zo te zien, het schoonmaken.

Het was Bridget niet ontgaan dat ook haar slaapkamer in Zahins schoonmaakprogramma was opgenomen. Hoewel ze meestal nogal doortastend was, wist ze niet goed wat ze daarmee aan moest. Ze ervoer het als een grove inbreuk op haar privacy – het was wel duidelijk dat hij niet alleen haar toilettafel afstofte, maar dat zijn schoonmaakwoede zich ook uitstrekte tot domeinen die zij als strikt privé beschouwde.

Bridgets ladenkasten lagen vol oude kant en lapjes katoen die ze zelf hield omdat ze ze te mooi vond voor de winkel. Ze genoot van het idee dat er onder haar degelijke kleren onderbroekjes en lijfjes en petticoats verstopt lagen, met lintjes en plooitjes en met de fijne zoompjes van Franse naaisters. Peter had daar ook plezier aan beleefd – met name aan een bepaald soort onderbroekje met een handige flap die je met één snelle handbeweging kon losmaken en (zonder verder nog iets uit te hoeven trekken) benutten, een staaltje van vernuft dat ongetwijfeld uitgedacht was voor de maîtresse van een drukbezette Fransman.

Peter had soms zelf van dit uiterst praktische ontwerp geprofiteerd als hij zijn vrouw een bliksembezoekje bracht in haar winkel. Beide partijen hadden van deze woordeloze uitwisseling genoten. Sinds de dood van haar man had Bridget niet meer gedacht aan die spannende regeling, maar toen ze de broekjes daar zo netjes opgevouwen naast haar andere ondergoed zag liggen, leek het haar toch beter ze in vloeipapier te wikkelen en op te bergen – het was niet waarschijnlijk dat ze ze ooit nog zou gebruiken.

Maar wat moest ze doen aan de hand die ze zo netjes had opgevouwen?

Er is een wet die bepaalt dat een uitgesproken karaktertrek in iemands jeugd later vaak in een tegenovergestelde eigenschap verandert. Bridgets analytische geest had haar een roerige jeugd bezorgd. Ze bleef maar doorgaan – vooral tegen haar vader – over dingen die ze beter met rust had kunnen laten. Na haar vertrek uit Ierland had Bridget eerst in een ziekenhuis gewerkt en daarna in een hotel. De man die direct onder de manager stond was een behoedzame kleptomaan. Bridget, wie niets ontging, zag hem een aansteker van een tafeltje pakken en in zijn zak laten glijden. Maar het werd haar al vrij snel duidelijk dat hij alleen stal van gasten die vervelend deden tegen het personeel, en toen een ander personeelslid dreigde te worden ontslagen omdat hij van de diefstallen verdacht werd, besloot ze haar mond te houden over wat ze gezien had.

De onschuldige collega werd ontslagen, maar Bridget had

daar geen wroeging over. Ze had het onrecht kunnen voorkomen maar deed dat niet... niet zozeer omdat het haar niets kon schelen, maar meer omdat ze vond dat het gevaarlijk was om je neus in andermans zaken te steken. Ze liet de dief liever vrijuit gaan dan dat ze zichzelf uit morele overwegingen tot klikspaan liet bombarderen. Als ze die gedachte verder had uitgewerkt zou ze er wellicht aan toegevoegd hebben dat een tikje onrecht hier en daar veiliger was dan te veel rechtschapen bemoeizucht. En ze was eerlijk genoeg om in te zien dat dit betekende dat ze zelf ook bereid moest zijn om een snufje onrecht te accepteren als onderdeel van haar eigen maatregel.

Deze kleine vonk verlichtte ook anderen op hun pad: Bridget verloor niet de vlugheid van geest die haar vader zo geïrriteerd had, maar wel wat van de daarmee gepaard gaande verontwaardiging. Ze werd een meester in het laten gebeuren van de dingen zoals ze gebeuren; en dat was een eigenschap van haar die Peter nu juist zo innemend had gevonden.

Zittend aan haar toilettafel die zo grondig was afgestoft dat er geen spoortje van haar lichte Franse poeder meer te bespeuren viel, besloot ze Zahin maar niet aan te spreken op het binnendringen van haar privé-terrein. Wat kon het haar schelen of Zahin haar ondergoed bekeken had? Het was ondergoed waar ze trots op was.

Hoofdstuk 15

Bridget had zich voorgenomen slechts eens in de twee weken naar Farings te gaan. Om Mickey vooral maar te laten weten dat ze in Londen was, ging ze bij haar langs. Het ontging haar niet dat Mickey de pest in had.

'En, bevalt het je een beetje, in je nieuwe huis?' had Mickey gevraagd, alsof ze naar de gemakken van een bordeel informeerde.

'Jazeker. Er valt weinig aan op te knappen, en dat is maar goed ook.'

'Hoe denk je daar dan in vredesnaam de tijd door te komen?'

Bridget vermoedde dat Mickey zat te vissen naar een uitnodiging. Nog afgezien van het feit dat haar buurvrouw een echt stadsmens was, kreeg ze al kippenvel bij de gedachte dat ze op Farings mensen moest gaan uitnodigen! Ze besloot de stille wenk te negeren en zei, 'Weet je, Mickey, eerlijk gezegd wil ik daar helemaal niets doen. Dat is er nu juist de lol van.'

'Vond Frances het er leuk?' Aha, dat was het dus. Mickey had ontdekt dat Frances mee was geweest, en ze was jaloers.

Ook Frances was zich ervan bewust dat haar relatie met Bridgets buurvrouw bekoeld was. Uiteindelijk was het wel Mickey geweest die haar met de Hansomes in contact had gebracht, maar toen ze Peter eenmaal ontmoet had mocht Mickey natuurlijk niet weten dat er gevoelige redenen waren waarom Frances daar plotseling maar beter uit de buurt kon blijven. Na Peters dood had ze geprobeerd de vriendschap te herstellen, maar Mickey, die het geheugen van een olifant had, moest daar toen niks meer van hebben.

Frances zou die zaterdag bij Bridget komen, dus toen ze Bridget niet thuis trof, belde ze bij Mickey aan om te kijken of ze daar misschien uithing. De ontmoeting verliep stroef.

'Ze is boos op me,' zei Frances later, bij Bridget in de keuken. Mickey had niet eens haar best gedaan om beleefd tegen haar te doen. 'Ze denkt dat ik haar heb laten vallen nadat ze Peter aan me had voorgesteld.'

'Nou, daar heeft ze gelijk in,' zei Bridget.

'Ja,' zei Frances gepikeerd, 'maar daar had ik wel mijn redenen voor...'

'Ja, je moest zo nodig met mijn man naar bed!' schimpte Bridget. 'Hoor eens, maak je nou maar niet druk – Mickey vindt het heerlijk om boos te zijn. Ik heb liever dat ze wat tegen jou heeft dan tegen Zahin – dat komt me beter uit,' voegde ze eraan toe. Het viel haar op – want zo onaardig was ze nu ook weer niet – dat Frances gezicht er verfrommeld uitzag, alsof ze gehuild had.

En Frances had inderdaad gehuild. Hoewel ze lang niet zo stoer was als Bridget, had ze zichzelf in het algemeen toch heel redelijk in de hand. Als ze huilde, deed ze dat meestal als ze alleen was. En als er al eens een onpartijdige toeschouwer bij geweest was, dan had die moeten constateren dat ze niet huilde omdat ze zichzelf zo zielig vond.

Frances had sinds de dood van haar jongere broer Hugh niet meer zo hevig gesnikt. Tenminste, niet meer sinds de keer dat ze Peter daarover vertelde. Een van de dingen die ze in Peter het meest gewaardeerd had was dat hij haar aangemoedigde zich eens helemaal leeg te huilen – over zijn borst – tranen die indertijd, toen ze hoorde dat Hugh overleden was, niet gekomen waren.

Frances en Hugh hadden een eigen taal gehad, en een eigen land – net als de Brontës, naar ze later gehoord had. Alleen Peter kende het geheim van het verzonnen land dat Hugh en zij samen bedacht hadden, waar kinderen telepathische krachten hadden en boven de volwassenen stonden.

Frances en Hugh waren misschien niet echt telepathisch, maar ze communiceerden wel degelijk zonder woorden. Op de dag dat Hugh zich dood reed tegen de hekpaal kreeg Frances een migraineaanval die zo hevig was dat ze opgenomen moest worden in het ziekenhuis. Daar hoorde ze van haar broers dood, en dat nieuws leek haar zo weinig te verbazen dat de zuster die het was komen vertellen dacht dat ze het niet gehoord had, en het haar nogmaals – in precies dezelfde bewoordingen – vertelde. 'We hebben heel slecht nieuws voor je...'

Frances had Peters armen om zich heen gevoeld toen ze huilde om Hugh; maar er was niemand om haar vast te houden toen ze huilde om Peter.

In de auto, op weg naar de Tate, kreeg Bridget wroeging. 'Laten we gaan lunchen,' zei ze, toen ze het Oog van Londen op zag duiken. 'Ik trakteer. Je hebt nog wat van me tegoed voor je hulp op Farings.'

Het is verbazingwekkend hoe belangrijk eten is voor ons humeur. Zoals je humeurig kunt worden van een slechte spijsvertering, zo kan het aanbod van een kopje thee of het samen eten van een broodje of een ijsje je beter uit de put halen dan de zorgvuldigst gekozen woorden. Bridget zag tot haar tevredenheid dat Frances helemaal opfleurde bij het vooruitzicht van een maaltijd.

'Op zaterdag kun je daar geloof ik niet lunchen, maar ik vind het prima om ergens anders heen te gaan,' zei ze, een stuk kalmer.

Een poosje later stonden Frances en Bridget voor een Sickert met twee vrouwen op een divan ('Zou Peter ons zo gezien hebben?' vroeg Bridget zich af), toen Frances in de volgende zaal een groot schilderij zag hangen van een man en een vrouw die aan een tafeltje in een café zaten. Zelfs van die afstand kon je al zien dat dit stel verwikkeld was in een dubieuze escapade: de vrouw kijkt de man, net iets te smachtend, in de ogen, en naast de man ligt een bos bloemen, waarschijnlijk een zoethoudertje voor zijn geweten, en niet bestemd voor de vrouw die bij hem zit. Een kelner buigt zich over het stel heen om de bestelling op te nemen en is zich overduidelijk bewust van de nuances van de situatie waarin zijn klanten zich bevinden.

Terwijl Frances naar het schilderij stond te kijken zag ze vanuit haar ooghoeken een figuur die er eveneens naar keek – en na een korte aarzeling wendde ze zich tot Bridget en zei, 'Kijk daar eens. Ik dacht waarachtig even dat het Peter was...'

*

Peter stond voor het schilderij van het Edwardiaanse trio, voelde de ogen van zijn minnares op zich gericht, liep terug, sloeg de hoek om en verdween in de menigte.

Hoofdstuk 16

Bridget was op vrijdagavond al naar Farings gereden om de volgende ochtend op tijd te zijn voor de schoorsteenveger.

Om klokslag 10 uur ging de bel.

'U bent een man van de klok, Mr. Godwin.'

'Godwit. Net als de vogel[4]. Die fout maakt iedereen. Ik ben psychoanalyticus geweest – en met zo'n baan moet je wel punctueel zijn.'

'Goeie genade! Een psychoanalyticus!' Bridget, die er prat op ging dat niemand haar ooit verraste, keek verrast.

'Grapje…'

Bridget was opgelucht. Ze moest niets van dat soort dingen hebben – al vond ze het idee van een schoorsteenvegende psychoanaliticus wel heerlijk bizar.

'Grapje – mijn dochter is getrouwd met een hersenpeuteraar – en die mag ik graag plagen. Ik zeg altijd tegen hem dat mijn dochter alleen maar met hem getrouwd is omdat haar vader zo'n Pietje Precies is. Een vadercomplex noemen ze dat!'

'Zit er iets in, denkt u?' Bridget was geïntrigeerd. Ze had ergens gelezen dat Ieren niet te analyseren zijn omdat ze de werkelijkheid niet kunnen onderscheiden van hun eigen onstuimige Keltische onbewuste.

'Dat Corrie een vadercomplex heeft?' vroeg de schoorsteenveger. Hij zat op zijn knieën lange borstels met houten handvaten in elkaar te priegelen. 'Het zijn spreeuwennesten, denk ik.'

'Nee, ik bedoel, in psychoanalyse,' zei Bridget, uit het veld geslagen. 'Ik zou het niet in mijn hoofd halen u te vragen naar uw relatie met uw dochter.' Ze was helemaal beduusd, en dat kwam niet vaak voor.

Mr. Godwit lag nu op zijn rug, met zijn hoofd onder de

4 godwit: grutto

schoorsteen. 'Ja hoor, spreeuwen,' verkondigde hij. 'De kleine rotzakken. Dit klusje gaat me wel een half uurtje kosten. Is dat erg?'

Bridget zette een pot thee en ging zitten toekijken hoe de schoorsteenveger met vaardige handen zijn borstels in de rondte draaide en heen en weer schoof. 'Als u buiten gaat kijken ziet u de kop van de borstel uit de schoorsteen komen. Mijn vader vroeg dan altijd aan mij, "Zie je die spreeuw, daar bovenop?"'

De man leek buitengewoon vrolijk en toch was hij niet irritant, zoals vaak het geval is met van die eeuwig vrolijke mensen.

Nippend aan haar tweede mok thee herinnerde ze zich hoe hij zich had voorgesteld en vroeg, 'Godwits zijn toch vogels?'

'Jawel. Witte staart, zwarte eindband – je ziet ze wel in Pembrokeshire. Prachtige kust voor waadvogels.'

'Ik heb dit huis gekocht vanwege de roeken,' zei Bridget. Het was de eerste keer dat ze dat aan iemand vertelde.

'Goed bekeken. Roeken komen niet waar de sfeer niet goed is. Zijn ze al aan het nestelen?'

Ze liepen naar buiten. In de iepen staken bundels nesten zwart en rafelig af tegen het zonlicht.

'Vorige week heb ik een troep vinken gezien,' zei Bridget, zonder zelf in de gaten te hebben dat ze met haar kennis pronkte.

'Farings staat bekend om zijn vogels,' zei Mr. Godwit. 'Weet u wat, als ik volgende keer naar de kust ga om vogels te kijken, dan neem ik u mee.'

Bridget, die onverwacht blij was met dit aanbod, kon haar tas niet vinden om hem te betalen. Uiteindelijk was het de schoorsteenveger die hem vond, weggezakt achter een doos boeken, met een in rood leer gebonden bundel van Shakespeare erbovenop.

'Zo, dus u leest graag? Tien pond, alstublieft.' Al zijn vrolijkheid ten spijt maakte hij toch een verlegen indruk. 'Het zou me niks verbazen als ze een vadercomplex had – die dochter van mij. Cordelia, heet ze. Idee van mijn vrouw, hoor, niet van mij!'

Pas toen Bridget 's avonds onder het eten – geroosterd brood met kaas bij de open haard – naar de radio zat te luisteren bedacht ze zich dat de klok die nacht een uur vooruitgezet zou worden. Marianne, een hypochondrische vrouw die meubels opschilderde, zou wat kisten komen afleveren bij Bridget thuis in Fulham omdat haar gezondheid – die altijd uitgebreid besproken werd – niet toeliet dat ze overdag naar de winkel kwam.

Bridget had Zahin gevraagd of hij er die zondag kon zijn om de kisten in ontvangst te nemen. 'Maar natuurlijk, Mrs. Hansome. Het zal me een waar genoegen zijn.'

'Overdrijf toch niet zo, Zahin,' zei Bridget lachend.

'O Mrs. Hansome...'

'Ik wil alleen maar zeker weten dat je er bent. Marianne is een lastig mens, als je het weten wilt. Als er niemand thuis is gaat ze weer weg en alleen God in al zijn wijsheid weet dan nog wanneer ik die kisten ooit krijgen zal.'

'Mrs. Hansome, ik zal er zijn als God Zelve. U kunt op me rekenen.'

Maar ze was vergeten hem te vertellen dat de klok dan vooruitgezet was.

Bridget belde haar nummer in Londen en kreeg het antwoordapparaat. Verdomme. Ze had geen idee of Zahin dat ooit afluisterde. Waarschijnlijk wel, maar ze kon er niet zeker van zijn. Marianne bellen had ook weinig zin. Als je haar iets aan het verstand probeerde te peuteren, werd de verwarring alleen maar groter. En ze wist niet hoe Mickey over Zahin dacht, dus die kon ze er ook maar beter buiten laten.

Ten slotte belde ze Frances. 'Hoor eens, het spijt me vreselijk dat ik je lastigval maar...' en ze vertelde van het uur.

'Ik ga er wel even langs,' zei Frances. 'Kleine moeite. Ik wacht een net tijdstip af en dan ga ik het hem vertellen.'

'Vind je het niet erg?'

'Als ik dat vond zou ik het niet zeggen!'

Frances voelde zich beter sinds hun bezoek aan de Tate. Misschien kwam het door de man in de menigte die haar aan Peter had doen denken? In de daaropvolgende week had ze het 's nachts minder moeilijk gehad. Op de een of andere manier had de lunch met Bridget geholpen, al wist ze zelf niet waarom.

En ze vond het niet erg – ander zou ze er geen grapje over gemaakt hebben – om de volgende ochtend, in haar trainingspak, even langs het huis in Fulham te rijden op weg naar Richmond Park, waar ze wat wilde gaan hardlopen omdat ze vond dat ze te dik werd.

Toen ze om kwart over elf aanbelde waren de gordijnen boven nog dicht. Zou ze dan maar gewoon een briefje achterlaten? Ze stond net in haar tas te rommelen toen het meisje de deur opendeed.

'Dag. Is Zahin thuis?' Het meisje schudde haar hoofd. 'Mrs. Hansome heeft me gestuurd. Komt hij nog terug?'

Ze knikte. Een knap meisje, met twee rode velours bloemenklemmen in haar haar.

'Zou je hem dit dan willen geven?'

Frances schreef: Zahin – Mrs. Hansome heeft me gevraagd je te laten weten dat de klok een uur vooruit is gezet. Zorg alsjeblieft dat je thuis bent voor Marianne om 4 uur (was 3 uur!).

Zou dat werken? Of zou het alleen maar meer verwarring stichten, zoals zo vaak het geval is als je dingen uit gaat leggen? Nou ja, ze had haar best gedaan.

Tijdens haar rondjes om de vijver dacht Frances: Wie zou dat meisje zijn…?

Bridget belde Zahin op. 'Zahin, zijn ze er?'

'Ja natuurlijk, Mrs. Hansome, en ik was op tijd hier om de prachtige kisten aan te nemen.'

'Heeft Frances je verteld van de tijd?'

'Ik had de klokken al een uur vooruitgezet.'

Frances had besloten Bridget niet te bellen over het meisje. Maar Bridget werd – geheel tegen haar aard in – altijd wat zenuwachtig van Marianne, dus belde ze Frances zelf om te vragen of de kisten inderdaad gearriveerd waren, en toen vond Frances het zinloos om de ontmoeting geheim te houden.

'Wat was het voor meisje?' vroeg Bridget, eerder geïntrigeerd dan boos.

'Heel knap. Ik vroeg me af of het misschien zijn zusje was…'

Toen Bridget de volgende avond weer terug was zag ze haar

kans schoon om te vragen, 'Zahin, heb jij familie hier?' en in de volmaakte harmonie met haar gedachten die hij vaak, op het griezelige af, ten toon spreidde antwoordde de jongen, 'Jawel, een zusje, Zelda – zij is monumentaal in Engeland.'

'O.' Stilte. 'Je bedoelt momenteel, "monumentaal" betekent "groots". Is ze het weekend hier bij jou op bezoek geweest?'

'O Mrs. Hansome, ik wilde u dat momenteel vertellen, echt waar…'

'Zahin, sta op van de grond en schei in godsnaam uit met die aanstellerij…'

'Waar woont ze?' vroeg Frances. Ze vond het wel grappig dat Zelda door haar toedoen boven water was gekomen.

'Bij familie in St.-John's Wood.'

'Die familie moet aardig rijk zijn,' zei Frances. 'Zo te zien heeft Zahin geld zat. Ik hoop dat je hem een behoorlijke huur vraagt?'

Bridget, die niks om geld – van Zahin of van wie dan ook – gaf, was tot de conclusie gekomen dat Zahin bang was dat het nieuws dat hij familie in Londen had zijn vertrek uit Fulham zou bespoedigen. Het lag er ontroerend dik bovenop dat hij graag – te graag, bijna – bij haar wilde blijven. De ontdekking van Zelda's bestaan had een hevige aanval van schoonmaak-woede tot gevolg.

Toen Bridget zag dat Peters studeerkamer ook in het nieuw-ste schoonmaakprogramma was opgenomen, had ze overwogen daar bezwaar tegen te maken – zelf had ze zich er nog niet toe kunnen zetten eraan te beginnen. Maar toen dacht ze, net als bij de onderbroekjes en de petticoats: Ach, waarom ook niet? Peter was zelf de vriendschap met Zahin begonnen – ze mocht er dus vanuit gaan dat hij het niet erg gevonden zou hebben.

Waarom maakten mensen zich eigenlijk zo druk om wat een dode al dan niet "erg" zou vinden? 'Weet je,' merkte ze op tegen Frances, 'het is nog steeds niet tot me doorgedrongen dat Peter er niet meer is. Het is niet dat ik het niet aankan, ik kan het gewoon niet beseffen.'

'Nee,' zei Frances. De nachtelijke huilbuien hadden plaatsgemaakt voor een reeks erotische dromen. De meeste daarvan waren bevredigender dan haar echte ontmoetingen met Peter waren geweest.

Frances had Peter nooit reden gegeven te vermoeden dat er aan hem als minnaar iets mankeerde, omdat het nooit bij haar was opgekomen dat dit mogelijk zo was; haar belangstelling voor hem was ook niet primair lichamelijk geweest. Het zou te ver voeren om te zeggen dat ze bij hem simuleerde; dat was het niet helemaal, maar ze voedde wel het beeld dat hij van zichzelf had. En het was haar volslagen duidelijk dat hij zichzelf zag als een buitengewoon viriel man; ze hadden een stilzwijgende overeenkomst dat ze gedreven werden door een alles verterende passie.

Het kan best zijn dat verheven, romantische ideeën die de kop opsteken in menselijke verbintenissen dienen om een overeenkomstig tekort te compenseren. En het kan ook best zijn dat een partner die gespannen is, deze spanning ook meedeelt aan de ander. Misschien is dat wat wij graag 'liefde' noemen deels de wil om dergelijke spanningen voor de ander verborgen te houden, en is wederzijdse 'liefde' een reflectie van het verlangen om te beschermen? Zoals Peter zich in bed met zijn vrouw vrijer voelde dan met Frances, zo voelde Frances zich vaak opgelucht als het vrijen met Peter tot een succesvol einde was gekomen – al was dat iets wat ze Peter nooit verteld had en waar ze zich ook niet echt bewust van was geweest.

Hoofdstuk 17

Toen Peter het meisje voor het eerst zag in Maleisië, dacht hij helemaal niet aan verliefd worden. Hij had wel vriendinnetjes gehad in Cambridge: een studente aan een lerarenopleiding uit de buurt van Homerton en een verpleegster uit Addenbrooke, nog dichterbij, en bij beide meisjes had hij plichtsgetrouw zijn hand in hun bh gestoken (een onrustbarend smoezelige lichtblauwe in het geval van Homerton, en een redelijk spannende zwarte in het geval van de verpleegster) en had, even plichtsgetrouw, van beiden een tik op zijn vingers gekregen – want zo hoorde dat, in die tijd. Hij had niet, zoals sommige jaargenoten van hem dat wel deden, aangedrongen en de schijnheilige standaardprotesten van de meisjes weggewuifd in de hoop op iets lucratievers.

Maar dat betekende niet dat Peter geen normale seksuele behoeften had. Hij had de gebruikelijke stadia doorlopen, eerst als het voorwerp en later als de instigator van homoseksuele verliefdheden op school, en was daarna overgestapt op meisjes toen die mogelijkheid zich begon voor te doen. Hij vond meisjes leuk, maar hij was verlegen – een verlegenheid die schuilging onder een laag vernis.

In Cambridge kreeg hij de reputatie van een hartenbreker, alleen omdat hij de neiging had zich terug te trekken als een meisje op zijn avances inging. De talloze invloeden van de seksualiteit zijn subtiel en moeilijk te verklaren: een man moet behoorlijk vergevorderd zijn om zijn eigen seksuele reacties te doorgronden, en iedereen die zelf in dat schuitje gezeten heeft zal er begrip voor hebben dat Peter zelf niet wist waarom hij aarzelde.

De man als seksuele agressor is een stereotiep beeld: ridders in harnas, sterk en stoer, met de borst vooruit – potentiële verkrachters, let maar op! Maar zoals altijd is de waarheid inge-

82

wikkelder, omdat mannen veel brozer zijn in hun mannelijk-
heid dan algemeen wordt aangenomen. Peter was daarop geen
uitzondering. Zijn liefde voor zijn moeder had hem kwetsbaar
gemaakt, het verlies van zijn moeder bang. En tot dan toe had
geen van de meisjes die hij ontmoet had de beschermende
tederheid in hem wakker geroepen die vaak nodig is om een
verlammende angst te overwinnen.

Peter ontmoette Veronica bij de rivier waar hij op een vrije
dag naartoe was gegaan om te zwemmen. Hij was het gezelschap van zijn mannen zat en had een smoesje verzonnen om
alleen op pad te kunnen gaan, maar had last van het vage
schuldgevoel dat gevoelige mensen plaagt als ze toegeven aan
een gril.

Hij had zich afgedroogd en was al aangekleed toen hij een
meisje zag zwemmen met haar vriendinnen; hij werd getroffen
door haar natuurlijke charme en haar lieve glimlach. En toen
hij zag – of meende te zien – dat ze in de problemen raakte door
de sterke stroom, had hij onmiddellijk zijn kleren uitgetrokken
en was als een echte held in het water gedoken.

Veronica – een weesje dat opgevoed was bij de nonnen en dat
genoemd was naar de heilige die het gezicht van Christus had
afgeveegd – was in werkelijkheid een geoefend zwemster die
geintjes uithaalde in het water en net deed of ze verdronk om
haar vriendinnen aan het lachen te maken. Maar ze liet zich
door de lange Engelse officier naar de kant brengen en bedank-
te hem charmant voor zijn hulp. (De ware aard van deze
gebeurtenis kwam pas veel later, onder veel geplaag en gegie-
chel, aan het licht.)

Op het juiste moment, na een gepast aantal ontmoetingen,
zette Veronica haar dank om in iets bevalligers. En vanaf dat
moment was zijn tijd in Maleisië als de thuiskomst die Peter
nooit gehad had – een wonder van geluk.

Toen het moment was aangebroken om te vertrekken overwoog Peter serieus zijn handdoek in de ring te gooien en in
Maleisië te blijven; net zoals hij een jaar later, toen hij uitge-
diend was, overwoog terug te keren om het meisje te zoeken dat
na al die jaren door het pantser van zijn verlegenheid heen

gebroken was. Maar je opvoeding zet je niet zomaar van je af; de enige bron – het regelmatige innige samenzijn met Veronica zelf – die een dergelijke ongebruikelijke stap mogelijk gemaakt zou hebben, was hij kwijt.

En dus stopte Peter dat kleine, wonderlijke voorproefje van het paradijs weg in de overtuiging – voortkomend uit het aangeboren optimisme van de jeugd – dat er op een dag een ander, toegankelijker paradijs voor in de plaats zou komen.

Hoofdstuk 18

Het nachtlampje dat Bridget bij John Lewis had gekocht stond naast haar bed. Ze had het indertijd als afleiding gekocht vóór haar ontmoeting met Frances, maar in de maanden die volgden was Bridget gehecht geraakt aan de doorschijnende zuil met de kleine wulpse zeemeermin en de dobberende gekleurde zeepaardjes.

Ze begon Peter 's nachts nu echt te missen. Sinds ze haar ouderlijk huis verlaten had en niet meer met een mes onder haar kussen hoefde te slapen had ze, op een enkele uitzondering na, altijd goed geslapen. Maar sinds Peters dood was slaap een soort helse kring geworden – een kring waarin ze elke nacht schuldig bevonden werd aan allerlei misdaden, en waaruit ze ontwaakte om direct overspoeld te worden door de vreselijke ellende die het daglicht haar bood. Ze miste niet alleen Peters veeleisende gedrag maar – nog meer zelfs – zijn slapende gestalte naast zich in bed.

'Je lijkt wel een varken!' had ze eens opgemerkt toen hij zich verontschuldigde voor zijn gesnurk. 'Ik vind het prettig – ik word er rustig van.'

Zonder Peters vertrouwde varkensgeluiden naast zich waren de nachten vijandig geworden. Voorvallen uit haar verleden vlogen in roofzuchtige meutes op haar af: de man met wie ze geslapen had die een vrouw bleek te hebben die geprobeerd had zich van kant te maken; de flat waaruit ze stiekem vertrokken was terwijl haar huisbaas haar zo vertrouwde; brieven die ze nooit beantwoord had omdat ze ze zogenaamd nooit ontvangen had; de armband die ze van een schoolvriendin gestolen had – ze wist zelf niet dat ze een geweten had, maar daar was het dan, een onheilspellende Cerberus met vele koppen.

Tijdens een van die slapeloze nachten las Bridget – die door haar vroege blootstelling aan het katholicisme de mentale uitrusting, zo niet de geest, had ontwikkeld om zich in dat soort zaken te verdiepen – een artikel over een antropoloog die de religieuze totem van een primitieve stam aan zijn muur had gehangen. Bij wijze van experiment was hij begonnen de totem zelf te aanbidden. Tot zijn verbazing had hij vastgesteld dat hij zelf was gaan geloven in de bovennatuurlijke macht van de totem, alsof die daad van aanbidding een onzichtbaar zaadje in zich droeg dat zelfs in de meest ongastvrije kiertjes wortelschoot.

Het artikel stond in een van de antropologische tijdschriften waarop Peter geabonneerd was en die Bridget, na zijn dood, om de een of andere reden nog steeds niet had opgezegd. Misschien beïnvloedde dit artikel haar wel toen ze zich betrapte op het tellen van zeepaardjes.

Het licht was zo geconstrueerd dat de zeepaardjes op en neer deinden op het wateroppervlak, dat weer werd aangedreven door de hitte die het peertje afgaf. 'Als ze eenentwintig keer op en neer zijn gegaan,' besloot Bridget op een nacht, 'dan val ik in slaap.'

Bridget mocht dan het geloof van haar land hebben afgedankt, het bijgeloof dat de voorvader van de religie is schud je echt niet zomaar van je af. Ierland is een land waar, lang voordat St.-Patrick er voet aan wal zette, de magie regeerde, en zonder deze bijgelovige magie was er misschien wel nooit een godsdienst ontstaan. Het getal 21 staat dan ook bekend om zijn toverkracht. Het nachtlampje had zeven zeepaardjes die gevangen zaten binnen de doorschijnende muren; Bridget besloot dat ze, om in slaap te vallen, alle zeven zeepaardjes driemaal op en neer moest zien deinen. En als ze drie zeepaardjes zeven keer dezelfde beweging zag maken, dan gold het ook, bepaalde ze.

De details van dit ritueel werden, net als bij alle primitieve rituelen, steeds verder uitgewerkt. Het duurde weken voordat het vaste vorm kreeg, en pas na Kerstmis had ze ook de alternatieve vorm helemaal uitgewerkt. Ze had geconstateerd dat ze het 'zeepaardjeseffect' alleen nodig had in het huis in Fulham, want op Farings had ze niets nodig om in slaap te vallen. Dat had te maken met Peters ontbrekende aanwezigheid – andere mensen zouden dat 'rouwen' noemen, maar hoe andere mensen iets noemen kon haar weinig schelen.

Ze was dan ook, nou ja, wel geschrokken, natuurlijk, maar toch ook weer niet echt verbaasd, toen ze in haar vaste telritueel bij het derde zeepaardje was gekomen en ineens Peter in de hoek van de kamer zag staan.

Maanden later, toen ze probeerde zich die eerste schimmige flard van hem weer voor de geest te halen – 'eerste' in de zin dat het de eerste maal was dat ze hem zag sinds hij gestorven was – had ze vastgesteld dat hij nog het meest weg had van de gemummificeerde spreeuw die Mr. Godwit uit de schoorsteen had gevist. Maar op het moment zelf had ze alleen maar gezegd, 'Peter?', en toen was het ding-dat-Peter-was-geweest weer verdwenen in het duister van de roeken.

Hoofdstuk 19

Frances moest een tweede uitnodiging voor Farings afslaan. De galerie moest worden klaargemaakt voor een nieuwe expositie en zij moest erop toezien dat het werk van de exposerende jonge beeldhouwer goed geplaatst werd. Roy, die met zijn smaak de galerie groot had gemaakt, was voor Frances een raadsel. 'Hoe kan iemand met een dergelijke esthetische gave in vredesnaam zo'n onaangenaam mens zijn?' had ze eens aan Peter gevraagd. Maar Peter vond niet dat die twee eigenschappen met elkaar in strijd waren. 'Ik ken heel aardige mensen met een vreselijke smaak,' wierp hij tegen, 'en andersom. Jij denkt kennelijk dat mensen door en door hetzelfde zijn!' 'Je bedoelt net als die tandpasta met zo'n streep mondwater erdoor, of jam in van die Zwitserse rollen?' had Frances gevraagd. 'Rollen, zei je toch...?' had hij gevraagd (want ze lagen net in bed...).

De beeldhouwer kwam binnen en liep snauwerig heen en weer terwijl de beelden uit de vrachtwagen werden geladen. Frances had daar wel begrip voor: ze wist van Painter wat zoiets voor een kunstenaar betekende. 'Je kunt alleen maar op je eigen gevoel afgaan,' had hij verkondigd, toen ze hem gerust wilde stellen nadat een kunstcriticus met vage lof zijn expositie de grond in had geboord. 'Alleen omdat het er toegankelijk uitziet denkt die klootzak dat het nooit diep kan zijn.' Frances wist niet zeker of zij diepgang zou herkennen, maar ze wist wel dat het niet pompeus was van de beeldhouwer dat hij zich zo druk liep te maken over het transport van zijn beelden en over hoe ze geplaatst werden in de galerie, en of ze al dan niet in het goede licht stonden. 'Dat is geen egoïsme,' had ze eens tegen Peter gezegd – het ging toen over Patrick. 'Het is een vorm van zelfrespect.'

Patrick had, zeer tegen zijn gewoonte in, toegezegd dat hij bij de opening van de tentoonstelling zou zijn. Een van de redenen

dat Frances onmisbaar was voor de galerie was dat ze altijd overal mensen voor wist te strikken; maar zelfs met de invloed die
zij op Patrick had was het nog bijzonder dat hij de moeite nam
iets voor een medekunstenaar te doen.

'Ik zal er zijn,' had hij gezegd, 'als ik maar met niemand
anders hoef te praten dan met jou,' hetgeen niet zo eenvoudig
was, dacht Frances terwijl ze hem naar de dranktafel loodste.

Painter droeg een knalroze vest met bijpassende sokken. Zijn
borstelige zwarte wenkbrauwen, zijn springerige, ontembare
haar en het bijna hoorbare gegons van zijn fantastische energie
peperden de mensen onmiddellijk in dat hier nog iemand was
die 'meetelde'.

Frances had het concept van 'iemand die meetelt' jaren geleden al van haar broer Hugh geleerd, die zo zeer meetelde dat
zijn dood voor altijd de zwakke banden die de familie Slater
verbond aan flarden gereten had. Zijn vader noch zijn moeder
waren het verlies van hun energieke jongste kind, dat iedereen
– mannen en vrouwen – voor zich innam, nooit te boven gekomen. En James, die arme James, moest daarom wel onuitstaan-
baar worden – de enige manier om te wedijveren met de charme van een dode. Zijzelf, zo concludeerde ze uit het feit dat
haar aanwezigheid niets had gedaan om het verdriet van haar
ouders te verlichten, had helemaal nooit meegeteld. Sterker
nog, ze besefte wel dat haar moeder vaak gewenst had dat ze
niet Hugh, maar haar enige dochter verloren had.

Patrick, met een glas goedkope wijn van Roy (een speciale
aanbieding van de Majestic) in de hand, had tegen zijn
gewoonte in toegezegd dat hij zou praten met de jonge beeldhouwer, die met argusogen waakte over zijn trots en glorie, een
massief rotsblok waarin hij ingewikkelde, tere varenbladeren
had uitgehouwen.

'Niks waard,' merkte Painter op.

De jonge beeldhouwer keerde zich met een ruk om, en even
dacht Frances dat hij de oudere man een dreun wou verkopen.
'Hij bedoelt de wijn,' legde ze uit.

Painter begon te bulderen. 'Je moet vooral niet lezen wat die
klootzakken over je zeggen, hoor!' Met een klap liet hij zijn

vuist op de schouder van de jongere man neerkomen – die stond te wankelen op zijn benen van de klap en van het onverwachte compliment.

Frances zette Patrick in een taxi en zei, 'Dat was aardig van je – hij kreeg de kleur van je sokken!', waarop Painter zelf knalroze werd.

'Hoe gaat het met de weduwe?'

Frances had Painter bij haar laatste bezoek verteld dat ze op het platteland gelogeerd had bij de weduwe van 'een oude vriend'. Nu legde ze uit dat ze dit weekend weer was uitgenodigd, maar dat ze niet weg had gekund vanwege de expositie.

'Maar ik ben toch ook een 'oude vriend'? Kom maar bij mij. Fred en Ginger vinden het vast leuk om je te ontmoeten...' riep hij door het open raam van de wegrijdende taxi.

☾

Thuisgekomen liet Frances een bad vollopen onder de waakzame blikken van Peter. Hij bleef, als een bezorgde verpleegster, wachten tot ze alle gleuven van haar naakte lichaam goed drooggebet en –gewreven had en glipte toen weer door het gat in de werkelijkheid de winderige duisternis in.

Hoofdstuk 20

Het is makkelijker om een uitnodiging af te slaan als je iemand te logeren hebt. Bridget had Frances onder andere teruggevraagd op Farings omdat ze haar bedenkingen had over de belofte van Mr. Godwits om met haar vogels te gaan kijken. Dus toen deze zijn belofte niet na leek te komen voelde ze zich eerst opgelucht – en vervolgens, gek genoeg, lichtelijk gepikeerd. Het was prima om een uitnodiging af te slaan, maar te moeten constateren dat die gewoon niet werd ingewilligd was weer wat anders!

Bridget liep de tuin in om een stuk grond waarop ze bonen wilde verbouwen om te spitten, een klus die haar niet meeviel in de zware kleigrond.

'"En ik plant daar negen rijen bonen",' declameerde ze bij zichzelf, ' "... en leef er alleen met het bijengezoem".' Wat moest de jonge Yeats met negen rijen bonen? Met negen rijen bonen hield je een leger op de been.

Bridget had de kennis van de natuur van de dichters nooit meer helemaal vertrouwd sinds ze ontdekt had dat een hedendaagse dichter een bremstruik verwarde met een braamstruik. Ze had hem geschreven om hem te wijzen op zijn fout, maar daar had ze natuurlijk nooit antwoord op gehad. Het was geen fout waar je Shakespeare ooit op zou betrappen, al maakte die af en toe weer flinke missers met zijn aardrijkskunde. Misschien was het gewoon een kwestie van wat je belangrijk vond – zij, en Shakespeare, vonden het verschil tussen een brem- en een braamstruik belangrijk – en een ander wellicht de niet bestaande kust van Bohemië.

Bridget was net de haard aan het aanmaken toen er iemand tegen het raam tikte. Ze keek naar buiten en zag dat het de schoorsteenveger was.

'Ik had eerder willen komen – u hebt in de tuin gewerkt.'

Bridget vertelde dat ze bonen wilde gaan planten.

'Ook tuinbonen? Daar doe ik een moord voor – jonge tuin-bonen met aardappels en mayonaise – een koningsmaal!'

Ze had net een pot thee gezet.

'Ik ruik dat u appelhout stookt.' De man snoof als een ken-ner. 'Hoe gaat het met de roeken?'

'De roeken-verrukkende hemel,' zei Bridget automatisch. Terwijl ze sprak schoof er een wolk voor het gezicht van de zon, en de kamer werd duister. Ze huiverde: er liep iemand over haar graf. Ze hoopte maar dat wat op Peter had geleken niet naakt buiten rondzwierf.

'Ach ja, Yeats – het *Onrecht der Hemelen*. Mooi gedicht is dat toch. Maar ik hou niet van *Innisfree* met die "avond vol vleugels van kneuen". De vleugels van de kneu zijn bruin – z'n kopje is roze, als hij dan zo nodig de zonsondergang moest beschrijven. Maar ja, je kunt niet alles hebben.'

'Da's ook toevallig,' zei Bridget, 'daar liep ik net aan te den-ken. Ik dacht bij mezelf dat negen rijen bonen wel wat erg veel was voor een man alleen.'

'Tenzij hij staken bedoelde,' zei Mr. Godwit. 'Negen bonen-staken in een wigwam. Yeats is een groot dichter – ik denk dat we hem maar het voordeel van de twijfel moeten geven.'

'Dan had-ie dat moeten zeggen!'

Een dichter behoort nauwgezet met woorden om te sprin-gen.

Ze hielden allebei hun mond.

'Misschien was het wel helemaal geen zinspeling op de kleur roze,' verbrak Bridget de stilte. 'Misschien bedoelde hij echt wel de vleugels – dat eigenaardige snorrende geluid dat vogels vlak voor zonsondergang maken en dat hij overal om zich heen hoorde, misschien wilde hij helemaal geen roze kopjes die op zonsondergangen leken...'

Verlegenheid vermengde zich in de lucht met de rook van het appelhout. Mr. Godwit dronk zijn thee en ze staarden alle-bei in het vuur alsof dat een mysterieus geheim bevatte.

'Nou, ik moest maar eens gaan.'

'Bedankt voor uw komst,' zei Bridget beleefd.

'Tot ziens dan maar weer,' zei de schoorsteenveger. Hij liep de deur uit en het pad af.

Bridget dacht: ik wilde niet eens mee. Ik zou niet geweten hebben waar ik over praten moest.

'Ik bedacht me net,' stak Mr. Godwit zijn hoofd om de deur. 'Als u zin hebt om morgen met me mee naar de kust te gaan...? Er schijnen alpenkraaien gesignaleerd te zijn.'

De geur van de beginnende lente hing scherp in de lucht en de zon op het veld spreidde een tere zegen uit over de bleke rijen tarwe, toen ze 's ochtends om 8 uur het geluid van een diesel hoorde aankomen.

'Hopelijk vindt u het niet erg om voor dag en dauw op pad te gaan?' vroeg Mr. Godwit terwijl hij ontkoppelde met het oog op de diepe moddergeulen. 'Maar rond deze tijd van het jaar wordt het in het weekend al vroeg druk op de weg.'

Zonder veel te zeggen reden ze door het groenende platteland van Shropshire. Hier en daar wees Mr. Godwit dingen van lokaal belang aan: het oude plattelandsziekenhuis dat nu verbouwd was tot smaakvolle appartementen; het huis waar een plaatselijke bigamist had gewoond, volgens kwade tongen met een derde vrouw onder de vloer; een U-bocht in de rivier – goed voor de kikkerdril. Bridgets gedachten dwaalden weer af naar Peter – of naar datgene wat op Peter geleken had in haar slaapkamer. Ze mijmerende over de plek waarin ze haar man had zien verdwijnen en hoopte dat het er warm zou zijn en zo zacht als de donzen veren van de borst van een reuzengans in nachtelijke tooi. Peter – waar hij ook zijn mocht – had zeker warmte nodig. Had zij hem warmte gegeven? Waarschijnlijk niet genoeg; maar misschien was het nooit helemaal genoeg wat je een ander gaf...?

Het zou Bridget vast verrast hebben te horen dat Peter zelf vond dat hij wat dat betreft niets te klagen had. Als het hem gevraagd was – en dat had misschien best gekund, want wie kent de vorm van die onmetelijke oneindigheid waarover Bridget had zitten mijmeren – zou hij geantwoord hebben dat zijn leven met Bridget beter was geweest dan hij ooit verwacht had – beter dan hij verdiende, want diep in zijn hart was hij een bescheiden mens.

Zoals we weten uit zijn vroege verklaring aan Frances hield Peter van zijn vrouw en bewonderde hij haar standvastige karakter, dat hij beschouwde als een deugd. Het feit dat zijn eigen karakter beïnvloedbaarder en dus grilliger was, aanvaardde hij als een slechte eigenschap. Haar weinig inschikkelijke aard gaf hem het gevoel dat er zekerheden waren in deze wereld, al had hij die voor zichzelf dan nog niet gevonden.

Het vooruitzicht van zekerheid was voor Peter een soort graal. Zijn eerste vrouw – met wie hij trouwde omdat ze zijn ijdelheid streelde – had elke zekerheid de bodem in geslagen toen ze alles wat ze vóór hun huwelijk gezegd had afdeed als 'dingen die mensen nu eenmaal zeggen – maar natuurlijk meende ik ze niet!' Het mag vreemd klinken, maar het idee dat mensen dingen zeiden die ze niet meenden ging Peters verstand te boven, zelfs al nam hij het zelf ook niet altijd zo nauw met de waarheid. Maar de kloof tussen wat we zelf zijn en wat we van anderen verwachten wordt zelden gemeten, en een zekere simpelheid kon je Peter niet ontzeggen. En dat was nu juist een karaktertrek die Bridget later zo ontwapenend in hem vond.

Bridget en Peter ontmoetten elkaar in een café in Notting Hill, toen Bridget nog haar eigen kraampje had in Portobello Road. Ze zat aan een tafeltje te lezen toen Peter het café binnenliep omdat hij, zoals wel vaker gebeurde, een plotselinge aanval van misselijkheid had. Het viel Peter meteen op dat Bridget een zekere rust uitstraalde, een kalmte die een belangrijk onderdeel zou worden van haar aantrekkingskracht op hem. Hij ging vlak bij haar tafeltje zitten en probeerde te zien wat ze aan het lezen was.

Later hadden ze daar vreselijk om moeten lachen, en Bridget had gezegd dat ze dat een typisch vrouwentrucje vond. Toen hij er niet in slaagde te achterhalen wat dat knappe blondje toch zo in beslag nam dat ze hem niet eens opmerkte, deed Peter net of hij naar de bar liep om nog een kop koffie te halen, struikelde, klampte zich vast aan Bridgets tafeltje en trok daarmee eindelijk haar aandacht.

'Het spijt me ontzettend,' had hij gezegd terwijl hij met veel gevoel voor drama de duizeligheid die hij werkelijk voelde nog wat aandikte, 'ik ga meteen nieuwe thee voor u halen,' want in de deining was haar kop omgevallen.

De thee had de bladeren van de *Inferno* doorweekt en bij het zien van de naam van het spannende boek was Peter even stil; hij wist niet of hij wel opgewassen was tegen een vrouw die Dante las.

'Maar Dante is helemaal niet "intellectueel",' had Bridget later gezegd toen ze er samen om hadden gelachen. 'Er staan heel zinnige dingen in. Bijvoorbeeld, hoe de hel eruit zou zien – als er een hel was. Maar ja, ik ben katholiek opgevoed dus ik schrik niet meer van begrippen als hel en vagevuur.'

Op dat moment was Peter nog niet katholiek. Toen hij het later wel werd, repte hij er met geen woord over tegen zijn vrouw, zoals we weten. Zijn behoedzame kant vreesde dat Bridget er geintjes over zou maken – en behoedzaamheid is vaak een goede raadgever. Waarschijnlijk zou Bridget hem niet openlijk hebben uitgelachen over het feit hij zich bekeerd had tot de godsdienst waaraan zij zich met zoveel moeite ontworsteld had, maar Peter stond er niet voor in dat hij zonder wrok haar grapjes kon incasseren – en hij wist instinctief dat wrok een vijand van het huwelijk is.

Bridget slaakte bijna een kreet toen ze vanuit de bus van de schoorsteenveger plotseling de lange, lage lijn van glanzend, huiverend grijs te zien kreeg. Ze hield van de zee; een van haar voorvaderen was piraat geweest en in gedachten vleide ze zich graag met de hoop dat er piratenbloed door haar aderen stroomde. Als kind had ze gehoopt dat hij misschien wel was opgehangen. Hoe kwam het toch dat ze al misselijk werd bij de gedachte dat er iemand werd opgehangen, terwijl het haar bij een voorvader zo'n verrukkelijk idee leek?

Ze stapte uit de auto en wreef haar rug, die stijf geworden was van de rit.

'Daar gaan we naar beneden,' wees Stanley Godwit. 'Let op, het is behoorlijk steil.'

'Verdomme!' zei Bridget. 'Ik ben mijn laarzen vergeten.'

Maar daar wist hij wel raad op. 'Welke maat hebt u? Negenendertig, schat ik? Dan kunt u Corries laarzen wel aan. Die liggen altijd in de bus – zo te zien zal dat wel gaan.'

Cordelia – de dochter van Koning Lear – 'Alpenkraaien zijn toch die vogels met die rode snavels?' – er kwamen ook alpenkraaien voor in *King Lear.*

'Ja, familie van de roeken. Een paar honderd jaar geleden waren ze hier nog net zo gewoon als zeemeeuwen.'

Als de blinde Gloucester zich van het leven wil beroven en aan de rand staat van de klif die er – zelfs binnen de grenzen van het toneelstuk – niet echt is, beschrijft zijn zoon Edgar, om hem te sterken in zijn waan, de duizelingwekkende diepten waarvoor zijn vader denkt te staan: *De kraaien en kauwen, halfweg in de lucht/ zijn net zo klein als kevers...* Maar zou Shakespeare, die alleen in Londen en Warwickshire gewoond had, de zee ooit hebben gezien? vroeg Bridget zich af, terwijl ze met gebogen enkels de steile helling afdaalde. Haar grootvader, die bij hoog en bij laag volgehouden had dat de toneelschrijver Ierland had bezocht, zou gezegd hebben van wel. En als je hoorde hoe Shakespeare over de zee schreef, dan kon je je ook nauwelijks voorstellen dat hij die nooit gezien zou hebben. Was het mogelijk dat Shakespeares 'zee', net als de klif waarboven de vermeende kraaien halfweg in de lucht rond klapwieken, domweg ontsproten was aan zijn fantasie? Tenslotte was alles wat hij geschreven had ontsproten aan zijn fantasie: Hamlet, Lear, Gertrude, Cordelia – evenmin als van de alpenkraaien kon je van hen zeggen dat ze niet bestonden, want ze waren echter dan de meeste mensen. Wat voor soort bestaan leidde een personage in een toneelstuk? 'Bestonden' Shakespeares figuren in een andere wereld, in je hoofd, zoals een herinnering – of een overledene, zoals Peter nu leek te doen...? Maar waar, of wat, was Peters wereld nu? Was wat zij gezien had echt, of bestond dat alleen in haar hoofd...?

Maar ach, ze had vaak gedacht dat ze zelf tenslotte ook niet meer was dan een dramatische constructie, opgebouwd uit vluchtige gevoelens, lege introspecties, ijdele verwonderingen –

blikken in de 'spiegel van de mode', dacht ze, en ze pakte de eeltige hand die de schoorsteenveger haar toestak bij hun afdaling naar de ongelijke, stenige kust.

Hoofdstuk 21

Frances had nu Zahins zusje wel ontmoet, maar hem zelf had ze al niet meer gezien sinds de dag dat ze met de Chinese schaal aan kwam zetten, de dag dat hij haar en Peter liefjes genoemd had. Die eigenaardige benaming – het woord dat Peter zelf voor hen gebruikt had – bleef haar een raadsel. Ze had er niks over tegen Bridget gezegd want ze besefte – en begreep – maar al te goed dat die, ondanks de wonderlijke vriendschap die er tussen hen ontstaan was, nog altijd vijandig tegenover haar verhouding met Peter stond.

Op een ochtend in bed, toen Frances zich lag af te vragen hoe de jongen het in vredesnaam geweten kon hebben van haar en Peter, werd ze plotseling overvallen door herinneringen.

Met name dacht ze terug aan de zomer dat ze elkaar bij Mickey ontmoet hadden; die zomer was ze regelmatig naar het openluchtzwembad gegaan om te zwemmen. Het doel van deze escapades was het lichaam waar Peter kennelijk zo dol op was in vorm te houden, maar het zwemmen was uitgegroeid tot een magisch ritueel waarmee ze, hoezeer ze zichzelf ook voor gek verklaarde, hem aan zich wilde binden.

'Als ik nog zeven baantjes trek,' bezwoer ze bij zichzelf, 'dan belt hij me vanavond.' Na die zeven kwamen er nog eens zeven – enzovoorts. En wanneer ze dan, uitgeput en met vochtige, naar chloor ruikende haren bij thuiskomst zijn stem op haar antwoordapparaat hoorde, dan proefde ze triomf.

Ze zeggen weleens dat een mens kan krijgen wat hij hebben wil, als hij zich er maar met hart en ziel voor inzet. Het valt moeilijk te zeggen of dat zo is of niet– maar er zijn beslist mensen die zich zo vol overtuiging op iets storten dat ze het lot kunnen sturen. Het is best mogelijk dat Peters belangstelling voor Frances getaand was als ze zich niet op het zwemmen – of wat daarachter zat – gestort had om het lot gunstig te stemmen.

Maar het is in ieder geval wel duidelijk dat hij geroerd werd door het feit dat zij hem zo nodig had – zoals dat altijd het geval is bij een in de steek gelaten man.

De overtuiging dat we het waard zijn om bemind te worden is een zegening die slechts voor een enkeling is weggelegd, en waarbij alle andere zegeningen in het niet vallen. Voor Peter was het niet te bevatten dat hij het voorwerp van iemands verlangen kon zijn. En toch was dat bij Veronica ook zo geweest...

Peter was toen nog zo onervaren dat hij niet in de gaten had dat het ongecompliceerde samengaan van lichaam en gevoel dat hij in Maleisië had ervaren een van die gaven is die je, door hun eenvoud, de illusie geven dat ze doodnormaal zijn. Hij had het gewoon allemaal over zich laten komen, net zoals hij het meisje met de gouden huid in zijn armen had gevangen en haar, tussen de gilletjes van verrukking door, had gedreigd haar te 'vermorzelen'. Dit mengsel van amoureus sadisme en erotisch masochisme was – in die dagen te ver onder het oppervlak van het bewustzijn – zo subtiel dat Peter het niet kon herkennen als wat het was: een complete verenigbaarheid van temperament en verlangen, een voorbeeld van een natuurlijk vennootschap – met andere woorden, iets wat je maar eenmaal in je leven meemaakt.

Zoals al eerder verteld had Peter, toen hij zijn militaire dienstplicht vervuld had, met de gedachte gespeeld om terug te keren naar Maleisië en met Veronica te trouwen. Wat u niet hoorde was dat hij de ene brief na de andere kreeg – allemaal in het kinderlijke schuine handschrift aangeleerd door de Zusters van Barmhartigheid – en dat hij die brieven steeds vluchtiger las, tot hij ze ten slotte ongelezen wegstopte in een hoekje van het eikenhouten bureau. (Dat Bridget deze niet bij de relieken vond kwam doordat Peter al lang daarvoor, tijdens zijn eerste huwelijk, de bundel bruine enveloppen met de adressen in het ronde handschrift op een speciaal daartoe gestookt vuurtje had gegooid, en daarna naar een nachtclub in Soho was gegaan waar de 'dienstertjes' o, zo gewillig waren.)

Het zou te simpel zijn om het schijnbaar harteloze gedrag van Peter te wijten aan het gebrek aan verantwoordelijkheidsgevoel waarvan vrouwen mannen tegenwoordig te hooi en te gras beschuldigen. Veronica, in Maleisië, was eerst bezorgd, daarna gekwetst en ten slotte boos toen ze, na steeds bondiger wordende brieven, uiteindelijk helemaal niets meer hoorde van de man die onder het uiten van de meest onvoorzichtige, vurige liefdesverklaringen in haar schoot 'gestorven' was. Maar voorzichtige mensen willen vaak niet aan hun momenten van onvoorzichtigheid herinnerd worden; het was deels de herinnering aan die onbeheerste golf van emoties die Peter ertoe bracht de enveloppen, geschreven door de tengere hand die hem zo vaak – en zo onverwacht – zulk verrukkelijk genot had bezorgd, te verbannen naar een vergeten plekje in zijn bewustzijn en zijn bureau.

Maar evengoed als een herinnering sneller kan verdwijnen dan we verwachten, is ook het tegenovergestelde waar: mensen vervagen niet zo makkelijk in ons als we soms wel zouden willen. Er waren momenten dat Peters hart, nog voordat hij zelf in de gaten had waarom, als een bezetene te keer ging wanneer zijn oog in de verte – aan het einde van de straat, of ergens achterin de metro – een slank meisje ontwaarde met een gouden huid, waarin hij zijn eerste, versmade liefde meende te herkennen.

Het is moeilijk vast te stellen wanneer er in ons innerlijke leven belangrijke ontwikkelingen op gang komen: vaak fladderen ze terloops op ons neer, als sneeuwvlokken die de vaart en de woestheid waarmee ze tot een sneeuwstorm zullen uitgroeien niet aankondigen. Zo kon Peter zelf niet precies zeggen wanneer het begonnen was dat er tijdens het vrijen altijd een moment kwam waarop zijn bedgenote veranderde in Veronica. Aanvankelijk walgde hij van zichzelf. We weten dat hij op zijn manier trouw was, en het idee dat hij het lichaam van de vrouw met wie hij op dat moment vrijde een ander gezicht gaf, tastte zijn zelfbeeld aan. Maar niemand heeft ooit een succesvolle remedie gevonden tegen de anarchistische krachten die het hart in zich bergt – en uiteindelijk moest Peter aanvaarden dat ze tijdens het vrijen, wanneer en met wie en hoe hartstochtelijk dan ook, altijd met z'n drieën zouden zijn: hijzelf, de vrouw – en Veronica.

Volgens sommige mensen is dat wat er bedoeld wordt met de wet van je karma: je laat een moment van belofte onbenut en wordt voor eeuwig achtervolgd door de niet-verwezenlijkte geest ervan. Als dat zo is, dan lijkt dat wel heel oneerlijk tegenover degenen die niets kunnen doen aan de gevolgen van een dergelijk verzuim, maar die er wel onder lijden. Maar ook daar zal wel weer een bepaald patroon in te herkennen zijn, dus misschien is het maar goed dat het systeem dat het leven drijft niet de tijd heeft gehad om de Verklaring van de Rechten van de Mens te lezen. Tegen de tijd dat Peter Bridget en Frances ontmoette, twee vrouwen aan wie hij zijn onbeteugelde liefde wenste te schenken, kon hij er niet meer omheen dat hij bij het bedrijven van de liefde ongewenst en onontkoombaar opging in het vluchtige lichaam van een jong meisje uit Maleisië dat nu, zo niet dood – en die kans was groot – dan toch in elk geval van middelbare leeftijd was.

Frances was wel op de hoogte van het geloof van haar minnaar, maar over zijn liefde voor Veronica had hij haar nooit iets verteld. En die wetenschap zou ze ook niet hebben kunnen verdragen. Nog maanden na de dood van haar minnaar lag ze in bed en loste het mysterie van de helderziende blik van de jonge Iranees op met de troostrijke gedachte dat de hartstocht die zij en Peter voor elkaar gevoeld hadden zo allesomvattend was geweest dat deze zich zelfs na de dood nog meedeelde aan anderen.

Hoofdstuk 22

Bij het boodschappen doen in het dorp kwam Bridget Stanley Godwit tegen, in gezelschap van een man met een rossige snor en een nors kijkende jonge vrouw.

Stanley stelde hen aan elkaar voor. 'Mijn dochter Corrie, en dit is mijn schoonzoon Roland. Mrs. Hansome.'

'Bridget,' zei Bridget, starend naar de snor. De drager ervan was kort en dik. Roland met de rolletjes. Was hij echt psychoanalyticus? Misschien was dat ook maar een geintje geweest van de schoorsteenveger.

'Twee weken geleden zijn Mrs... eh... Bridget en ik samen op stap geweest om vogels te kijken.'

'En, nog wat bijzonders gezien?'

Bridget gleed met haar vingers over de gladde, harde kiezels in haar zak die ze had meegenomen van het strand. De ogen van de dochter van de schoorsteenveger leken wel wat op kiezels.

'Je vader heeft me wat waadvogels laten zien. Steenlopers en goudplevieren.' Ze herinnerde zich de namen, maar ze zei er niet bij dat ze ook nog een regenwulp hadden gezien – een slanke, solitaire vogel met een grijze verentooi, kleiner dan een gewone wulp, met lange, elegante poten en een aristocratisch gebogen snavel. Daar in de hoofdstraat deed de vogel Bridget plotseling aan Frances denken.

'Ik had gehoord dat er alpenkraaien waren maar – '

' – helaas, die hebben we niet gezien,' viel Bridget hem in de rede. Ze was teleurgesteld dat ze de legendarische roekachtige vogel met de rode snavel en de rode poten niet hadden gezien. Ze vermeldde ook niet dat ze Cordelia's laarzen aan had gehad. Stanley Godwit wist zich geen houding te geven, en om hem op zijn gemak te stellen nodigde Bridget hen uit om eens een drankje te komen drinken. 'Met uw vrouw natuurlijk, Mr. Godwit.'

'Mijn vrouw zit in een rolstoel, helaas. Ze komt niet vaak de deur meer uit.'

Verdomme, waarom had hij haar dat onderweg niet verteld? Tot haar schrik merkte Bridget dat ze bloosde.

De dochter fronste haar wenkbrauwen. 'We moeten naar huis, vader,' zei ze en greep hem bij zijn arm. Het gesprek over vadercomplexen schoot Bridget te binnen.

'Ben jij echt psychoanalyticus?' vroeg Bridget.

Roland met de rolletjes bloosde nu eveneens, alsof hij haar gezelschap wilde houden. Maar zijn teint was van het type dat hoogstens roze wordt.

'Ik ben verbonden aan het psychiatrisch ziekenhuis van Paddington in Londen.'

'Lieve hemel,' zei Bridget, en haar oog viel op de fietsklemmen aan zijn broek, 'dat klinkt behoorlijk angstaanjagend!' De klemmen maakten hem nogal aandoenlijk.

'Kijk maar uit, of hij sluit je op!' zei Stanley Godwit, luidkeels lachend.

Bridget bespeurde de geforceerde vrolijkheid in zijn lach en nam afscheid van de Godwits. Ze was meer naar het dorp gegaan om er eens een kijkje te nemen dan om echt boodschappen te doen, want haar inkopen deed ze net zo lief in Fulham. Maar het was toch wel handig om te weten dat er, behalve een theezaak waar ze de befaamde 'madeliefjesthee' verkochten, een drogist, een wat flets ogende groentewinkel en een, zo te zien, goede slager waren. In de etalage lagen varkenspootjes en pens. Daar was ze niet dol op, maar ze vond het wel leuk om te zien dat ze nog verkrijgbaar waren. Ze gluurde naar binnen en zag een hele varkenskop, wasachtig geel met brede, rode, gespreide neusgaten. Een varkensslager? Ze besloot wat worstjes te kopen om haar goede wil te tonen.

Maar dat bleek een teleurstellende ervaring. De vrouw achter de toonbank glimlachte – om haar slechte humeur te verbergen – en de diplomatiek bedoelde boodschap verliep verre van gesmeerd. Alle worstjes in Shropshire bleken al voor haar neus weggegrist te zijn.

'Voor het weekend moet u van tevoren bestellen. We zijn helaas helemaal uitverkocht.' Bridget hoorde aan de stem van de vrouw dat het haar genoegen deed dat ze deze nieuwe klant niet van dienst kon zijn.

'Wat fijn voor u dat uw zaak zo goed loopt,' zei Bridget en vroeg om een lendebiefstuk. 'En dat lamsvlees, komt dat uit deze streek?' informeerde ze, maar de vrouw zoog op haar tanden alsof ze een diepzinnig, theologisch vraagstuk moest oplossen.

'Geen idee. Uit Wales, denk ik.'

Zo worden nieuwe bewoners hier dus welkom geheten, dacht Bridget. De norse Cordelia en de slagersjuffrouw waren nu niet bepaald een aanbeveling voor de gemeenschap.

Ze reed naar huis. Onderweg passeerde ze de psychoanalyticus, die met een knalroze kop van het trappen op een modern ogende fiets langs de weg scheurde. Bridget, die niet van plan was zich door haar onverklaarbare gêne op de kop te laten zitten, draaide het raampje naar beneden en riep, 'Ik meende het, hoor – kom gerust eens bij me langs als jullie daar zin in hebben...' en hij gebaarde en wuifde heel vriendelijk terug. Waarschijnlijk bang van zijn vrouw, dacht Bridget.

Die gedachte ontketende andere, en toen ze terugkwam op Farings werd ze overvallen door een van die plotselinge buien van lusteloosheid waar ze sinds Peters dood last van had – dan werd alles haar te veel, leek alles zinloos – het maakte niemand wat uit of ze leefde of dood was, ze had geen kind, geen god, niks om een doel te geven aan haar bestaan; zelfs het boek dat ze las leek de moeite van het lezen niet waard – weer zo'n modern boek dat met veel bombarie en tromgeroffel op de markt was gebracht en als je het dan las stelde het geen klap voor.

Bridget las al vanaf haar vierde. Op die leeftijd had ze namelijk ontdekt dat ze, als ze zich heel erg concentreerde, kon begrijpen wat er stond in *Housewife*, een tijdschrift dat haar moeder elke maand kreeg toegestuurd van een nicht die vanwege haar huwelijk in het noorden was gaan wonen. In hetzelfde tijdschrift had Bridget een paar jaar later – toen ze al alles las wat los en vast zat – ook *The Greengage Summer* gelezen, een verhaal dat haar het een en ander geleerd had over verboden hartstochten.

Het was het soort verhaal dat de broer van haar moeder, oom Pater Eamonn, haar verboden zou hebben als hij geweten had wat erin stond. Maar Bridget leerde zelfbehoud van haar moeder, die het verhaal over de clandestiene verhouding tussen de oudere man en het jonge meisje – waar moeder en dochter samen van smulden – tegenover Pater Eamonn beschreef als 'een prachtig verhaal over een fruitteler'.

Van *Housewife* was Bridget overgestapt naar *The Famous Five, White Boots, Treasure Island, Jane Eyre* (met wie ze zich verbonden voelde) en ten slotte Shakespeare, en dat was een blijver. En aan hem kon geen enkele liefde tippen, zoals een vriendje later eens ontstemd opmerkte.

Bridget maakte kennis met Shakespeare via Zuster Maria Eustasia, van wie zij in het eerste jaar van de middelbare school les had. Zuster Maria Eustasia had een intelligent gezicht en een stem die ze nooit hoefde te verheffen. 'En denk eraan, geen flauwekul,' zei ze altijd. 'Meisjes die lastig zijn krijgen extra huiswerk en moeten na schooltijd nablijven, hou daar maar rekening mee.'

Maar wie echt gezag heeft, hoeft niet te straffen; het gebeurde maar zelden dat er meisjes na moesten blijven. Als Bridget daar een uitzondering op was, dan kwam dat omdat ze liever bij de strenge Zuster Maria Eustasia bleef dan dat ze zich overleverde aan de grillige rechtvaardigheid thuis. Als haar vader thuis was wanneer ze uit school kwam, dan liep ze grote kans dat ze haar avondeten buiten op de plaats moest opeten, bij Cindy de hond.

In het algemeen hield Bridget wel van dieren, maar Cindy, haar vaders troeteldier, een slecht opgevoede, humeurige teef, had de gewoonten van haar baasje overgenomen en blafte en gromde tegen Bridget, alsof hij een wit voetje wilde halen bij de vader als zijn dochter weer eens uit de gratie was. Niet alleen Bridgets vingers en tenen, maar ook haar knieën kregen in de wintermaanden blaren van de kou, en dat ontging de opmerkzame Zuster Maria Eustasia niet. Toen Bridget weer eens de aandacht getrokken had door voor de derde keer in drie weken te praten als het stil moest zijn, riep Zuster Maria Eustasia haar bij zich aan haar bureau en zei met een voor haar doen ongebruikelijke mildheid, 'Kom na schooltijd maar bij me, en zorg dat je dan je boek voor Engels bij je hebt.'

Maar toen het zover was, hoefde Zuster Maria Eustasia haar boek voor Engels helemaal niet te zien. Ze haalde uit de zak van haar habijt een boekje gebonden in donkerrood leer met gouden opdruk.

De werken van William Shakespeare, las Bridget.

'Heb je zelf veel van hem gelezen?' vroeg Zuster Maria Eustasia, en pas jaren later besefte Bridget dat deze strenge, stipte vrouw haar gebruikelijke toon had laten varen en haar haast als een collega had aangesproken. Toen Bridget zei van niet, vervolgde haar lerares, 'Nou, betere dan hij zijn er niet. Ze zeggen dat je met zijn komedies moet beginnen, maar zelf ben ik die pas later gaan waarderen. Het leven is niet grappig als je jong bent, vind je wel? Begin maar met *Hamlet*, dat lijkt me het beste; ik weet zeker dat dat je zal aanspreken.'

En Bridget had, enigszins verbijsterd, ontdekt dat zij het rode boekje met de gouden schuin gedrukte letters en de mooie band in bruikleen kreeg.

Vanaf dat moment bleef Bridget elke dag na op school terwijl Zuster Maria Eustasia schriften nakeek, rapporten schreef of haar bureau opruimde. Later, als ze door de schemerige straten reden, maakte de praatzucht waaraan Zuster Maria Eustasia zich na schooltijd soms bezondigde plaats voor ogenblikken van vredige stilte. Noch Bridgets ouders, noch de meisjes op school leverden kritiek op deze ongebruikelijke regeling en zo leerde Bridget dat je best anders mocht zijn dan andere mensen, als je maar deed alsof dat de gewoonste zaak van de wereld was.

Bridget keek, liggend op de bank op Farings, door het raam naar een roodborstje dat zich een weg baande door de gevlekte aronskelken die aan de voet van de heg groeiden en herinnerde zich die eerste avond bij de kachel in de hoek van het klaslokaal, waar zij las terwijl Zuster Maria Eustasia af en toe commentaar leverde.

'Ze zeggen natuurlijk wel dat Shakespeare katholiek was, maar als dat zo is dan was het wel een verdomd rare geest die daar zomaar uit het vagevuur kwam, zoals hij ons zelf vertelt, om Hamlet ertoe over te halen een moord te plegen! Maar aan de andere kant, als het een protestantse geest is zou het vagevuur niet eens ter sprake komen, want daar geloven de protestanten niet in. Dus raar is het wel, vind je ook niet?'

Bridget had natuurlijk weleens van het vagevuur gehoord – je kon onmogelijk opgroeien in oom Pater Eamonns parochie zonder dat je werd ingelicht over de 'vuren die reinigen en louteren'. 'De kleinste pijn in het vagevuur is groter dan de grootste pijn op aarde,' verkondigde hij met verve tegen zijn geboeide congregatie.

Voor Bridget betekende dit dat de plek waar zij mogelijk verlost zou worden van haar vergeeflijke zonde veel zou lijken op een buitengemeen afschuwelijk avondeten met haar vader. Misschien wel zoiets als het ontbijt, de lunch en het avondeten bij elkaar – zo ongeveer als haar vrije dagen van school maar dan zonder tijd tussendoor om te lezen. Haar moeder – die, zoals Bridget pas veel later zag, de godsdienst benutte zoals een vakbondslid zijn statutair ziekteverlof: als een middel om op legale wijze afwezig te kunnen zijn van de vaste verplichtingen – had Bridget op een van die vrije dagen meegenomen naar het vagevuur van St.-Patrick, gelegen op Station Island in Donegal. Op deze plek zou Christus aan St.-Patrick een ingang onthuld hebben naar het vagevuur en tevens – waarschijnlijk vanaf die plek – een glansrijke weg naar het paradijs.

Het uitstapje was niet zo geslaagd. De Ierse zomer, waar je toch al geen staat op kon maken, was nog onguurder dan anders, en ze hadden in de stromende regen voor de heilige plaats in de rij moeten staan. Een priester die ook in het gedrang stond om de gewijde plek te zien had de gelegenheid aangegrepen om tegen Bridgets dij aan te rijen en uit wraak had ze hem in zijn hand gebeten. Oom Pater Eamonn had haar een harde tik gegeven op diezelfde dij – waarop Bridget luidkeels verkondigd had dat ze dat honderdmaal liever had dan 'dat die ouwe priester zijn oude je-weet-wel ertegenaan schurkte' – en toen had ze een nog hardere tik gehad, ditmaal op haar wang.

Na die middag werd het vagevuur voor Bridget een soort smeltkroes van dat bezoek: een gruwelijke mengeling van ijskoude natheid, liederlijke priesters, weggegooide sigarettenpakjes, wikkels van snoep en lege zakjes chips – afgedankt door de vrome pelgrims – en het misselijkmakende gegons in haar oren van de rechtschapen klappen die oom Pater Eamonn uitdeelde.

Daarom vond zij het een intrigerend idee dat het vagevuur iets kon zijn dat thuishoorde in een beroemd toneelstuk. Op de avond dat ze voor het eerst was achtergebleven in de klas met Zuster Maria Eustasia had Bridget het verhaal gelezen van Prins Hamlet en zijn vader, de oude koning, die vermoord was, vergiftigd via zijn oor door zijn eerzuchtige broer terwijl hij lag te slapen in de appelboomgaard. ('Een toespeling op de Hof van Eden, denk je niet, Bridget?' had Zuster Maria Eustasia, op haar collegiale toon, opgemerkt.)

Eén regel in het bijzonder had Bridget erg aangesproken. De vermoorde man was *Weggerukt in de bloeitijd van mijn zonden/ teleurgesteld en zonder sacramenten.*

Bridget vond 'zonder sacramenten' wel mooi klinken. Zuster Maria Eustasia legde haar uit dat dat betekende dat Hamlets vader gestorven was zonder het 'sacrament' of de eucharistie toegediend te hebben gekregen. 'Wat wij het Heilig Sacrament noemen, Bridget. "Teleurgesteld" is ook een mooi, rijk woord. Kijk maar. Het betekent dat de oude koning gestorven is zonder de juiste "afspraken" gemaakt te hebben met de dood – de kans om te biechten en absolutie te krijgen.'

Bridget concludeerde hieruit dat zij er zelf kennelijk ook niet in geslaagd was de juiste afspraken te maken. Zij had al vroeg teleurstellingen gekend en een van de consequenties van een opvoeding in teleurstelling is dat je leert je eigen verlangens niet zo serieus te nemen. Of je leert er gehoor aan te geven – als je dat al durft – in het geniep.

Dus toen het reizende theater in de stad kwam met een uitvoering van *Hamlet,* dacht Bridget er niet eens aan toestemming te vragen om erheen te gaan; ze verzon ter plekke een list om het toneelstuk te kunnen zien dat haar geestelijke leven zo ingrijpend veranderd had.

Hoofdstuk 23

Zoals altijd was het Zuster Maria Eustasia die Bridget hielp bij het uitvoeren van haar Hamlet-plan, zelfs al was ze op dat moment op haar jaarlijkse vakantie in Galway. Maar alleen al het noemen van haar naam werkte als een krachtig amulet tegen haar vader en oom Pater Eamonn, dus toen Bridget zei, 'Zuster wil dat ik overblijf om haar te helpen met een toneelstuk van de derde klas,' was het meteen goed – al mompelde Joseph Dwyer wel iets in de trant van, 'Waarom moet ze die arme meidenkoppies daarmee volstampen? Daar leren ze hun mans overhemden toch niet mee verstellen!'

De waarheid is vaak de veiligste manier om iemand te bedriegen. Bridget vertelde erbij dat het een stuk was van Shakespeare, een naam die de familie Dwyer wel kende omdat de grote toneelschrijver volgens de overlevering ooit op uitnodiging van Sir Walter Raleigh met een rondreizend toneelgezelschap in Youghal geweest zou zijn, het stadje waar Dwyer geboren was. De Ieren, die nooit te beroerd zijn om zich wat genialiteit te laten aanleunen, staken hun hand ervoor in het vuur dat Shylock gebaseerd was op de toenmalige joodse burgemeester van Youghal. Als het maar een beetje mogelijk was geweest hadden ze Shakespeare vast ook tot landgenoot gepromoveerd.

'Het heet *De Koopman van Venetië*, pa,' legde Bridget uit, 'dat verhaal dat grootpa me altijd vertelde, weet je nog wel?' – en zo verwierf ze haar kleine beetje vrijheid.

'Weet je, Bridget,' had Zuster Maria Eustasia gezegd, die eerste novemberavond bij de kachel toen het centrum van de zwaartekracht in Bridgets wereld verschoven was, 'Hamlet was een lieve prins, met een edele inborst, en die ouwe ellendeling van een geest beroofde hem van zijn onschuld met zijn gemeier over wat-ie allemaal had meegemaakt en hoe je haren overeind zouden gaan staan als de stekels van een "kribbig stekelvarken" als hij je dat allemaal zou vertellen – nou vraag ik je! Hoe kunnen de mensen in vredesnaam denken dat Shakespeare zich achter zulke walgelijke, egoïstische flauwekul zou scharen? Maar ja, zo zijn ze, "de mensen". Ze zeggen dat de jonge prins had moeten handelen in plaats van zo te talmen – maar "de mensen" denken niet na! Het was wel een doodzonde die de geest van hem verlangde – en dat lag helemaal niet in zijn aard.'

Toen Bridget het stuk voor de eerste keer zag herinnerde ze zich deze woorden van haar lerares en vroeg zich af: In wiens aard wel?

Ze keerde huiswaarts met een hoofd vol wraak en alle daarmee gepaard gaande gevaren.

'Waar kom jij vandaan, klein loeder dat je bent?' vroeg haar vader en gaf haar een mep.

Om zichzelf moed te geven had Bridget, voor ze naar het toneelstuk ging, zich met onervaren hand opgemaakt. Nu streek ze vaag met haar hand over haar mond en wreef het bloed dat uit haar onderlip stroomde door de 'verboden vruchten'.

'Ik zal je die hoerentroep van je klotesmoel poetsen!'

Spaarzaam zijn met liegen is soms net zo belangrijk als spaarzaam zijn met de waarheid.

'Maeve Whelan speelt de rol van Portia,' had Bridget vlak voor haar vertrek langs haar neus weg gezegd, met het boek van Shakespeare al diep weggestopt in de zak van haar jas en een sjaal losjes om haar gezicht geslagen zodat de stiekem aangebrachte make-up niet zou opvallen. Een nodeloos verzinsel; maar Bridget was maar een meisje van zestien, en ze had nog geen tijd gehad om te leren dat eenvoud in alles wat je verzint (en leugens zijn slechts een van de vele vormen van verzinsels) meestal het beste is. Ze was te ver gegaan – zoals later bleek toen Mrs. Whelan langskwam en terloops opmerkte dat haar Maeve met Joan MacCormack naar Joans kinderjuf in Sligo was. Op zichzelf zou dat nieuwtje haar niet in de problemen hebben gebracht – Moira Dwyer was niet iemand die graag bonje maakte – als Joseph Dwyer niet plotseling bedacht had dat zijn vrouw moest weten dat hij de volgende ochtend vroeg wilde gaan vissen en dat zijn eten dus op tijd klaar moest staan. Hij liep de keuken binnen om haar dat te vertellen, net op het moment dat de moeder van Maeve Bridgets alibi aan flarden schoot.

'Maar ze speelt toch mee in een stuk van Shakespeare, jullie Maeve?' Joseph was er trots op dat hij de zogeheten Engelse 'bard' kende.

Mrs. Whelan was beslist geen kwaad mens; het laatste wat ze wilde was de jonge Bridget, die af en toe op haar jongste paste, in de problemen brengen. Maar ze was niet snel genoeg van begrip om een crisis te voorkomen.

'Wat doet Maeve, Joseph?'

'Weet je wel zeker dat je daar beter af bent, Bridget?

De ogen van Zuster Maria Eustasia stonden moe. Bridget, die haar voor ze vertrok het boek van Shakespeare terugbracht, vroeg zich voor de zoveelste keer af wat de non er in haar eigen leven toe gebracht had het klooster in te gaan.

'Ma zegt dat ze bang is dat ik hem zal vermoorden.'

'En dat zou je ook best eens kunnen doen, hè?'

'Als hij me nog eens zo slaat, dan doe ik het.'

Inmiddels was Bridget haar lerares boven het hoofd gegroeid. Ze keek naar het beheerste gezicht dat haar door zoveel familieproblemen heen had geloodst en zei met een kwinkslag over het onderwerp dat hen tot elkaar had gebracht – want ze voelde dat er iets tussen hen veranderd was en dat zij nu voor de juiste sfeer moest zorgen – 'Ja, ik ben beter af in Engeland. Hamlet zei toch al dat ze daar allemaal gek zijn?'

'Vergeet niet waar je vandaan komt,' had Zuster Maria Eustasia gezegd, 'het land van St.-Patrick, die zo gek was dat hij alles kon doorstaan.'

Bridget had inmiddels al heel wat nagedacht over St.-Patricks vagevuur en de geest in *Hamlet* die gedoemd was een bepaalde tijd in vuren te vasten. 'Maar St.-Patrick had geen kinderen om zich op af te reageren, Zuster!'

'Denk erom dat je me schrijft,' had Zuster Maria Eustasia haar opgedragen toen Bridget vertrok, en zo'n maand later, toen Bridget haar het adres had gestuurd van het pension waar ze verbleef, was er een pakje gekomen waarin het in rood leer gebonden boek van Shakespeare zat. Voorin stond geschreven, in haar keurige handschrift:

'... *bereidheid is alles*' *Hamlet V.ii*
en daaronder:

Joyce Maria Eustasia, met de allerbeste wensen.

In haar zitkamer, die uitzag op de westelijke hemel, dacht Bridget terug aan de non die ze na dat eerste verlof nog maar eenmaal gezien had.

Ze was teruggekeerd naar Limerick in het jaar nadat ze met Peter getrouwd was, en was op zoek gegaan naar haar vroegere lerares. Zuster Maria Eustasia, zo kreeg ze te horen, had zich teruggetrokken en maakte nu deel uit van een gesloten orde, wat meer westwaards, in Clare. Bridget was erheen gereden om te zien of ze het klooster kon vinden, en na wat telefonische onderhandelingen stond Moeder Overste deze oud-leerlinge van de zuster een onderhoud toe.

Rijdend over de dampende, door fuchsia omzoomde wegen had Bridget zich de ogen van de non voorgesteld, sprankelend en alert. Maar de ogen in het gezicht dat haar ontving waren stevig gesloten, en Bridget vernam van de ziekenzuster dat haar vroegere lerares stervende was aan kanker. Het zag er niet naar uit dat de ziekte haar nog lang hier zou laten.

Tijdens de rit had Bridget vastgesteld dat het waarschijnlijk de laatste keer zou zijn dat ze Zuster Maria Eustasia ontmoette, en dat ze moest proberen haar dankbaarheid onder woorden te brengen voor alles wat ze aan haar te danken had. In gedachten zag Bridget zichzelf stuntelen om de juiste woorden te vinden. 'Ik heb u nooit mijn erkentelijkheid betuigd...' en haar verbeelding verschafte haar ook de woorden waarmee ze onderbroken zou worden.

'"Erkend worden, mevrouw, is overbetaald worden"' – Kent!' zou Zuster Maria Eustasia, die het meest gesteld was op de minder belangrijke personages, zeggen. 'Je had een subtiele geest,

113

Bridget. Zoiets vind je niet vaak op een plattelandsschooltje, en je hebt er geen idee van wat jij voor mij betekend hebt – dus je hoeft me echt niet te bedanken, als je dat van plan was!'

Maar ze had haar dankwoorden niet meer uitgesproken, want Zuster Maria Eustasia lag met een straaltje speeksel in haar mondhoek in bed en kon niet meer praten. Bridget had het speeksel weggeveegd met haar zakdoek, en de grijze ogen waren heel even opengegaan. Maar ze lichtten slechts een seconde op in het stervende gezicht; als Zuster Maria Eustasia al enig idee had gehad wie Bridget was – laat *King Lear* er maar even buiten – zou dat een wonder zijn geweest. Dus haar erkentelijkheid had ze nooit betuigd.

Toch bleef de noodzaak daartoe bestaan, dacht Bridget, terwijl de roeken terugkeerden naar hun inktvleknesten in de iepen, want juist door die ragfijne draden van het toeval worden wij gered...

Hoofdstuk 24

Voor Peter bestond er geen verband tussen zijn terloopse bezoekje aan het Oratorium van Brompton en zijn ontmoeting met een mede-officier met wie hij vroeger in Maleisië had gezeten.

'Hé, Pom Hansome!' De woorden klaterden in zijn oor midden in Brompton Road, en toen hij stilstond en omkeek naar de man die hem geroepen had, zag hij Atkins.

'Pom' – ontleend aan het versje 'Peter, Peter, pompoeneneter' – was Peters bijnaam geweest in het leger. Hij en Atkins hadden een poosje staan praten. Ze hadden elkaar verteld dat ze een vrouw hadden en kinderen, allebei twee, en gezegd dat ze gauw eens een afspraak moesten maken om bij te praten. Dat geen van beiden dit dreigement ten uitvoer bracht was niet zo gek: ze hadden al die jaren geleden in dat verre land maar weinig gemeen gehad – en er was geen reden om aan te nemen dat de tijd en het eigen land hen dichter bij elkaar gebracht zou hebben.

Maar Peter – van Atkins gedachten of geschiedenis weten we niets – was door de ontmoeting wel dusdanig van streek dat hij, toen hij even later langs het Oratorium liep, de pas inhield en, bijna in tranen, de kerk betrad. Kerken bieden een bepaalde gastvrijheid: ondanks de hoge koepels had de kalme blauw-met-gouden ruimte waar Peter tot rust kwam voordat hij zich naar zijn lunch begaf een troostrijke beslotenheid.

Pas weken later, toen hij voor de een of andere bijeenkomst in dat deel van de stad moest zijn, liep hij de kerk weer binnen, en nog weer vele weken later durfde hij eindelijk de priester te benaderen. Dat was toen hij al lang met Bridget getrouwd was en een verhouding met Frances had.

Peter was Frances eeuwig dankbaar dat zij het nieuws dat hij katholiek was aanhoorde met de nonchalance die hij zo aantrekkelijk in haar vond. Je kon niet zeggen dat Bridget een bemoeial was, maar het was net alsof je wist dat zij, als ze dat wilde, haar machtige arm kon uitstrekken om je leven overhoop te gooien. Dat ze dat niet wilde, maakte de vage angst die ze inboezemde alleen maar groter.

Frances boezemde niemand angst in. Peter had nooit gevraagd wat zij geloofde, maar als hij de moeite genomen had zich dat af te vragen zou hij waarschijnlijk gedacht hebben dat ze een agnoste was, maar niet fanatiek.

Frances had zich na de dood van Hugh wel beziggehouden met godsdienst; dat ze niet doorgegaan was met kerken bezoeken en kaarsjes branden – ze was zelfs een paar keer zover gegaan dat ze op de koude stenen vloer was geknield – hoorde bij de weifelachtige kant van haar karakter die Peter zo aantrekkelijk vond. Frances had iets in zich dat in mannen ofwel de sadist ofwel de ridder-op-het-witte-paard wakker riep, en soms ook allebei, want deze hoedanigheden vormen in wezen de twee kanten van één munt. Ze had niet Bridgets onoverwinnelijke kracht, maar juist daarom luisterde ze beter.

Frances vroeg zich weleens af of het feit dat ze sinds Hughs dood nooit meer zo'n afschuwelijke migraineaanval had gehad wellicht betekende dat ze minder van Peter had gehouden dan van haar broer. Misschien was dat wel zo; gradaties van liefde zijn onmogelijk te meten, al proberen we dat telkens weer met Hou je van me? Hoeveel dan wel? Meer dan van hem, of van haar? is het soort onderbewuste vragen waarmee de meeste relaties belast worden. Frances was anders, in die zin dat zij zulke vragen niet aan anderen stelde maar aan zichzelf. Dus: Hield ik meer van mijn broer dan van mijn minnaar? werd een vraag die ze zichzelf best durfde te stellen.

Een gevolg van het feit dat ze zich die vraag stelde was dat ze er lang over nadacht hoe ze Peters dood moest karakteriseren – niet voor zichzelf maar voor hem. Ze had geen vastomlijnde ideeën over een leven na de dood; maar zelfs als ze er zeker van was geweest dat ons bestaan het enige is, zou ze nog de afwijkende mening gerespecteerd hebben van degene die nu bestaanloos was. En zo kon het gebeuren dat Frances naar Parijs reisde en langs de Seine liep, waar de warrelende herfstmisten een grafsfeer opriepen.

Hoofdstuk 25

Zoals iedereen die ooit in Parijs geweest is wel weet, staan op de linkeroever van de trage, groene rivier die deze stad zo majestueus doorsnijdt stalletjes, waar de Parijzenaars tot op de dag van vandaag boeken kopen – want in Parijs wordt lezen nog beschouwd als een vereiste voor de beschaafde geest. Tussen deze oude pockets vind je ook boeken over kunst, boeken over architectuur, boeken over fotografie, en de uiterst smaakvolle erotica die in de ogen van de Fransen hun reputatie van cultuurminnaars hoog houden.

Bij een van die stalletjes genoten Peter en Frances, gehuld in dat opwindende, onzichtbare web dat deel uitmaakt van de erotiek – eerst heimelijk, maar zodra ze merkten dat de ander niet gechoqueerd was openlijker – van de diverse standjes die de menselijke geest heeft uitgevonden om de genoegens van het seksuele samenzijn te verhogen. In een dik boek met vergeelde bladzijden stond een tekening van een jonge vrouw met borsten die volgens Peter precies op die van Frances leken. Nader onderzoek wees uit aan dat de 'jonge vrouw' een hermafrodiet was, uitgerust met een imposant ogend geslachtslid. 'Op die manier haal je er wel alles uit wat eruit te halen valt, zou ik zo zeggen,' had Peter opgemerkt; en Frances had, geheel tegen haar aard in – want in tegenstelling tot Bridget liet ze haar nieuwsgierigheid nooit blijken – gezegd: 'Zou je dan gewild hebben dat ik ook een penis had?'

Daarna waren ze de Seine overgestoken naar het Louvre, waar zij hem de Leonardo liet zien van de Heilige Anna, de moeder van de Maagd, met haar dochter op schoot en haar jonge kleinzoon die op de knie van zijn moeder – in een klein lapje vrijheid – met een lammetje zat te spelen.

De voeten van de Heilige Anna, met hun lange tenen, stonden stevig op de kiezelgrond, en de voet van haar dochter was verstrengeld met de hoef van het lam. Maar het mollige voetje van de jongen... Frances wilde haar hand uitsteken om er een kneepje in te geven. 'Kijk eens naar de uitdrukking van zijn grootmoeder,' zei ze, een andere gedachte onderdrukkend. 'Je vraagt je af of zij weet wat er te gebeuren staat.'

Op de dag dat de stoffelijke resten van Peter in een krachtige moderne verbrandingsoven werden geschoven om gereduceerd te worden tot een kom vol as, keerde Frances terug naar de oude galerie om naar de schilderijen te kijken van de heilige familie, geschilderd door de beroemde meester van de raadselachtigheid. De Heilige Anna, keek, met haar hand op haar linkerheup en de geheimzinnige blauwe bergen achter zich, net als tevoren neer op haar dochter. Het gezicht met de zware oogleden en de vreemde, kalme glimlach waaruit een mengeling sprak van mededogen en pijn was niet veranderd, maar voor Frances had het wel een andere betekenis gekregen. Zoals ze er nu naar keek zag ze dat de moeder van de Maagd wel degelijk weet wat haar dochter zich nog niet veroorloven kan te weten, omdat haar hele moederlijke wezen gericht is op het kind dat, trekkend aan de oren van het tegenstribbelende lam, met een gewone, kinderlijke, uitdagende blik naar zijn moeder opkijkt. Ja, de Heilige Anna van Leonardo weet wat haar familie te wachten staat: die kleine, verachtelijke, wrede tragedie, opgelegd om een groter, vrolijker doel te bereiken – de ultieme redding van het menselijk ras. Ze moest zich wel hebben afgevraagd, die Heilige Anna, dacht Frances terwijl ze snel de zaal uitliep om het beeld op haar netvlies niet te laten verdunnen door de aanblik van andere schilderijen, of het dat waard was. Hoe kun je het verlies van diegene die je het liefste is afzetten tegen een doel, hoe universeel dan ook? Het was te theoretisch – een vrouw zou dat geweten hebben. Leonardo was wel zo verstandig geweest om te zorgen dat het in deze drieëenheid de vrouwen waren die telden.

Buiten liep Frances door de zwierige, gegeneerd uitbundig bloeiende hofjes terug naar de rivier en nam de brug waarover zij en Peter nu bijna vijf jaar geleden hand in hand geslenterd hadden. Parijs was nauwelijks veranderd – het was er alleen wat groezeliger geworden; net als overal waren er meer auto's, meer zelfvoldane symbolen van multinationale belangen, maar de Fransen wisten beter dan welk ander volk dan ook hun eigen identiteit hoog te houden.

Bij de brug die leidt naar het Ile de la Cité, de oudste wijk van Parijs, stond Frances stil en keek om zich heen alsof ze iets zocht waarvan ze niet wist of het er was. Maar daar stond het, helemaal in een hoekje van de brug: het bloemenstalletje. Ook dat was niet veranderd: de Parijzenaars kochten nog steeds beleefd bloemen voordat ze hun God een bezoekje brachten.

De Notre-Dame, met haar twee hoge identieke torens, staat middenin haar eigen hof, en daar bleef ook Frances een poosje staan kijken naar de honingkleurige ingang met het fijne houtsnijwerk, voordat ze een van de deuren binnenging. In de kerk zwierf ze doelloos rond in de schaars verlichte ruimte – het was jaren geleden dat ze in een kathedraal was geweest – maar het licht dat door het enorme roosvenster viel, maakte dat ze stilstond en omhoogkeek. Het saffier- met amethistkleurige raam waarover Peter het had gehad. Ze ging ertegenover zitten, en steunde haar hoofd op de stoel voor zich.

Peter was weg; daar viel niets meer aan te veranderen – niets meer aan te doen. Ze bad niet, want ze had geen gebeden – er was niets wat ze vragen kon, er viel niets te geven. Hij was weg en zij was hier en het enige wat ze moest waarderen was dat ze het, in tegenstelling tot de Heilige Anna, niet van tevoren geweten had. Dat, en de saffieren ring die Peter haar had nagelaten. Frances hief haar voorhoofd op van de harde houten rugleuning van de stoel en keek voor de zoveelste keer naar de ring; ze hield haar hand zo dat het volle middaglicht dat door het raam achter speelde op de ring viel en een miniatuur-echootje veroorzaakte van dat hoge, andere speciale blauw in het vierkante hart. De anonieme mannen die het glas in lood gemaakt hadden ter ere van hun God waren inmiddels ook al lang dood en begraven. Maar het glas bleef. Was de dood dan wel zo erg? Ze wist het niet. Het enige wat ze wist was dat dit de plek was waar Peter naartoe was gegaan na hun liefdesspel, en dat ze nergens meer zo dicht bij hem kon komen als hier.

Het bosje anemonen lag naast haar op de stoel, als een nederige, betaalde gezelschapsdame, te beleefd om te storen, maar popelend om haar eigen plicht te gaan vervullen. Mensen scharrelden rond in de kathedraal, ze kwamen en gingen in de schemerige ruimte – toeristen, plaatselijke gelovigen die een kaarsje wilden branden of een rozenkrans wilden bidden, groepen pelgrims – niemand leek zich druk te maken om een ander: er hing nog steeds een prachtige anonimiteit.

Frances stond op en stapte vastberaden op het hoge altaar af. Ze dook onder het koord door en legde de anemonen aan de voeten van het standbeeld van de moeder van God, draaide zich om en liep snel door het middenpad de kerk uit.

Later vroeg ze zich af of ze de ring in de Seine had moeten gooien; maar na wat wikken en wegen was ze toch maar blij dat ze dat niet gedaan had.

☾

Deze daad van Frances lokte Peter tevoorschijn uit zijn plek van winderige duisternis. Hij reisde met Frances met de Eurostar terug naar Waterloo en betreurde het – terugdenkend aan het vorige reisje – ten zeerste dat hij ditmaal geen whisky en cognac en droge gember meer kon kopen.

Hoofdstuk 26

Het paasweekend brak aan, en Bridget bleef in Londen om op zaterdag in de winkel te staan. Tilly, het meisje dat haar normaal gesproken verving, had een oogontsteking, vermoedelijk ontstaan doordat ze haar wenkbrauwen had laten piercen. Het was trouwens toch wel verstandig dat ze zelf in de winkel stond, dacht Bridget, want het seizoen van de Opstanding was een toptijd voor tuinmeubelen.

Het liep storm in de winkel; twee vrouwen die allebei hun zinnen hadden gezet op een rieten tafeltje uit de jaren dertig kregen ruzie, en aan het eind van de dag was Bridget bekaf. Ze was van plan geweest om meteen de stad uit te gaan, maar daar zag ze nu als een berg tegenop. Ze kon beter maar naar huis gaan en de volgende ochtend vroeg vertrekken.

De vraag of Zahin huur zou gaan betalen voor zijn kamer was nooit aan de orde gekomen. Hij leek zelf besloten te hebben dat zijn bijdrage aan het huishouden in Fulham maar moest bestaan uit hand- en spandiensten, en die regeling – als je zoiets eenzijdigs tenminste een 'regeling' kon noemen – beviel Bridget wel. Hoewel Bridget zichzelf beslist geen goede huisvrouw zou noemen – verre van dat! – vond ze het toch wel prettig om bij thuiskomst de geur van boenwas te ruiken en stapels keurig opgevouwen strijkwerk – zelfs de lakens waren gestreken! – aan te treffen. Ze kon het nu dus stellen zonder de wasserij, die lakens aan stukken leek te rijten als een seriemoordenaar. Het was weer eens wat anders om in een huis te wonen waar je bijna niks hoefde uit te voeren – een beetje alsof je in een hotel woonde.

'Zahin, hoe komt het toch dat je zo huishoudelijk bent?' vroeg ze hem eens.

'Door veel naar vrouwen te kijken, Mrs. Hansome. Nee, echt! Mijn tantes en mijn moeder. Ik keek graag toe wanneer ze aan het poetsen en het koken waren. En soms ook als ze zich wasten...' Een geniepige glimlach.

Bridget was daar niet op ingegaan; ze had alleen gezegd, 'Je zou kok moeten worden.'

Zijn kookkunst was opmerkelijk: subtiel en geraffineerd.

'Mijn familie wil helaas dat ik scheikundig ingenieur word.'

'Vind je zelf niet dat er een goede kok aan je verloren gaat?'

Bridget had een hartgrondige hekel aan zieltjeswinnerij, dus ze wilde haar gast niet haar ideeën over het familieleven opdringen. Ze had al lang vastgesteld dat wat mensen voor een ander wilden meestal gebaseerd was op wat ze voor zichzelf wilden, maar die bespiegeling ging net zo goed op voor een zienswijze. Ze wilde niet de indruk wekken dat ze 'de familie', die zo'n belangrijke rol speelde bij Zahins plannen en motieven, wilde ondermijnen. En misschien – wie zou het zeggen? – had hij alles in zich om een uitstekend scheikundig ingenieur te worden.

Maar daar had ze wel haar twijfels over. Zahin leek een plichtsgetrouw student: hij ging regelmatig naar school en trok zich na het eten terug op zijn kamer om ijverig, voor zover zij dat beoordelen kon, aan de studie te gaan tot het nieuws van tien uur. Dan kwam hij meestal, met een blad met thee en KitKats, in de zitkamer zitten. Afgezien van het huishouden leek hij er totaal geen interesses of hobby's op na te houden.

De avond was koud geworden en Bridget, die in een onverwarmde winkel had gewerkt, huiverde. Ze had Peter eens tegen de haren in gestreken door te beweren dat het bewijs van Gods bestaan viel af te leiden uit het eeuwige rotweer op de christelijke feestdagen. Ze hield er wel van om zo af en toe een onderwerp op de hak te nemen waar Peter bekrompen in was; dat was een van haar manieren geweest om zich staande te houden. Ze had echter niet de moeite genomen zich af te vragen waarom hij juist op deze schampere opmerking zo gepikeerd gereageerd had. Maar het idee dat ze er plezier in gehad had om haar man de wapens uit handen te slaan stemde haar nu verdrietig. Nou ja, zo was het nu eenmaal; ze had zich nooit makkelijker voorgedaan dan ze was.

Het kille huis en het nog killere gebrek aan gezelschap bracht een koersverandering in haar teweeg. Haar tas stond al gepakt en wel in de achterbak van de auto. Ze zou gewoon doen wat ze eigenlijk van plan was geweest, nu vertrekken, onderweg ergens stoppen om wat te eten, vis en frietjes of misschien zelfs een smerige snelwegmaaltijd; dan had ze de hele paaszondag om bij te komen op Farings.

Ze liep naar de auto, die geparkeerd stond om de hoek, en bleef halverwege staan. Was er nog melk op Farings? Ze kon beter maar even teruggaan en alles wat hier nog in de ijskast stond meenemen.

Toen ze de hoek omsloeg zag ze iemand op de stoep staan, en haar hart sprong op. Zahin was thuis! Misschien ging ze dan toch maar morgen.

Maar het was Zahin niet. Een veel oudere man – iemand van haar eigen leeftijd – stond voor de deur.

'Kan ik u helpen?'

'Ik weet niet of ik het goede adres heb,' Een goedgeklede, hoffelijke man – mogelijk een van Peters zakenrelaties die zo af en toe nog langskwamen om haar te condoleren of om zelf getroost te worden.

'Ik ben Bridget Hansome. Bent u op zoek naar mijn man?'

De man leek te aarzelen. 'Ik denk dat ik een stomme vergissing gemaakt heb. Welk adres is dit?'

Het nummer stond duidelijk voor ze op de deur, dus gaf Bridget hem de naam van de straat.

'Ah, natuurlijk, dat is het! Ik moet niet 'straat' maar 'park' hebben. Mijn vrouw zegt dat ik geen richtinggevoel heb – zij leest altijd de kaart, niet ik. Ik hoop maar dat ik u niet aan het schrikken heb gemaakt?'

'Nee hoor,' zei Bridget. 'U ziet er nu niet direct uit als een schurk of een verkrachter!'

De man lachte wat onbehaaglijk. 'Ik hoop van niet, nee!' Hij leek erg aardig, en even speelde Bridget met het woeste idee hem iets te drinken aan te bieden. Alsof de vreemde dat voelde, zei hij vlug, 'Nou, dan ga ik maar… Nogmaals, het spijt me dat ik u lastiggevallen heb.'

124

Door deze onbedoelde ontmoeting raakte Bridget nog meer uit haar humeur. Ze was verkild tot op het bot van de lange dag in de winkel; wat zij nodig had was een gloeiend heet bad en een kop thee – daar zou ze van opkikkeren. Bovendien kon ze toch beter pas wat later gaan rijden, als er niet zoveel verkeer meer was.

Bridget deed haar jas en haar laarzen uit, liet de ketel vollopen en ontdeed zich van haar trui en haar rok. Ze liep op haar kousen de trap op om het bad aan te zetten. Maar toen ze de deur van de badkamer open wilde doen, bleek deze op slot.

Ze rammelde aan de kruk en duwde met haar schouder tegen de deur. Hel en verdoemenis, wat was dit?

Vanuit de badkamer klonk een stem.

'Mrs. Hansome?'

'Zahin?'

Een klingelende lach.

'Ik dacht dat u naar uw weekendhuis was, Mrs. Hansome.'

Daar stond Bridget, in bh en onderbroek voor de deur van haar eigen badkamer, en voelde zich een dwaas. Ze was er zo zeker van geweest dat het huis leeg was; de ontdekking dat Zahin er al die tijd was geweest, bracht haar van haar stuk. Maar ze was ook dankbaar.

'Ik wilde eerst nog even een bad nemen voor ik ging,' riep ze door de deur heen. De onmiskenbare geur van veldbloemen dreef samen met de klingelende stem op haar af. 'Duizendmaal sorry, Mrs. Hansome. Ik ben klaar hier – ik zal meteen een bad voor u laten vollopen.'

Het was over negenen toen Bridget eindelijk naar Shropshire vertrok. Een deur verder zat Mickey, die al lang klaar was met eten, wat uit het raam te kijken. Ze had Bridgets ontmoeting met de man op de stoep gadegeslagen, en vroeger op de avond had ze een jong, donkerharig meisje in een leren jasje hetzelfde tuinpad op zien slenteren. 'Nou ja, Bridget zal zelf wel het beste weten waar ze mee bezig is,' merkte ze op. Joan Clancey was op bezoek bij haar zuster in Dulwich en Mickey was het paasweekend alleen; voorlopig had ze alleen maar de ongenaakbare lucht om tegen te praten.

Hoofdstuk 27

Ook Bridget had, toen ze de volgende dag wakker werd op Farings, niemand om tegen te zeggen dat ze toch gelijk had gehad met die feestdagen. De regen kletterde vanuit de goot op de borders en sloeg alle narcissen plat. Over het veld heen hoorde ze de klokken van St.-Anselmus luid de parochianen van Merrow optrommelen om het Woord te komen delen met dominee Dark.

Mij niet gezien! dacht Bridget.

De toevallige ontmoeting met de man op haar stoep had haar eigen eenzaamheid nog eens extra belicht. Dat, plus Zahins stellige verwachting dat ze er niet was. Hij had heel charmant thee gezet en boterhammen voor haar gesmeerd, een bad laten vollopen en daar de badolie in gegoten die hij kennelijk zelf ook had gebruikt, en was even hoffelijk geweest als altijd; maar dat gevoel van 'als de kat van huis is…' liet haar niet los.

Het zag er niet naar uit dat het zou ophouden met regenen en Bridget, die van plan was geweest om in de tuin te gaan werken, besloot een eind te gaan rijden. Misschien klaarde het elders wel wat op.

Bij het tuinhek liep ze Stanley Godwit tegen het lijf. 'Hé, hallo. Lekker weertje voor eenden!'

'Ik ga maar een eind rijden,' zei Bridget.

'O, nou, rij dan maar voorzichtig, het zicht is slecht. Ik heb net de hele familie uitgezwaaid, ze zijn met de bus naar Gloria's zuster.'

Soms biedt het leven ons de kans om te oefenen. Bridget had er spijt van gehad dat ze de vreemde man niet had binnengevraagd, maar ditmaal bracht ze het er beter vanaf. 'Ik ben nog nooit in Ludlow geweest – heb je zin om mee te gaan?'

'Wou je naar het kasteel?'

'Ik heb er nog niet over nagedacht – maar als er een kasteel is...'

Het kasteel van Ludlow was gebouwd op een hoek van de belangrijke heerlijkheid Stanton, die in 1066 in het bezit was van de familie Lacy. Beschermd door de rivieren de Teme en de Corve en de steile noord- en westhellingen, had Stanton strategisch gezien een uiterst gunstige ligging. Het kasteel was opgebouwd uit brokken Silurische kalksteen afkomstig van het eigen terrein, en maakte deel uit van een reeks Normandische kastelen langs de Marches, gebouwd door Willem de Veroveraar om de lokale bevolking te vriend en de onverslagen bewoners van Wales op een afstand te houden.

Bridget, die Ierse was en veroveraars wantrouwde, was tegen haar zin onder de indruk. 'Het ziet er niet zo onverzoenlijk uit als de meeste kastelen.'

Ze waren erheen gelopen over een weg waarlangs de eerste gekreukelde jonge meidoornblaadjes uitkwamen. 'Brood met kaas!' had de schoorsteenveger gezegd terwijl hij een paar jonge blaadjes plukte en in zijn mond stak. Nu zei hij, 'Hou je niet van kastelen?'

Er hadden viooltjes gebloeid aan de voet van de meidoornhaag; Bridget had het leuk gevonden als hij haar ook wat 'brood met kaas' had aangeboden. 'Ik hou niet van waar ze voor staan.'

Of van de herinneringen die ze bewaarden...

De voorstelling van *Hamlet*, net voordat ze uit Limerick vertrok, was ook in een kasteeltuin geweest. Ziek van opwinding had ze op de harde stoel gezeten, met het roodleren boek van Zuster Maria Eustasia stevig onder haar dijen zodat ze het vooral niet zou vergeten. Daar in het verre westen vervaagde het licht aan de rozegevlekte hemel, zodat de eerste regels van het stuk opklonken tegen het spookachtig geluid van de vogels – door de Ieren bij hun soortnaam kraaien genoemd (pas later leerde Bridget dat het roeken waren) – die terugvlogen in het mysterieuze licht naar hun nachtverblijf in de bomen.

Wie is daar?

Wel, geef antwoord. Blijf staan en maak je bekend.

Ze liepen de ophaalbrug over, kuierden om de muren heen

en bekeken het binnenhof. 'Wat een pokkenweer!' zei de schoorsteenveger. 'Zullen we eens kijken of we ergens wat te eten kunnen krijgen?'

Het stadje had een echte tearoom met een knapperend houtvuur, porseleinen honden en koperen pannen. Achterin was een boekenstalletje waar je ook souvenirs kon kopen.

Ze bestelden allebei witte bonen op geroosterd brood, en de schoorsteenveger nam toffie-ijs als toetje. 'Gloria lacht me uit als ik dat doe,' zei hij, wijzend op het ijs. 'Ze noemt me een baby.'

'Je vrouw rijdt wel auto?' vroeg Bridget; het werd tijd om Mrs. Godwits gezondheid maar eens aan te snijden.

'Niet meer sinds haar MS zo verslechterd is. Corrie heeft haar en de kinderen naar haar zuster gebracht.'

'Vindt ze het niet erg dat je er niet bij bent met Pasen?'

'Ach, we zien elkaar zo veel – en trouwens, ik had nog wat te regelen hier,' besloot de schoorsteenveger raadselachtig.

En daar was de kous mee af. Bridget stak een sigaret op en keek om zich heen, op zoek naar een nieuw gespreksonderwerp. In de boekenkraam lag een uniform assortiment lokale gidsen uitgestald – daar viel weinig over te zeggen – plus een handjevol romans van het soort waar Bridget niets van moest hebben, en tot haar verrassing ook een verzameling moderne poëzie. 'Kijk nou toch eens,' zei ze, 'H.V. St.-John.' De dichter H.V. St.-John genoot een late opleving.

De schoorsteenveger trok zijn wenkbrauwen op.

'Ken je haar niet?'

Blij met de kans om het gezinsleven van de Godwits te laten voor wat het was, liep Bridget naar de kraam en pakte een dun boekje op.

'Luister.' Ze sloeg het boekje open.

Kleine kinderen houden van tragedies,
Ze vinden Lears waanzin niet erg,
Ze herkennen onze ziekten
In Hamlets droefheid.

Grote staten liggen binnen bereik,
Kindernachten bereiden ons voor op dergelijke pijnen;
Het zijn de lachwekkende dingen,
De kleine zaken die verminken.

De brief die niet komt,
Die ons op de knieën dwingt,
Bevat een eggende kracht –
Stof voor komedies.

'Da's heel erg waar,' zei Stanley Godwit. 'Ik denk dat ik dat maar eens voor Gloria koop.'

Op maandagochtend had de God van Bridgets jeugd zich wel bewezen; de regen viel nog steeds met bakken uit de hemel. Ze kon met geen mogelijkheid in de tuin werken, en besloot dat ze maar beter vroeg terug kon gaan naar Londen om de files voor te zijn.

Zahin begroette haar hartelijk; als hij het niet leuk vond dat ze zo vroeg terug was, dan liet hij dat niet merken. Hij nam haar mee naar de keuken waar hij pannenkoeken aan het bakken was.

Er lag een keurige stapel tijdschriften op de keukentafel – *Vogue, Harpers, Marie Claire.* Het weekend in Ludlow had Bridget onrustig gemaakt. Als Peter er nog geweest was had ze nu vast ruzie met hem gezocht – hoewel, als Peter er nog geweest was zou ze helemaal niet naar Ludlow zijn gegaan. 'Heb je je zusje onlangs nog gezien, Zahin?'

'Nee, ze moest helaas terug naar huis.'

De jongen klonk kortaf. Bedoelde hij Iran of gewoon de familie bij wie het meisje inwoonde? Zahin had iets over zich wat een onpartijdige waarnemer mogelijk ook bij Bridget gesignaleerd zou hebben – hij bleef beleefd, maar hij hield de boot af.

Bridget bladerde wat door de tijdschriften.

'Kijk eens, Mrs. Hansome, deze zou u goed staan, met uw Engelse huid.' Zahin was naast haar komen staan; hij ging op zijn hurken zitten en wees op een eenvoudige, dure linnen jurk. De jongen had er oog voor – misschien moest hij maar geen kok worden maar modeontwerper.

'En deze ook, Mrs. Hansome – zo zacht, zo mooi voor u.' Hij wees naar een blauwe kasjmier jurk.

De sjaal die Peter voor haar gekocht had was precies diezelfde kleur geweest. 'Lijsterei' had ze die genoemd en ze had Hopkins voor hem geciteerd, ' "Lijstereieren lijken kleine lage hemelen".'

Peter had het wel interessant gevonden, een vriendin die spontaan poëzie declameerde. Het moest hem allemaal niet te intellectueel zijn; maar Bridget was Iers, en voor de Kelten is poëzie nu eenmaal de natuurlijke taal van het hart. Ze declameerde niet om hem te laten voelen dat ze beter was; ze gaf er juist mee te kennen dat ze iets, zoals bijvoorbeeld die sjaal, erg waardeerde.

Misschien was de sjaal – en Bridgets poëtische reactie erop – een bepalende factor in Peters besluit haar ten huwelijk te vragen. Ze waren het weekend naar de Cotswolds gegaan, hetgeen slecht uitgepakt had kunnen hebben, want Bridget was tegen alles wat aan ansichtkaarten deed denken; dus was het maar goed dat het weer slecht was en ze kouvatte, waardoor dat gevaar geweken was.

Bij een fourniturenzaakje in Chipping Camden had Peter de sjaal in de etalage zien liggen; hij had voorgesteld die voor haar te kopen zodat ze hem om haar keel kon wikkelen. Het blauw van de sjaal deed haar blondheid goed uitkomen, en ze waren allebei verrast over het succes van de transactie: Bridget vanwege de aandacht die ze niet gewend was, Peter vanwege haar overduidelijke plezier in zijn cadeautje.

Peter verwachtte geen indruk op mensen te maken. Juist het feit dat hij – hoorbaar en zichtbaar – indruk op Veronica had gemaakt, had hem zo bekoord; dat nu ook de knappe, gereserveerde Bridget, die de indruk maakte dat ze altijd precies wist wat ze wilde, door zo'n simpele geste van zijn kant zo geroerd kon zijn, bleek een krachtig liefdesmiddel...

Bij het zien van de blauwe stola die het model in het tijdschrift droeg, probeerde Bridget zich te herinneren waar ze haar eigen sjaal in vredesnaam gelaten kon hebben. Misschien in de ladenkast in de gang? Of in haar slaapkamer?

'Zahin, ik moet even naar boven.'

In haar slaapkamer doorzocht ze de laden; toen ze niks vond, trok ze ze om de beurt uit de kast en kieperde al de keurige stapeltjes van Zahin op de grond: ceintuurs, gespen, zakdoeken, lavendelzakjes, zelfs een eenzame kousophouder die zijn wederhelft kwijt was – maar geen spoor van het lijsterei-blauw. Ze klepperde de trap weer af.

'Mrs. Hansome, kan ik u helpen? Bent u iets kwijt?'

'Een sjaal.' Ze was te opgewonden om haar ongeduld te verbergen.

'Is hij veel waard?'

'Voor mij wel, ja!' Als ze kortaf klonk, pech gehad! Ze kon zich niet altijd maar inhouden voor de jongen.

In de kast in de gang lag hij ook niet.

'Verdomme!' zei Bridget, half in tranen.

'Mrs. Hansome, Mrs. Hansome, zoekt u deze misschien?'

Bovenaan de trap stond Zahin met de blauwe sjaal om zijn nek.

'Waar heb je die gevonden?'

Overstelpt door het gevoel dat in haar opwelde wilde ze de trap op vliegen om het kostbare reliek van zijn nek te grissen.

'Hij lag in de ladenkast in mijn kamer.'

Natuurlijk. Ze had de dingen die ze maar zelden gebruikte in de onderste la gestopt. Hij kwam de trap af, deed de sjaal af en stak hem haar toe, en ze rook de geur van veldbloemen.

'Zahin, heeft iemand mijn sjaal om gehad?'

'Misschien heeft mijn zusje hem geleend toen ze hier was…'

Bridget was nooit openlijk gewelddadig, maar we weten dat ze haar ouderlijk huis verlaten had uit angst dat ze haar vader zou vermoorden. Sinds die tijd had ze geprobeerd niemand meer te haten, want ze wist dat dat haar fataal zou kunnen worden.

'Wanneer is je zusje hier geweest, Zahin?'

'O Mrs. Hansome…'

'Ik wil het weten.'

'In het weekend misschien.'

'Wanneer "in het weekend"?'

'Misschien op zaterdag…'

Dus hij had zijn zusje verwacht toen ze thuiskwam van de winkel.

'En je hebt jouw zusje mijn spullen laten gebruiken?'

'Misschien alleen wat badolie, en een sjaal misschien…'

De herinnering aan dat kille weekend, in Chipping Camden, raakte iets wat diep weggestopt en niet nader onderzocht in Bridgets hart woonde. Ze had Peter niet zoveel gegeven dat ze zomaar zijn sjaal had mogen vergeten.

'Je kunt oplazeren met die klotezuster van je!'

'Mrs. Hansome…'

'Lazer op, en nu meteen! Zoek maar een andere kut-idioot die je in haar kuthuis wil nemen!'

Bridget, die stond te trillen van opwinding, wist dat ze een schimmige grens overschreden had. Ze vloekte bijna nooit. Ze zei weleens 'verdomme' of 'godverju', maar geslachtsdelen behoorden niet tot haar repertoire.

De jongen keerde zich om en rende als een geslagen hond de trap op; in haar fantasie smeet Bridget hem naar beneden, maar ook zij keerde zich om en liep de keuken in. Even later hoorde ze de voordeur slaan, maar ze bleef nog een poosje zitten voordat ze opstond om te gaan kijken of hij werkelijk vertrokken was. Ze was duizelig, en haar oren suisden. Ze liep de gang in en luisterde. Doodse stilte. Ze ging de trap op naar de logeerkamer, die er verwijtend schoon en leeg bij lag, op één ding na.

De Chinese schaal. Bridget pakte de schaal en sloeg hem hard tegen de hoek van de ladenkast die ze voor een prikje in de uitverkoop in Normandië had gekocht. Maar de blauwe schaal, die steviger was dan hij eruit zag, hield koppig stand.

Hoofdstuk 28

Frances zat panty's uit te zoeken toen de telefoon ging. Omdat ze altijd neutrale kleren droeg – grijs, zwart of donkerblauw in de wintermaanden, taupe en crème in de zomer – hadden haar panty's diezelfde kleuren. De verschillende tinten hoorden eigenlijk in verschillende zakken thuis, maar in de periode na Peters dood had de chaos zijn kans gegrepen en verwarring gesticht.

Die ochtend na het douchen deed Frances haar la open en begon, naakt op het bed, de boel te sorteren.

Spiernaakt in haar huis zitten was, zoals Peter haar zo graag verteld had, een van de dingen waar Frances 'voor geschapen was'. Ze had zelfs eens model gezeten voor een kunstenaar en had enige roem verworven toen haar naakte vorm, nog platter dan in het echt, was herschapen tot een roze perspex beeld getiteld *Frances Zittend* (of was het *Frances Staand*? – dat kon ze nooit onthouden). Het beeld was aangekocht door de Tate en de beeldhouwer, een uiterst kleine, zwaar bebaarde Deen, had, meer om uiting te geven aan zijn dankbaarheid voor hun gezamenlijke succes dan uit oprechte erotische belangstelling, geprobeerd haar te verleiden, maar ze was zo verstandig geweest daar niet op in te gaan. Mogelijk voelde de beeldhouwer zich daar zo opgelucht over – kort daarop verliet hij zijn degelijke Deense vrouw en ging ervandoor met een gladde jonge autocoureur – dat hij de moeite genomen had haar aan Painter voor te stellen.

Painter, die net aan een abstracte periode begonnen was, had geen model nodig, maar hij stelde haar weer voor aan Roy, en zo was ze aan de Gambit Galerie gekomen.

Er waren momenten dat Frances haar vroegere beroep miste – zoals we iets missen waarvoor we talent hebben. Ze was een goed model geweest, met haar vermogen om onbeweeglijk te blijven zitten, en het soort lichaam dat vlakken licht reflecteert. En ze had ook gehouden van de mysterieuze samenwerking tussen haar lichaam en de kunstenaar, en de manier waarop daaruit een derde entiteit, het schilderij, ontstond. Toen Peter haar eenmaal duidelijk had gemaakt dat hij het prettig vond als zij geen kleren droeg in zijn gezelschap, gaf Frances daar graag gehoor aan.

Zittend op het bed bekeek Frances voor het eerst sinds de dood van haar minnaar haar lichaam dat in verscheidene hoeken weerspiegeld werd in de spiegel van de toilettafel. Nu het Peters aandacht moest missen was het haar eens zo bekende figuur veranderd in iets wat ze niet goed meer herkende. Haar borsten leken, uit protest tegen het recente gebrek aan aandacht, voller geworden te zijn; een teken van de naderende menopauze, concludeerde Frances somber.

Toen de telefoon ging, overwoog ze hem te laten rinkelen; ze was nu net lekker op gang en bijna alle grijze en crèmekleurige panty's lagen al in nette bolletjes in de daarvoor bestemde zakken. Maar iets in Frances was altijd verdacht op een tragedie, het was niet veilig om de telefoon niet op te nemen – en zowaar, aan de andere kant van de lijn klonk een tragische stem.

'Miss Slater?' Even kon ze de stem niet thuisbrengen. 'Met mij, met Zahin.'

'Zahin? Waar ben je?'

'In een telefooncel, Miss Slater.'

'Zeg alsjeblieft Frances. Is er iets met Bridget?'

Ze had een vluchtig visioen van Bridget die Peter in de armen vloog.

'Ze is boos op me, Miss Slater. Ze heeft me er uitgegooid.'

Dus Bridget was niet dood – ze had haar gelukkig niet bedrogen met Peter.

'Waar ben je?' vroeg Frances weer.

'Op het station, bij Turnham Green. Het spijt me maar ik kon niemand anders bedenken...'

Met pijn in haar hart leverde Frances de panty's weer over aan hun wanordelijk bestaan en schoot haar kleren aan. Over vijf minuten stond het joch voor de deur. Ze haalde een borstel door haar haren, stiftte haar lippen en zette water op.

'Kom binnen, Zahin. Wil je koffie? O nee, je hebt liever melk, hè?'

Twintig minuten later zei ze, 'Je kunt wel een paar nachtjes hier blijven, maar de logeerkamer is wel klein.'

'Het kleinste kamertje bij u is nog een paradijs, Miss Slater.'

'Frances!' zei Frances geïrriteerd. Zahins uitzonderlijke manier van praten begon haar nu al op haar zenuwen te werken. Het was Bridget die Zahin had binnengehaald, met haar doelbewuste, koppige grilligheid, en nu moest zij, Frances, daarvoor boeten. 'Maar het kan niet lang, hoor,' zei ze, en ze probeerde zakelijk te klinken. 'Ik ben niet zoals Mrs. Hansome – Bridget,' verbeterde ze zichzelf. Als je niet oppaste ging je verdorie nog net zo praten als hij.

Nu glimlachte hij, stralend, alle sporen van de tragedie waren verdwenen. 'Ik zal de braafste logé zijn die u ooit heeft gehad!'

Maar daar gaat het niet om, dacht Frances. Ik wil gewoon helemaal geen logé. Hoewel Frances sociaal vaardiger was dan Bridget, was ze in sommige opzichten wat eigenaardig; het was niet helemaal toevallig dat ze nooit getrouwd was.

Zahin pakte zijn tas uit en Frances ging door met het uitzoeken van haar panty's . Maar met haar kleren aan en haar privacy naar de maan had ze er geen plezier meer in. Ze begon de slaapkamer te stofzuigen, maar tot haar stomme verbazing vloog Zahin de kamer in.

'Miss Slater, laat mij dat doen, ik ben een "bolleboos" met de stofzuiger.'

'Bolleboos' is een woord van Bridget, dacht Frances.

'Zahin, mijn huis stofzuigen doe ik graag zelf. En als je hier blijft logeren, dan wil ik wel een paar dingen met je afspreken. Ik wil niet hebben dat je zomaar mijn slaapkamer binnenkomt.'

Tot haar schrik sprongen er tranen in zijn ogen, die langs de gouden wangen naar beneden begonnen te rollen.

'O Zahin, alsjeblieft, ik wilde niet tegen je uitvallen...'

'Ik weet hoeveel Mr. Hansome van u hield, ik vind het zo naar voor u...'

'Zahin!' Machteloos zat Frances op het bed terwijl de jongen huilde.

'Hij was ook mijn vriend. Hij heeft me verteld hoeveel hij van u hield, Miss Slater.'

'Zahin, zou je alsjeblieft willen proberen me Frances te noemen? Ik weet me geen raad met dat ge-"Miss".'

'O Miss Slater, Frances, ik wilde niet oneerbiedig zijn...'

'Oprechte verontwaardiging is prachtig om een vacuüm op te vullen,' had Zuster Maria Eustasia gezegd. 'Die arme Hamlet weet niet wat hij voelt tot die geest op komt duiken, en ineens heeft hij een reden om boos te zijn!'

Bridget was geschrokken van de kracht van de haat die in haar was opgeweld – als een woeste, opzwellende rivier die buiten haar oevers treedt. Maar rivieren zetten tenminste nog vruchtbare bestanddelen af. Uit schaamte wilde ze aan haar woede vasthouden, om het woordrijke, bevredigende geweld ervan te rechtvaardigen. Maar toen de heftigheid was weggeëbd wist ze dat hier meer achter zat dan een kleine vergrijp van een dwaas, onvoorzichtig meisje.

De uitbarsting zat gecompliceerder in elkaar; het had iets te maken met het uitstapje dat ze met Stanley Godwit had gemaakt naar Ludlow Castle. Ze voelde zich schuldig – maar niet alleen omdat ze zo was uitgevaren tegen Zahin; om de een of andere duistere reden voelde ze zich ook schuldig tegenover Peter.

Langs de haag bij het kasteel hadden viooltjes gestaan – viooltjes, die 'allen verlepten' toen Ophelia's vader stierf. Waren ze heus verlept voor haar vader? Viooltjes stonden voor trouw...

'In 's hemelsnaam, blijf staan en maak je bekend! Of ben je van plan je daar in dat hoekje schuil te blijven houden?' vroeg Bridget.

De waarheid was dat ze zelf behoorlijk bang was. De donkere figuur die zich losgemaakt had uit de schaduw was nu duidelijk Peter; maar even zo duidelijk was ze erbij geweest toen

Peters lichaam gereduceerd werd tot as. Ze keek naar het nacht-lampje waarin de zeepaardjes oprezen en doken, gehoorzaam aan de natuurkundige wet die hun dit voorschreef. Het 'stoffe-lijk overschot' van Peter, of wat het dan ook zijn mocht dat uit die donkere hoek tevoorschijn gekomen was, leek er ook naar te kijken. Waarschijnlijk stond 'wat het dan ook zijn mocht' niet meer onder auspiciën van 'natuurkundige' wetten?

'Het is een nachtlampje,' legde ze uit. 'Ik heb het gekocht toen je stierf, om me gezelschap te houden.' Die vergelijking klonk niet bepaald als een compliment. 'Om me iets te geven om naar te kijken als ik niet slapen kon.'

Nu, met de verschijning in de kamer, zou ze zeker niet kun-nen slapen. Bridget vroeg zich af of ze moest doen of ze hem niet zag en gewoon door moest gaan met het lezen van Hamlet. Ze was net bij het stuk waar de geest als iets schuldigs opschrok van het kraaien van de haan. Misschien ging deze er wel gewoon vandoor als ze hem negeerde. Maar ze wilde niet dat hij wegging: ze wilde dat hij een teken gaf maar de geest – of Peter, want hij leek echt sprekend op Peter – stond daar alleen maar te staan, met zijn ogen eerst op haar gericht en toen op het nachtlampje.

'Goed dan,' zei ze, 'als je mijn man Peter bent dan zijn er dingen die alleen jij kunt weten. Vergeef me als dit klinkt als een examen, maar als je niet kunt praten dan kun je toch vast wel bewegen. Laat me maar eens zien waar je je vaders man-chetknopen bewaarde.'

Zwijgend bewoog de verschijning zich naar de ladenkast en wees naar de spiegel die erop stond. Het was een spiegel met een klein laatje onderin, waar de manchetknopen gelegen had-den sinds de dag dat Peter ze nergens meer kon vinden in zijn eigen la. Dat was zo'n drama geworden dat Bridget zich er ver-volgens maar over ontfermd had.

'Neem me niet kwalijk,' zei ze, 'maar dat kan iedereen zo wel raden. Volgende opdracht. Waar ligt de sleutel van de klok?'

Weer bewoog het spook zich door de kamer. In spookverha-len glijden ze, dacht Bridget. Dit leek meer op een privé-verto-ning van een driedimensionale film in haar slaapkamer.

De gestalte die op Peter leek stond stil en wees op een pot op de andere ladenkast.

'Heel goed,' zei Bridget. Deze exercities hadden in elk geval tot gevolg dat ze haar angst kwijtraakte. 'Nog eentje dan. Hoe houden we het raam open als het heet is?'

Maar op die vraag leek het spook te huiveren, en Bridget kreeg ineens het gevoel dat het van streek was. Ze keek naar het raam. 'Sorry, sorry, ik wilde je er niet in laten lopen.' De oude bezem met de kop zonder haren die ze gebruikten om het raam wijdopen te zetten lag nog onder het bed. Ze had weinig zin om haar bed uit te komen om dat te controleren, maar ze had wel genoeg vragen gesteld.

'Dus je *bent* Peter,' zei ze. 'Of moet ik zeggen *was*?' En ze hoorde aan haar toon dat hij het inderdaad was.

Hoofdstuk 29

Twee weken lang was Zahin bezig geweest met een grondige voorjaarsschoonmaak in Frances' appartement. Hij had de vloerkleden bestrooid met een stinkende poeder en ze toen gestofzuigd, het parket kaal gehaald en opnieuw in de was gezet, de ramen besproeid met een product met azijn dat net op de markt was, de voegen tussen de badkamertegels met een tandenborstel met tandpasta schoongepoetst, en de roestvrijstalen gootsteen geschuurd. Zahin legde uit, 'Je moet zout gebruiken – dat is een natuurlijk...'

'Schuurmiddel?' vulde Frances aan. Gelukkig was het appartement maar klein en zou hij nu wel gauw uitgepoetst zijn. Maar wat dan?

Het was de maandag van een lang weekend in mei, en tot haar ergernis bleek Zahin vrij te hebben van school. Ze dacht erover Bridget te bellen, maar besloot nog maar even geen slapende honden wakker te maken en belde in plaats daarvan Painter.

'Patrick, het spijt me dat ik je lastigval – '

'Dat doe je toch altijd...?'

'– maar Zahin is hier.'

'Hoe komt dat zo? Heeft die vrouw uit Limerick hem er uitgegooid?'

Painter, die net als iedereen uit Cork een antipatie had tegen alle landgenoten die van elders kwamen, klonk bijna vrolijk.

'Ik weet niet precies wat er gebeurd is,' zei Frances voorzichtig, want ze wist hoe dol Painter was op roddelpraatjes. 'Wat zou je ervan zeggen als we straks bij je langskwamen? Zou je dat vervelend vinden?' Ze wist ook hoe onbedwingbaar nieuwsgierig Painter was: als hij besloten had dat hij Bridget niet mocht, dan zou hij het vast verrukkelijk vinden om haar huurder op bezoek te krijgen.

'Kom gerust langs. Ik zit met Moeder in de tuin – kom dan maar theedrinken.'

De temperaturen waren flink opgelopen; de gedachte aan thee in een tuin was aanlokkelijk na het vooruitzicht van hete straten, en een rit waarbij Frances om de een of andere onverklaarbare reden – want ze was al zo vaak bij Painter geweest – de weg kwijtraakte. En bij het uitrijden van de garage liep ze ook nog een kras op langs de zijkant van de auto, en hoewel ze wist dat het onredelijk was, was ze boos op Zahin.

Toch gebeuren de dingen natuurlijk niet zomaar; hoe we ons op een bepaald moment voelen heeft ook te maken met wie we bij ons hebben. Toen Frances bij de rotonde kwam waar Peter verongelukt was, vroeg ze zich plotseling af of hij, hoewel er niemand bij hem in de auto had gezeten, misschien was afgeleid omdat hij sterk aan iemand dacht.

Zahin zat naast haar en maakte haar voortdurend complimentjes. Ze had de oorzaak van zijn ruzie met Bridget nog niet achterhaald, maar ze kon zich heel goed voorstellen dat het joch je op je zenuwen ging werken. Ze was blij toen ze het doodlopende straatje inreed waar Painter woonde en ze niet meer naar beleefde antwoorden hoefde te zoeken.

'Dit is Moeder.'

Frances had Painters moeder nooit in levenden lijve ontmoet.

Ze was zich wel voortdurend bewust geweest van haar aanwezigheid omdat de kunstenaar het zo vaak over haar had, en om de een of andere reden had ze zich haar voorgesteld als een bedlegerige invalide. Nu zag ze een klein, pittig, roodharig vrouwtje met een mopsneus, dat kaarsrecht en kennelijk volkomen gezond in een ligstoel zat.

Painters moeder glimlachte charmant en zei, 'Luister maar niet naar hem, hoor. Noem me maar Rita – dat doet iedereen.'

'*Lovely Rita, meter maid,*' zei Patrick grinnikend.

Frances dacht: Hij is *echt* verliefd op zijn moeder! 'En dit is Zahin,' zei ze hardop.

De jongen sprong naar voren en knielde naast de ligstoel. 'O Mrs. Painter, het is een voorrecht om in uw tuin te zijn. De

Engelsen zijn de beste tuiniers van de wereld en deze tuin is beslist de mooiste die ik ooit gezien heb!' en hij draaide in het rond en omhelsde de lucht met wijdopen armen.

Frances had verwacht dat Painter iets hatelijks zou zeggen, maar tot haar verbazing zag ze dat hij straalde bij Zahins overdreven gedoe.

'De Engelsen niet, de Ieren! Moeders tuin is haar schat. Er komen hele hordes mensen naar kijken.'

En ook dat bleek geen grapje: Painter liep naar binnen en kwam terug met een boekje, getiteld *Londens Verborgen Tuinen*. 'Die van ons staat op bladzijde 45,' verkondigde hij trots en las hardop, "Specialiteiten," staat hier, "sneeuwklokjes en primula's".'

'De sneeuwklokjes zijn al lang uitgebloeid,' merkte Rita op. 'Maar van de primula's word je helemaal idolaat. Zelf hou ik het meest van gardenia's, maar die doen het niet goed in deze grond.'

Ze aten gemberkoekjes en dronken Typhoo-thee. Zahin gaf Painter allerlei adressen van discount-winkels. Painter leek oprecht van hem gecharmeerd, maar ja, ik wed dat hij homofiel is, dacht Frances, terwijl ze dieper de tuin in liep. Ze had Painters seksualiteit nooit goed kunnen doorgronden, maar hij was zijn moeder zo toegewijd dat andere vrouwen vast taboe voor hem waren.

Mrs. Painter was kennelijk ook nogal ingenomen met Zahin. Hij zat geanimeerd tegen haar te kwebbelen toen ze terugkwam van haar wandelingetje tussen de tulpen – en de vergeet-mij-nietjes, die elk beschikbare stukje grond bezetten als een sprankelende blauwe Melkweg…

❦

Frances liep door de tuin, maar ze zag de verschijning niet van een man die voor haar stond en haar tevergeefs het bosje mistblauwe bloemen aanbood.

Hoofdstuk 30

Peter was op de terugweg naar Fulham toen hij het meisje opmerkte. Hij zag alleen haar rug, met het lange zwarte haar dat naar beneden golfde. Maar zijn hart stond stil toen zijn oog viel op de licht uitstekende schouderbladen. Zijn geheugen had dit nog niet geregistreerd of het meisje schoot een zijstraat in; hij was al te ver om haar achterna te gaan en moest keren, en veroorzaakte daarmee een enorme verkeerschaos.

Langzaam reed hij de straat af, zonder aandacht te schenken aan het getoeter van een auto achter hem, maar het meisje was verdwenen.

Diezelfde nacht in bed had Bridget hem gevraagd, 'Wat bezielt jou zo ineens?' en dat lag niet in haar lijn, want meestal aanvaardde ze zijn toenaderingen zonder commentaar.

De volgende dag verzon hij voor zichzelf een smoesje om weer door die straat te kunnen rijden – en opnieuw kroop de auto erdoorheen en weer terug. Maar helaas. Hij probeerde het beeld dat hij gezien had te vergeten, maar hij kon het niet van zich afzetten. Het meisje had niet alleen sprekend op Veronica geleken – al zijn vezels schreeuwden uit dat zij het was – hoewel zijn verstand hem vertelde dat Veronica inmiddels een jaar of vijfenvijftig moest zijn en hoogstwaarschijnlijk dik; misschien had ze zelfs – hij moest er niet aan denken! – wel een snor?

De weken verstreken; net had hij zich er bijna van overtuigd dat het niets te betekenen had gehad toen hij vanuit een ande- re richting door Sheperd's Bush reed en het meisje weer zag. Haar manier van lopen – en die schouderbladen, die deden het 'm. Met bonzend hart ging hij naast haar rijden.

Het meisje draaide haar hoofd naar hem toe en glimlachte, en hij trapte op zijn rem en veroorzaakte bijna een ongeluk – het was net Veronica, haar gezicht en haar manier van doen, maar toch ook weer niet…

Het meisje glimlachte nogmaals en in trance reed hij achter haar aan toen ze een andere straat in liep, waar ze bleef staan wachten.

'Wat kan ik voor u doen?'

'Het spijt me, maar ik dacht dat je iemand was die ik kende.'

'Het spijt me dat ik u teleur moet stellen.'

Er viel een stilte, en Peter dacht: Dit kan ik niet maken.

'Nou ja, leuk je ontmoet te hebben!' Wat banaal. Hij wilde zijn hoofd op het stuur leggen en het op een brullen zetten – om zichzelf, om het meisje dat hij al die jaren geleden in Maleisië, toen hij nog niet beter wist, zo wreed behandeld had; maar vooral ook om de wanhopige, hopeloze nutteloosheid die in hem loerde om alles in de war te schoppen.

'Wilt u dat ik bij u in de auto stap?'

Peter hoorde de woorden maar wist niet wat hij ermee aan moest. Bood ze zich aan voor een afspraakje? Of was het een hoertje? Hij was weleens naar de hoeren geweest, maar dat was al lang geleden.

'Om een eindje te rijden?'

'Als meneer dat wil.'

Dus het was een hoertje. Het idee was niet erotisch – integendeel zelfs: het bevlekte de tederheid die in hem was opgeweld voor Veronica.

Maar hij kon het niet ontkennen – dit meisje leek ongelooflijk veel op Veronica. En een ritje maken in de auto was niet hetzelfde als met haar meegaan – zelfs al verwachtte ze – en dat deed ze zeker – dat hij haar betalen zou.

Ze reden over de Hammersmith-brug naar Putney en vervolgens het Bushy Park in. Peter zei niets en het meisje zat, kennelijk tevreden, uit het raam te kijken. Het was tegen de avond, en de zon zakte, krachtig nog, aan de hemel. Eindelijk stond Peter stil en zette de motor uit. 'Zullen we een stukje gaan wandelen? Zo te zien wordt het een mooie zonsondergang,' stelde Peter voor, om maar iets te zeggen.

'Als meneer dat wil.'

Hij liep om de auto heen, hield de deur voor haar open en bood haar zijn arm aan; ze legde haar kleine hand in het kom-

143

metje van zijn elleboog. Ze wandelden, wat stijfjes, en Peter bad dat hij Bridget of Frances of wie dan ook maar niet tegen zou komen (want hij wist natuurlijk maar al te goed dat je uitgerekend in dit soort situaties bekenden tegen het lijf loopt). Arm in arm – als een bejaard echtpaar samengeklonken door de lange, rustige jaren, dacht hij onwillekeurig bij zichzelf – keken ze samen hoe de ronde zonneschijf naar de andere kant van de wereld zakte.

Die keer reed hij het meisje terug naar waar hij haar had opgepikt, trok zijn portemonnee en was stomverbaasd toen ze zich naar hem overboog om te voorkomen dat hij die openmaakte. 'Nee, alstublieft, het was zo'n leuk ritje. Ik wil niet dat u me betaalt.'

Toen hij wegreed dacht hij dat ze niet boos geklonken had, maar meer alsof ze hun allebei een dagje vrijaf gaf.

Peter had met opzet niet gekeken welk huis het meisje binnenging toen ze uit de auto stapte, maar een paar dagen later – hij kon haar onmogelijk uit zijn hoofd zetten – reed hij terug naar de straat en wachtte. En ditmaal was er geen sprake van niet betalen.

Hoofdstuk 31

Frances, die altijd veel tijd besteedde aan haar make-up, kwam bijna te laat op een vergadering in de galerie omdat ze haar eyeliner niet kon vinden. Er woedde een ruzie tussen Roy en Ed Bittle, de jonge beeldhouwer, en als ze Roy te vriend wilde houden moest ze er op haar voordeligst uitzien, want als je niet representatief was, sabelde hij je neer.

Ze rommelde in haar toilettafel en vond hem daar tussen de lippenstiften, hetgeen haar verbaasde. Ze borg haar oogmake-up meestal apart op, in de badkamer.

Zahin was nu drie weken bij haar en ze vond het niet zo enerverend meer als in het begin – maar ze zou het toch niet in haar hoofd halen hem permanent in huis te nemen. Toch had Peter de jongen graag gemogen, graag genoeg om hem over haar te vertellen. Ze kon het zich niet goed voorstellen – maar de woorden van de jongen bewezen het!

Frances had niet geprobeerd te achterhalen wat Peter precies gezegd had. Ze bracht het onderwerp niet graag ter sprake, en Zahin had een bepaalde manier van doen – niet zozeer gereserveerd, in sommige opzichten zelfs niet gereserveerd genoeg, maar wel met eenzelfde afwerende uitwerking.

De onenigheid tussen Roy en Ed Bittle ging over de commissie die Roy Ed berekend had voor de verkoop van zijn beelden. De galerie was een podium voor nieuw talent, en Roy wist maar al te goed dat veel aankopen, bedoeld als belegging, gebaseerd waren op zijn oog voor talent; hij vroeg daarom de kunstenaars die bij hem mochten exposeren een fiks percentage. Vaak lazen ze de kleine lettertjes in het contract niet – en dan moest Frances eraan te pas komen.

Toen ze de galerie binnenstapte, hoorde Frances dat er in de achterkamer met stemverheffing gesproken werd.

'Je had me verdomme weleens kunnen vertellen…'

'Maar er staat toch heel duidelijk...'

'Het is een godgeklaagd schandaal, en dat is het!'

'Roy,' zei Frances, 'het spijt me dat ik te laat ben. Lady Kathleen heeft gebeld. Ze moet met je praten over haar Matthew Smith.' Lady Kathleen was multimiljonair, en Roy had een zwak voor haar.

'Wil je me even excuseren...?' zei Roy overdreven vormelijk, en liep de kamer uit.

'Wat mij betreft verzuipt-ie aan de zuidpool, de klootzak,' zei Bittle, en zijn gezicht stond boos en schaapachtig tegelijk.

'Kom, laten we even oversteken naar Marie Rose om een kop koffie te drinken, met een donut,' zei Frances diplomatiek. 'Ik heb nog niet ontbeten.'

Op straat pakte ze de beeldhouwer bij zijn leren arm en loodste hem de straat over. Marie Rose was de naam van de lange Maleisische eigenares van het gelijknamige café dat, heel handig, pal tegenover de galerie lag. Kennelijk was ze de boel opnieuw aan het schilderen – Frances en Ed moesten over verscheidene potten verf heen stappen.

'Hij wil zeventig procent hebben van alles wat ik verkoop,' zei Ed somber toen ze koffie met donuts hadden besteld. 'En niet alleen van wat jullie verkopen, maar ook van wat ik zelf vanuit mijn atelier verkoop. Daar klopt toch geen ene mallemoer van!'

'Tja, dat is nu eenmaal zijn beleid,' zei Frances. Ze was dit gewend. Roy was een charmeur en een vleier, en het kwam daarom dubbel hard aan als je ontdekte dat hij je alleen maar systematisch een poot uit wilde draaien. 'Als je niet garandeert dat je alleen via hem verkoopt, laat hij je vallen.' Ze had al zo vaak in deze positie verkeerd met andere jonge kunstenaars.

'Nou ja, maar zeventig procent! Ik vind het een echte kutstreek!'

Frances bekeek de jonge man naast haar. Hij had zijn nagels afgekloven tot op het vlees, zijn haar was uit zijn marmerbleke gezicht in een paardenstaart naar achteren getrokken en hij had paarse kringen onder zijn ogen. Er was moed voor nodig om beeldhouwer te zijn: lange, lichamelijk vermoeiende uren werken met weinig kans om wat te verkopen.

'Een galerie als de onze is voor iemand als jij bijna de enige manier om bekend te worden,' probeerde ze hem te kalmeren. 'En Roy zal wel maken dat je bekend wordt. Dat moet je hem nageven.'

'Jezus Christus! Zal ik die kutvent nog wat na moeten geven ook!

Frances voelde zich aangevallen in haar vrouwzijn door zijn veelvuldige gebruik van het woord 'kut'. Ze keek nog eens naar het strakke jonge gezicht; het zag eruit alsof het een geheim kon bewaren. 'Luister,' zei ze, 'je moet het zo aanpakken. Je werkt gewoon door en laat niet alles aan Roy zien. Buiten wat hij al van je gezien heeft, laat je hem nog een stuk of twee dingen zien. Als je goed bent – en dat ben je – dan verkoopt hij je goed en bouw je een reputatie op. En als je dan naam hebt gemaakt ga je, als je dat wilt, ergens anders heen met het werk dat je in de tussentijd hebt gemaakt.'

'Ja ja, en waar moet ik dan verdomme in die 'tussentijd' van leven?

'Tja, dat is inderdaad een probleem. Maar als je hem een jaar of twee de tijd geeft dan maakt hij je tot een succes. Dat proces is al begonnen – Patrick Painter vindt dat je talent hebt.'

Bittle keek haar gekweld aan. Painter had haar eens verteld dat je het gezicht van de mens kon indelen in twee categorieën: kool of paard. 'Dat zei hij alleen maar om me op te vrolijken.'

Paard, dacht ze, absoluut paard. 'Ik ken Patrick heel goed – die zegt nooit iets wat hij niet meent.'

'O nee?' Het gezicht werd extatisch. 'Zijn werk is fantastisch. Ik vind hem echt heel goed.'

'Als je door al zijn dikdoenerij heenkijkt is hij ook best aardig,' zei Frances vertrouwelijk.

Toen ze opstond om terug te gaan naar de galerie zei Bittle, 'Hé, bedankt hoor. Er draait een goeie film, maar daar heb je zeker geen zin in?'

Ach, waarom niet? dacht Frances; dan zat ze in elk geval een avond niet met Zahin.

Hoofdstuk 32

Peter had vastberaden bij zichzelf gezegd, toen hij het huis met de zware gordijnen in Shepherd's Bush verliet, dat dit de laatste keer was geweest. Hij had een minnares en een vrouw, van wie hij allebei hield en die allebei seksueel aantrekkelijk voor hem waren. Het was waanzin om een leven dat al zo rijk was aan voldoeningen in gevaar te brengen. Die avond was hij onverwachts bij Frances langsgegaan en daarna was hij teruggekeerd naar Bridget, met wie hij ook het bed in dook, en de volgende ochtend was hij haar naar de badkamer gevolgd en had haar nogmaals genomen toen ze zich vooroverboog om de stop in het bad te doen.

Voor een redelijk gezond man van zestig is het niet onmogelijk om zeven keer klaar te komen in zeventien uur, maar doodnormaal is het nu ook weer niet. Hoewel Peter zijn ongebruikelijke potentie niet bewust in verband bracht met het meisje, besefte hij wel dat zijn ervaringen met haar hem een meer dan normale opwinding hadden bezorgd. En een 'meer dan normale' opwinding is iets waar je actie op moet ondernemen, anders blijf je er last van houden.

Toch was Peter een behoedzaam man; hij had al jong geleerd behoedzaam te zijn – je zou zelfs kunnen zeggen dat behoedzaamheid zijn oudste maatje was. Zo af en toe een uitstapje naar een prostituee was nog tot daaraan toe, maar een regelmatig bezoek aan een lokaliteit zo dicht bij huis was vragen om moeilijkheden. En zijn godsdienst speelde ook nog mee...

Er bestaat een verband tussen seksuele en spirituele energie. Bridget had Peter eens een gedicht voorgelezen van John Donne, waarin de bekeerde Deken zijn God had vergeleken met zijn voormalige minnaressen. Peter was onder de indruk geweest van de briljante, pikante, nauwgezet beeldende geest van de dichter, wiens vurige verlangen naar zijn God oprecht gebaat leek te zijn bij zijn vroegere passie voor zijn vrouwen.

Misschien had Peter het Heilige Sonnet in gedachten; misschien was het gewoon de menselijke neiging om onze lagere instincten te rationaliseren tot een hoger plan. Maar hoe het ook zij, toen hij, onvermijdelijk, terugkeerde naar Shepherd's Bush om de opwinding opnieuw te ervaren, had dat geen vermindering maar juist een verdieping van zijn religieuze beleving tot gevolg. Nadat hij Zelda gezien had voelde hij, heel letterlijk, dat zijn hart op geheel nieuwe wijze tot de beschikking stond van zijn God.

Langgeleden had Zuster Maria Eustasia verkondigd, 'Als er een God is – en ik moet er toch op z'n minst van uitgaan dat er een is, Bridget – dan ga ik er vanuit dat de menselijke manieren van afrekening Hem vreemd zijn.' Peter had niet de kans gehad om te profiteren van de wijsheden van Zuster Maria Eustasia; maar hij had vele jaren met Bridget onder één dak doorgebracht, en we worden nu eenmaal beïnvloed in onze kijk op de wereld door de mensen met wie we samenleven. Hoe dan ook, Peter was minder verbaasd dan je verwacht zou hebben door de versnelde verdieping van zijn geloof, ingegeven door zijn nieuwe relatie; je zou zelfs kunnen stellen dat hij er nauwelijks van opkeek.

Hoofdstuk 33

Ed wachtte Frances op in het café van Marie Rose. De eerste voorstelling van de film begon pas over veertig minuten, dus namen ze een kop koffie voordat ze naar de bioscoop gingen. Nu ze daar niet zat als manager van de galerie, voelde Frances zich kwetsbaar en een tikkeltje onnozel. Uit behoefte aan vrouwelijke solidariteit probeerde ze Marie Rose in het gesprek te betrekken.

'En, schiet het een beetje op met het schilderen?' De verfpotten leken sinds de vorige dag nauwelijks van plaats veranderd te zijn.

Marie Rose had het figuur van een fotomodel. Het gerucht ging dat Antonioni, die tijdens een verblijf in Londen regelmatig haar café bezocht, haar eens een rol had aangeboden in een van zijn films. Maar Marie Rose had de beroemde regisseur in zijn gezicht uitgelachen. Het is maar te hopen dat ze oprecht was in haar afwijzing, want haar haren waren inmiddels verrassend spierwit, en het lag niet voor de hand dat ze ooit nog zo'n kans zou krijgen. Maar haar gezicht met de fraaie botten en de kattenogen was nog steeds opvallend mooi.

'Ach! Je weet hoe dat gaat. Mannen!'

Frances had al lang geleden ontdekt dat de agressie van Marie Rose voortkwam uit onzekerheid. 'Het zal wel mooi zijn als het af is.'

'Als het ooit af komt!' riep Marie Rose uit, en beende met grote passen weg op haar gouden sandaaltjes.

'Tja...' zei Frances, die het dus zonder Marie Rose moest stellen. Ze had geen idee wat ze zeggen moest tegen Bittle. Ze wist niet eens in welke hoedanigheid ze met hem naar de bioscoop ging – of wat hij zich daarvan voorstelde.

Ze dronken hun koffie in stilte. Het was zeven jaar geleden dat Frances alleen was geweest met een man die ze niet kende, behalve zo af en toe voor een bepaalde gelegenheid of voor haar werk.

Nog steeds zwijgend liepen ze naar de bioscoop, een paar straten verderop. Het was ijskoud geworden – de groene, onheilspellend kilte van een meimaand die besloten had de zomer de rug toe te keren. Een voorbijkomende auto joeg stof op, dat in Frances' oog kwam. Ze zei 'niks aan de hand', en terwijl ze haar oog depte met de restanten van een papieren zakdoekje wenste ze dat ze lekker warm thuis zat, want daar voelde ze zich tenminste op haar gemak – zelfs met Zahin die haar de oren van het hoofd praatte.

De film ging over een motorfietser die bij toeval een moord pleegt en vervolgens verliefd wordt op het vriendinnetje van het slachtoffer. De plot was moeilijk te volgen en de stemmen van de acteurs waren zo 'echt' dat ze niet te verstaan waren. Frances voelde zich wegzakken in een staat van verveling en daarna van verdriet, eerst om het gemis van Peter, en toen geleidelijk aan om het gemis van Hugh. Ze herinnerde zich de keer dat zij en Hugh meegenomen werden naar *The Railway Children*. Hugh was verliefd geworden op Jenny Agutter, en had zijn zusje gedwongen de filmster namens hem een brief te schrijven. En Hugh zou Hugh niet geweest zijn als hij geen antwoord had gekregen van Miss Agutter. Hoe deed hij dat toch? Zelfs via een tussenpersoon had het jonge sterretje nog geweten dat Hugh 'meetelde'.

De held uit de film (als je hem al zo mocht noemen) had het meisje zijn daad bekend, en zij was, hoewel geschokt, niet van plan haar leven te laten beïnvloeden door het simpele feit dat haar huidige vrijer haar vorige vrijer kennelijk had neergestoken op het mannentoilet. Peter en Frances waren samen tweemaal naar *Jules et Jim* geweest. Misschien verschilde de amorele Catherine – die het zowel met Jules als met Jim had aangelegd en die uiteindelijk een van de twee (was het Jules? Ze haalde ze altijd door elkaar, maar het was die met die snor) de rivier had ingejaagd – wel niet zo veel van de moordende motorfietser? Bridget zou vast vinden van niet. Ze moest Bridget eens bellen, want sinds haar rel met Zahin had ze niks meer van haar gehoord…

151

Bridget speelde ook met de gedachte om die avond naar de film te gaan, maar ze besloot het niet te doen, eigenlijk draaide er niets dat ze in haar eentje wilde zien. Ze was rusteloos; het was te koud om te wandelen – daarom stapte ze maar in de auto. Bij de rotonde van Hogarth aangekomen dacht ze aan Peter, en reed op de bonnefooi naar Turnham Green.

Frances woonde in een straat met herenhuizen. Bridget liep de trap op naar de tweede verdieping en zag nog net een meisje uit de deur van Frances' appartement komen en in de lift stappen.

'Hallo daar,' riep ze, 'is Frances thuis?'

Maar het meisje had het hek van de lift al dichtgetrokken en staarde haar wezenloos vanachter het traliewerk aan. Ze was buitengewoon knap, met lange zwarte haren en een strakke witte spijkerbroek. Maar kennelijk had ze al op de knop gedrukt, want de lift zette zich in beweging en het meisje schudde glimlachend haar hoofd tegen Bridget, alsof ze het niet begreep. Bridget belde aan bij het appartement – maar er werd niet opengedaan.

❧

De film was afgelopen – een heel onbevredigend einde, vond Peter. Hij volgde Frances, die door de koude straten van Londen achter de stug voortstappende Bittle aanjakkerde. De moordenaar was niet bestraft voor zijn moord en kon gewoon lekker verder leven. Maar niet voor eeuwig, dacht Peter grimmig, terwijl hij Frances in het oog hield. Daar kwam-ie nog wel achter! Uiteindelijk kreeg iedereen zijn verdiende loon. En waarom was Frances zo schaars gekleed in die ijzige kou? Kon ze niet voor zichzelf zorgen? Hij was blij te zien dat Bittle afscheid van haar nam. Zo veel om over te piekeren, dacht hij, terwijl hij net voor de deuren zich sloten de metrotrein binnengleed en zich een weg baande naar de plek waar Frances stond, warm en eenzaam in de volle wagon.

Hoofdstuk 34

Bridget stond net op het punt Frances te bellen toen de telefoon ging: Frances aan de lijn.

'Het spijt me dat ik zo lang niks van me heb laten horen.' Frances zag ertegenop om over Zahin te praten.

'Ah, Frances...' zei Bridget, alsof ze even niet wist met wie ze sprak. Ze wilde niet de indruk wekken dat ze op een telefoontje had zitten wachten. En bovendien had ze het gevoel dat er iets niet klopte met het meisje dat ze uit Frances' appartement had zien komen.

'Ik had je al veel eerder willen vertellen – ' stamelde Frances.

'Dat Zahin bij jou is?'

'Hoe wist je dat?' Frances proefde haar vijandigheid en dekte zich in.

'Ik zag zijn zusje jouw appartement uit komen.'

'Wat! Wanneer dan?'

'Gisteravond.' Bridget, die merkte dat ze Frances overvallen had, begon er plezier in te krijgen. 'Wist je dan niet dat zij er was?'

'Absoluut niet, nee. Weet je, ik wil hem hier helemaal niet, maar hij kwam gewoon. Ik zal het hem zeker vragen, van zijn zusje.'

'Hij gaf mij de indruk dat ze in Iran zat, of weet ik veel waar...' gooide Bridget olie op het vuur.

'Wanneer was je hier?'

'Gisteren,' zei Bridget kort, want ze wilde haar niet het idee geven dat ze niks beters te doen had gehad, 'ik dacht dat je misschien zin had om mee naar de film te gaan.'

'Ik was al naar de film, met een cliënt.'

Al zou je bij 'cliënt' nu niet onmiddellijk aan Ed Bittle denken, met zijn bleke tronie en zijn afgekloven nagels. Bij het afscheid nemen was hij zenuwachtig geweest, en toen Frances dat merkte had ze hem de vreselijke film vergeven.

'Nou ja, doet er ook niet toe...' had Bridget weinig overtuigend gezegd.

'Bridget, ben je dit weekend thuis? Mag ik je terugbellen?'

Het was Bridgets weekend om in Londen te blijven. Weken zonder Zahin waren verstreken en het huis vertoonde al tekenen van zijn afwezigheid. Bridget ging, in het besef dat ze uit plichtsgevoel handelde – en alleen mensen die zo nodig goed moeten doen vinden dat leuk – op bezoek bij Mickey.

Mickey was weliswaar niet telepathisch in de Keltische zin van het woord, maar ze bezat wel een zesde zintuig dat haar precies influisterde wat er zich bij de buren afspeelde. Ze wist zonder enig aantoonbaar bewijs, zelfs al voordat Bridget langskwam, dat er iets veranderd was in de situatie van haar buurvrouw.

'Zo, niet naar je weekendhuis?' vroeg ze plompverloren. 'Je hebt zeker niks beters te doen dan een bezoekje brengen aan een oud mens.'

Maar diep in haar hart was Mickey apetrots op haar leeftijd en haar goede gezondheid. Met haar vijfenzeventig jaren was ze nog zo kras dat je zou denken dat ze haar hele leven dure fitnesscentra bezocht had. Maar in werkelijkheid deed ze aan geen enkele vorm van lichaamsbeweging, op haar wandelingetje naar het café of naar de winkel op de hoek om een pakje sigaretten te kopen na. Elke veertien dagen liet ze een doos kruidenierswaren bezorgen, vroeger van Cullens en tegenwoordig van Waitrose.

Mickey was stapelgek op Clint Eastwood-films. Toen Bridget uit de gang de oververhitte kamer binnenkwam zag ze dat er een videoband van Clint Eastwood aan stond. Mickey zette het geluid zachter.

'Ik stoor je,' zei Bridget, blij met een smoesje om meteen weer weg te gaan.

'Het is Misty,' legde Mickey uit, 'hier slaat ze hem net aan de haak – alleen denkt hij dat-ie haar aan de haak slaat. En ze laat hem in die waan. Zo zijn mannen, altijd zo overtuigd van hun eigen charme!'

Bridget was nooit zo dol geweest op de film waarin Clint Eastwood verliefd wordt op een psychopathisch meisje en daarmee zijn leven en het hare volledig op z'n kop zet.

'Ik kwam alleen maar even goeiendag zeggen,'

Tot op dit moment had ze zelf eigenlijk nooit beseft hoe bang ze was geweest dat zoiets Peter zou overkomen.

'Die jongen is weg, hè?' Mickey stak haar blijdschap niet onder stoelen of banken. 'Ik dacht wel dat-ie niet deugde. Wil je een kop thee?'

Ze gingen in de tuin zitten. Bridget keek naar Mickeys keurig rechte bloembedden en dacht: Ik moet iemand zien te vinden die voor me wieden wil. Ze had Zahin nooit in de tuin zien werken, maar hij had hem bijna net zo onberispelijk schoongehouden als het huis.

'Wie was dat jonge meisje toch dat hier altijd rondhing als jij er niet was?' vroeg Mickey. 'Ik vertrouwde d'r voor geen cent. Niet dat het mij wat aangaat, natuurlijk!'

Frances moest die dag naar een reünie van haar oude school. Ze had op een dure, exclusieve school gezeten. Het was een dagschool, en omdat haar familie buiten de stad woonde werd ze door de week ondergebracht bij Mrs. Maddox, die behaarde benen had. De benen zouden er niet zoveel toe gedaan hebben als Mrs. Maddox niet altijd witte sokjes had gedragen. Zelfs als kind had Frances zich gegeneerd voor die lange zwarte haren op de witte kuiten van Mrs. Maddox.

En haar andere schoolervaringen waren nu ook niet bepaald een pretje geweest. Omdat ze bang was voor het effect dat de benen van Mrs. Maddox zou hebben op haar vriendinnetjes, had ze die nooit terug durven vragen als ze na school bij een van hen op de thee was geweest. In het weekend ging ze meestal naar huis, wat ze fijn vond als Hugh er was, maar saai als alleen haar ouders er waren. De school liet zich voorstaan op zijn intellectuele prestaties en had een muur vol marmeren platen, waarop in gouden letters de namen waren gegraveerd van de meisjes die een beurs voor Oxford of Cambridge gewonnen hadden. Frances had nooit enige hoop gekoesterd dat ook haar

naam eens op deze *Honor Deo*-lijst zou prijken – ze had kunstgeschiedenis als eindexamenvak gehad, een onderwerp dat niet
hoog in aanzien stond. En daarbij ook nog eens biologie, een
vak dat om de een of andere duistere reden door de school
beschouwd werd als iets voor zwakke leerlingen.

Dus toen de secretaresse van de Vereniging van Oud-scholieren haar een rondschrijven had gestuurd waarin zij een 'gezelli-
ge bijeenkomst' voorstelde van de meisjes die in '78 eindexa-
men hadden gedaan, had Frances de brief onmiddellijk verfrommeld en in de prullenbak gegooid.

Frances had niemand van haar school meer gezien sinds de
dag dat ze de school verliet in de ellendige overtuiging dat ze
met haar minimale eindlijst slecht gewapend was tegen de gevaren van het volwassen bestaan. Het feit dat ze behalve een 9
voor kunstgeschiedenis ook nog een 8 voor biologie had gekregen (veel beter dan ze had durven dromen) had haar herinneringen aan school niet meer kunnen redden. Maar nieuwsgierigheid corrigeert een hoop – zelfs angst. Frances viste de brief
weer uit de prullenmand, streek hem glad en stuurde de secretaresse een e-mail.

Voordat ze naar de reünie ging had ze haar moed bij elkaar
geraapt om Bridget te bellen over Zahin, want vergeleken bij de
reünie leek dat ineens niet meer zo'n moeilijke klus . Vervelend
– want nu moest ze hem wel vragen naar het meisje dat Bridget
uit haar appartement had zien komen – en nog extra vervelend
omdat ze zich niet wilde opwinden voordat ze naar school ging.

'Zahin, kan ik even met je praten?'

'Dat zal me een waar genoegen zijn.' Zahins antwoorden
leken allemaal zo op elkaar dat ze onecht aandeden.

'Zahin, is er hier iemand geweest? Ik bedoel, toen ik niet
thuis was?'

De jongen fronste zijn voorhoofd alsof hij een vreselijk moeilijk raadsel ontwarde. Toen zei hij opgetogen, alsof hij een antwoord had gevonden dat zeker in goede aarde zou vallen,
'Alleen mijn zusje maar…'

'Maar Zahin, zoiets moet je me wel vragen. En trouwens, die
zat toch in Iran?'

'Het spijt me, Miss Slater.'

O nee, beste jongen, dacht Frances, zo makkelijk kom je niet van me af! 'Het is "Frances", Zahin, en je hoeft echt niet te gaan huilen want daar trap ik niet in. Wanneer is je zusje hier geweest? Je had me eerst aan haar voor moeten stellen.'

'Maar u kwam niet thuis van uw werk. Ik wist niet...'

Dus het meisje was hier geweest toen zij met Ed Bittle in de bioscoop zat. Het was waar dat ze Zahin niet gezegd had dat ze laat thuis zou zijn. 'Oké, maar toen ik thuiskwam had je me toch kunnen vertellen dat je bezoek had gehad?'

'Ik ben naar bed gegaan zodra mijn zusje weer weg was. En vanmorgen moest u zich klaarmaken voor uw school. En nu ziet u er zo mooi uit...'

'O Zahin,' zei Frances geïrriteerd, 'hou nu in godsnaam eens op met al die vleierij!'

☾

In de film Play Misty For Me *komt een lied voor, geschreven door Ewan McColl. Het lied beschrijft de gevoelens van de liedjesschrijver voor Peggy Seeger, de vrouw met wie hij later trouwde. Peter bekeek de video in Mickeys voorkamer en hoorde de volgende woorden:*

> *De eerste keer dat ik jouw gezicht zag*
> *Dacht ik dat de zon opkwam in je ogen*
> *En de maan en de sterren waren de gaven die je schonk*
> *Aan de duisternis en de eindeloze hemel, mijn lief...*

en herinnerde zich drie vrouwen en de verschillende gaven die ze hem geschonken hadden.

Hoofdstuk 35

Frances' auto stond nog bij de garage om de krassen – de erfenis van het ritje naar Painter – bij te laten werken. Haar oude school lag niet ver van haar huis en ze was van plan geweest erheen te lopen of de bus te nemen. Maar door de aanvaring met Zahin was ze aan de late kant, en ze had geen zin om er verhit en opgejaagd aan te komen. Dus belde ze een taxi.

Maar de taxichauffeur lapte de aloude regel die voorschrijft dat alle taxichauffeurs lomperikken zijn aan zijn laars en stopte eerst om een zwerfster de straat over te laten waggelen en daarna godbeterhet ook nog eens om een bus met mongooltjes de ruimte te geven zich tussen het vastzittende verkeer te wurmen. Het invoegen van de bus gaf andere automobilisten de kans om razendsnel te profiteren van dit staaltje van professionele imbeciliteit. Frances kookte van woede, en de kinderen drukten hun neus tegen de ramen van de bus en maakten hun blije, roze vollemaansgezichtjes nog platter dan ze al waren. Toen de taxi eindelijk bij Brook Green aankwam was ze te laat, iets waar ze een grondige hekel aan had.

'Haastige spoed is zelden goed,' merkte de chauffeur op toen ze bij het uitstappen bijna over de zoom van haar jurk struikelde.

'Je wordt bedankt,' zei Frances. En ze was zo nijdig dat ze er scherper dan ze gewend was op liet volgen, 'Je zit kennelijk zo ruim in je fooien dat ik je er geen meer hoef te geven.'

Behalve Zahin had Frances nog een reden om uit haar humeur te zijn: ze had de rits van haar tarwekleurige lievelingsrok niet dicht kunnen krijgen, terwijl ze juist zo graag een goede indruk wilde maken op haar vroegere klasgenoten, die het vast allemaal ver geschopt hadden in het leven. In plaats van het linnen pakje had ze toen de lange jurk maar aangetrokken waar ze bij het uitstappen bijna over gestruikeld was, om eventuele contouren van onwelkome rolletjes aan het zicht te onttrekken.

Toen ze de stenen trap opliep naar de hal werd ze overspoeld door een golf van jeugdsentiment. Ze was nog niet binnen of ze hoorde een stem die riep, 'Frances!'

'Christina!' Christina Stack had ook kunstgeschiedenis 'gedaan' – samen waren ze de sufferdjes van de klas geweest.

Het naamplaatje op Christina's kersenrode jasje liet weten dat ze nu 'Stein' heette; ze had foto's bij zich van een groot huis in Dorset, met een pony en drie kinderen. Frances was vergeten dat dit een van de beproevingen zou zijn die haar te wachten stonden: de kinderen, die zij niet had. En de echtgenoten, uiteraard.

Christina's man bleek advocaat te zijn, vandaar natuurlijk dat huis in Dorset en de pony. Er waren er nog een stel met mannen, maar er liepen er ook nogal wat rond die gescheiden waren. Sommigen waren nooit getrouwd geweest, en Frances constateerde tot haar opluchting dat ze nog steeds tot de best geklede vrouwen behoorde, ondanks het pakje dat ze niet meer aankon!

Een lange vrouw met grote oorringen maakte zich los uit een groepje en kwam op haar af. 'Hoi Frances, ik ben Susannah. Ik kijk hoe ieders huid eruitziet.'

Frances, die tot haar ontsteltenis in deze keurig gekapte, zelfverzekerde vrouw de plompe, huilerige Susannah herkende– die uitgeblonken had in netbal en lacrosse, maar die een geheimzinnige kwaal had gehad die te maken had met haar menstruatie – sloeg instinctief haar handen voor haar gezicht. 'De mijne gaat er met de dag op achteruit.'

'Nou, dat is anders niet wat ik zie. Doe je aan HRT?'[5]

'Dat idee is zelfs nooit bij me opgekomen.'

'Zou ik toch maar eens overwegen. Je ziet er niet uit alsof je al in de overgang zit. Of wel?'

'Nee,' zei Frances beledigd; ze was geen moment van plan

5 Hormone Replacement Therapy: hormoonbehandeling bij ouder wordende vrouwen

geweest zo open te zijn, en had er ook onmiddellijk spijt van. Ze speelde wel al een poosje met het idee om eens naar de gynaecoloog te gaan. Ze was vergeten dat de meisjes van haar school berucht waren om hun directheid. Nou ja, 'meisjes', dacht ze, terwijl ze haar leeftijdgenoten – de een wat zelfverzekerder dan de ander, maar allemaal aan het begin van de middelbare leeftijd – gadesloeg die in de rij stonden voor de quiche met twee soorten sla, en sinaasappelsap of één glaasje droge witte wijn.

De lunch was een stuk plezieriger. Een van de oude meiden hield een toespraak over hoe nodig het was dat 'vrouwen als wij' de publieke opinie beïnvloedden. 'Waarom moet dat in hemelsnaam?' vroeg de vrouw die naast Frances zat. Als meisje had zij een kop met vuurrood haar gehad, en het temperament dat daarbij hoorde. Het haar was afgezwakt tot kastanjebruin, en Lottie dreef nu een boekhandel – 'niet zo'n succes, helaas', kwam Frances tot haar genoegen te weten. Lottie had ook geen man of kinderen. Maar de spreekster, een forse vrouw in een stijf kobaltblauw mantelpak met vergulde knopen en een gezicht dat Frances beter kende uit de krant dan van vroeger, had wel degelijk een man en een hele sloot kinderen en een machtige positie in het parlement. De gedachte alleen al aan de 'publieke opinie' maakte haar moe, zei Lottie. Frances en Lottie spraken af dat ze een keer samen terug zouden gaan naar het huis van Hogarth om daar nog eens wat rond te kijken.

Toevallig was het huis van Hogarth ook een van de plaatsen waar Peter met Zelda was geweest. Zelda had genoten van die ervaring, al had ze zich er wel zorgen om gemaakt dat haar make-up zou uitlopen.

'Wat maakt dat nou uit,' had Peter haar gerustgesteld, 'daar word je echt niet minder mooi van. Ik snap niet waarom je je eigenlijk opmaakt, dat heb jij helemaal niet nodig.'

Zelda had hem toevertrouwd dat alleen een Engelsman op het belachelijke idee kon komen haar te vertellen dat ze zich niet op hoefde te maken; stel je voor! Ze had een witte spijkerbroek aan en was bang dat ze daar grasvlekken op zou krijgen.

Peter, die naast haar wilde liggen, had zijn overhemd uitgetrokken en dat voor haar uitgespreid op het gras.

De gedachte aan Zelda's jonge kontje in de strakke witte
spijkerbroek had Peter ertoe gebracht zijn route te wijzigen op
die fatale dag dat de vrachtwagenchauffeur niet uitkeek, en hem
het eenrichtingverkeer van de dood had binnengeleid.

Hoofdstuk 36

Zahin was er niet toen Frances thuiskwam, en dat vond ze een hele opluchting. Ze schopte haar schoenen – speciaal gekocht bij Hobbs en nog niet goed ingelopen – uit, ging op de bank liggen en inspecteerde haar handen. Het was haar opgevallen dat Bridgets handen nogal mannelijk waren, met rafelige vingernagels en niet altijd helemaal schoon. Terwijl ze haar eigen handen bestudeerde – lang en bleek met roodgelakte nagels – miste ze ineens de saffieren ring. Had ze die niet omgedaan?

Misschien had ze dat door het gedoe met Zahin vergeten voordat ze de deur uit vloog, hoewel, ze wist bijna zeker van niet want ze had nog gedacht dat de ring – als ze haar ongetrouwde staat al te vernederend mocht vinden – ook best kon doorgaan voor een verlovingsring, haar geschonken door een verloofde die aan kanker gestorven was, bijvoorbeeld, of een andere sociaal aanvaardbare ziekte. Door haar ontmoeting met Lotte was de noodzaak voor een dergelijk bedrog overbodig geworden. Maar waar was de ring?

Misschien lag hij nog op haar nachtkastje in de glazen poederkom van haar moeder, waar ze hem bewaarde als ze hem niet om haar vinger had. Maar de kristallen kom had niets meer te bieden dan een gedroogde rozenknop van een dineetje met Peter in lang vervlogen tijden, ze kon zich niet eens meer herinneren wanneer.

Frances begon als een bezetene haar tas overhoop te halen, op zoek naar het telefoonnummer van de secretaresse van de Vereniging van Oud-scholieren.

Een stem op het antwoordapparaat beval haar 'langzaam en duidelijk te spreken' – en dat was niet geheel overbodig, want paniek bevordert de duidelijkheid nu eenmaal niet.

'Lindsey, met Frances Slater. Ik ben zo stom geweest een ring kwijt te raken – een saffieren ring – nogal kostbaar. Kun jij voor me navragen of iemand die bij het opruimen gevonden heeft?'

'Het was enig je weer eens te zien,' voegde ze er – niet naar waarheid, want ze hadden elkaar nog geen blik waardig gekeurd – aan toe.

Ze was zo bezorgd om de ring dat ze geen rust meer had, en daarom was ze blij toen de telefoon ging. Maar het was Ed Bittle, en niet de secretaresse van de Vereniging van Oud-scholieren.

'Hoi,' zei Ed. 'Ik vroeg me af hoe het met je ging.'

'Gaat wel,' zei Frances voorzichtig. Ze hoopte dat Roy niet weer moeilijk aan het doen was.

'Ik...' zei Ed.

Frances wachtte. Ze was helemaal leeg – eerst die reünie, en toen die ring. Ze had helemaal geen zin om wat dan ook voor wie dan ook te doen. Maar ze had Ed geholpen – en wie je helpt krijgt een plekje in je hart, en dat is een van de redenen waarom helpen niet altijd verstandig is.

'Heb je zin in een curry ofzo?'

'Nou, eerlijk gezegd niet, nee,' zei Frances, en ze probeerde niet afwijzend te klinken. 'Ik moest vandaag naar een reünie van mijn oude school en nu ben ik helemaal op.'

'O,' klonk Eds stem beteuterd.

'Weet je wat?' zei Frances wat toeschietelijker. 'Als je zin hebt mag je wel hier komen, dan halen we wat, als je dat niet al te onaanlokkelijk vindt.'

Kennelijk was het aanlokkelijk genoeg voor Ed, want een half uur later stond hij op de stoep in zijn leren kloffie, met zijn haren, als een stads-elf, recht overeind in kleine gegelde pieken. Hij bleek als een razende op zijn motorfiets uit Stepney gekomen te zijn.

Hij is verliefd op je, waarschuwde dat deel van Frances dat dergelijke dingen wist. Doe niet zo belachelijk, zei het andere, rationele deel. Ik ben vijftien jaar ouder dan hij.

Eds motorfiets reed weg naar de Bengaalse Tijger en Frances nam de kans waar om het dekbed glad te strijken en nieuwe lippenstift en mascara op te doen.

En waarom doe je dan dan? Vroeg het wetende deel. Alsof je

iets zou kunnen uitspoken, met Zahin hier... wees het rationele deel het andere zedig terecht.

Frances zette de foliebakjes in de oven en haalde ze er kouder dan ze erin gegaan waren weer uit. 'Ik heb vergeten hem aan te steken,' zei ze verontschuldigend.

Omdat er zo'n akelige gaslucht in de keuken hing aten ze maar in de huiskamer, onder de kokette blik van het naakt van Kavanagh.

Hoewel ze zich bij ieder ander doodgeschaamd zou hebben over haar vergissing met het gas, merkte ze dat ze daar bij Ed geen last van had. De poppadoms waren in de tas van zijn motorfiets kapot gegaan, en de stukken zaten onder mangochutney want het bakje had gelekt.

De meeste menselijke emotie is reactief. Misschien droeg Ed een kalmerende rust over omdat hij zelf zo gespannen was. Ze lachten samen om zware problemen, en tot haar eigen verbazing werd Frances heel vrijmoedig, geestig bijna, in haar beschrijving van alle roerige gebeurtenissen die ze in de loop der jaren in de galerie had meegemaakt.

Maar tegen twaalven bedacht ze zich dat Zahin elk moment thuis kon komen, en probeerde niet op haar horloge te kijken.

'Nou, ik stap maar eens op,' zei Ed, met de verhoogde opmerkzaamheid van de lichtelijk paranoïde geest. Maar hij maakte geen aanstalten.

'Ik vond het erg gezellig,' zei Frances enthousiast. En er is niks gebeurd, hield ze het wetende deel voor, dat nu loog.

'Zie ik je nog eens?'

'Nou...?' zei weetal afwachtend.

'Eh, ik – '

Ze wist niet hoe hij het had klaargespeeld om zijn armen om haar heen te slaan, maar ze verzette zich niet toen hij haar achteruit de slaapkamer in duwde, en fluisterde alleen maar, 'Pas op, ik heb een huurder...'

Maar toen ze een uur later Eds aanbod om weg te gaan beantwoordde met, 'Ja, liever wel,' was er nog geen spoor van de huurder te bekennen.

'Het heeft niets met jou te maken,' zei ze verontschuldigend bij de deur. 'Het ligt aan mij – ik ben nog niet helemaal over iemand anders heen.'

Zie je nou wel! zei weetal, zwaar gepikeerd. Dat komt ervan als je niet luistert!

❧

Peter stond er oplettend bij toen Frances met een bezorgd gezicht Eds vertrekkende schouders in hun leren jas nakeek. Hij keek op zijn beurt naar haar, en begreep waarom ze zo plotseling aan Zahin had moeten denken.

Hoofdstuk 37

De volgende ochtend belde Frances Bridget op. 'Je had gelijk, het was zijn zusje.'

Zahin was niet teruggekomen. Frances kon niet zeggen dat ze zich zorgen om hem maakte. Hoewel ze wist dat het helemaal niet eerlijk van haar was, gaf ze de jongen de schuld van wat er met Ed gebeurd was.

Ed had haar lange jurk uitgetrokken met zijn verrassend kleine, bedreven handen die onder de schrammen en steken van de beitel zaten. Wat er daarna gebeurde was een mysterie, want juist op het moment dat ze als was in zijn handen had moeten worden, bevroor ze en hadden ze het voor gezien moeten houden – of liever gezegd, voor ongezien, dacht ze, gelukkig nog niet helemaal van haar gevoel voor humor beroofd. Het was natuurlijk Peter, of zijn geest – de herinnering aan hem – die tussen hen gekomen was.

Bridget zie iets onverstaanbaars en Frances vroeg haar het te herhalen.

'Je wilt toch niet zeggen dat dat joch weer bij jou is?'

'Kennelijk. Toen ik vanmorgen beneden kwam was hij in de keuken.'

'Grote genade!' zei Frances, totaal overdonderd. 'De kleine smiecht!' Een deel van haar wenste dat ze de avond tevoren geweten had dat ze niet gestoord zou worden met Ed Bittle. Misschien was het dan... maar waarschijnlijk was het beter zo. En ze was tenminste verlost van Zahins irritante beleefdheid.

Bridget was enorm opgelucht geweest toen ze in Peters kamerjas de trap af liep en Zahin in de keuken aantrof. Het was de geur die haar naar beneden had gelokt: een onmiskenbare geur van geroosterde koffiebonen en warme toast.

Ze hadden geen van beiden meer iets gezegd over de redenen

van Zahins vertrek, maar toen hij Bridget met zijn betoverende glimlach in de ogen keek wist ze dat ze hem gemist had. Frances zou het nooit begrijpen, dacht ze beschermend.

Tijdens Zahins afwezigheid was er genoeg stof naar beneden gedwarreld, en er viel weer een hoop op te ruimen. Zahin stortte zich op het huishouden alsof het huis onder handen was genomen door een bende rumoerige krakers. Bridget zat in haar oude eiken stoel – een koopje uit de Auvergne – en sloeg het gepoets en geboen liefhebbend gade. Zo grondig kunnen schoonmaken vereiste een zekere genialiteit. Het viel haar voor het eerst op dat hij het soort rubberhandschoenen droeg dat chirurgen gebruiken.

'Zahin, heb jij nagellak op?' Ze zag onmiskenbare rode plekken door het dunne rubber schemeren. Haar gedachten fladderden omhoog naar haar toilettafel en weer terug. Ze lakte haar nagels bijna nooit; alleen als ze bijvoorbeeld naar een huwelijk moest ofzo, en dan alleen nog maar transparant.

Zahin, die voorovergebogen onder de gootsteen aan het vegen was – wie haalde het nu in zijn hoofd om daar te kijken – gaf niet meteen antwoord. Toen hij sprak klonk zijn stem gesmoord.

'Dat doet mijn zusje. Ze probeert het eerst op mij uit voordat ze het op haar eigen nagels doet.'

Het leek Bridget verstandig hier maar niet verder op in te gaan. Zolang het kleine nest maar met haar tengels van haar spullen afbleef ging het haar verder niets aan.

'We moeten een feestje geven,' kondigde Zahin later, toen het hele huis naar de lavendelgeur van Pledge rook, aan. 'Om het te vieren. We kunnen Mrs. Michael uitnodigen.'

Wat een geniaal idee om zijn terugkomst te bestendigen door de vijand voor zich te winnen! Bridget feliciteerde hem inwendig en bood hem uitwendig vijftig pond aan om het feest te bekostigen.

'Nee, ik trakteer. Om het brutale gedrag van mijn zusje goed te maken.'

En dat was de enige toespeling op hun ruzie, op de bovenmenselijke properheid na die Mickey aantrof toen ze met Mrs.

Thatcher arriveerde, de haren keurig gespoeld en geföhnd, en met de Mickey Mouse-button die ze voor haar zeventigste verjaardag van de klanten van haar stamcafé gekregen had op de revers van haar blauwe mantelpakje gespeld.

'O Mrs. Michael, wat een beeldige broche.'

'Ga toch weg, jongen!' riep Mickey uit, en haar antipathie sloeg met grillig gemak om in verrukking. 'Ik moet zeggen, Bridget, het ziet er een stuk schoner uit dan de laatste keer dat ik hier was.'

De laatste keer dat Mickey kwam eten was de avond van de dag dat Peter voor het eerst godsdienstles had gehad van Pater Gerard. Pater Gerard was een lange, enigszins lompe man met wallen onder zijn ogen die hem iets decadents gaven. Misschien kwam het daardoor, of door zijn naam, maar de eerste keer dat Peter hem zag vond hij hem ongelooflijk veel op Gerard Depardieu lijken.

'Dus u komt om onderricht te worden,' had Pater Gerard gezegd. 'En mijn eerste vraag aan u is deze: Gelooft u?'

'Mijn God,' had Peter spontaan geantwoord, 'ik heb geen idee!'

Dat bleek het juiste antwoord te zijn. Pater Gerard straalde alsof Peter hem net een vette schenking had gedaan voor de missiepost in Zuid-Amerika, waarvan het werk op een veelkleurige kaart achter zijn hoofd werd geïllustreerd. Hij begon aan een introductie in de Katholieke kosmologie: deze aarde en de drie niveaus van de volgende – de hemel, de hel en het vagevuur.

Net zoals de naam van een clandestiene geliefde je voortdurend op de lippen brandt, zo had Peter het onderwerp die avond aan tafel ter sprake gebracht. Mickey at bij hen omdat ze een elektrisch fornuis had en de stroom uitgevallen was.

'Geloof jij in een leven na de dood, Mickey?'

Bridget was jus aan het maken, en Peter hoopte dat dit aan haar voorbij zou gaan.

'Er zijn twee soorten mensen, Peter: zij die geloven en zij die niet geloven – en ik behoor bij de laatste groep, maar mijn moeder was wel gelovig en voor haar heb ik altijd gehoopt dat ze het bij het rechte eind had – de schat.'

'Denk je soms dat dat iets uitmaakt?' had Bridget gevraagd toen ze plotseling met een lamsbout de kamer binnenkwam, 'Iets is waar of het is niet waar – of je nu wel of niet gelooft, verandert toch niks aan de feiten?'

'Er zijn twee soorten mensen...' zei Mickey nu weer.

Die zin kwam uit haar favoriete Clint-film: *The Good, the Bad and the Ugly*. Clint, 'the Good', zegt dat tegen Eli Wallach, 'the Ugly', op een kerkhof waar de buit begraven ligt, naast het graf van de vroegere eigenaar van het geld. 'Er zijn twee soorten mensen, mijn vriend,' zegt Clint dan, met die unieke stem van hem, 'zij die geweren hebben en zij die graven. En jij graaft!' Zelfs zonder de film te zien weet je uit de manier waarop het gezegd wordt wie het geweer bezit.

Ditmaal sloegen Mickeys woorden op het eten dat Zahin had klaargemaakt: ze gebruikte ze om aan te geven dat er mensen waren die zo doldriest waren dat ze vreemde spijzen wilden proeven en mensen zoals zij, die zich liever beperkten tot wat ze kenden – jammer, want Zahin had zichzelf overtroffen en Bridgets Franse boerentafel stond boordevol schotels met prachtig gerangschikt voedsel. Zahin vond een homp Cheddarkaas die hij raspte op Mickeys bord, en aanvulde met salade voor zover ze die durfde te proeven – tomatensla met-niet-zoveel-uien; die bonen zeker niet, en ook niet van dat spul dat op rijst leek maar het niet was. Mickey vond het maar niks dat ze zo lang niet bij Bridget gegeten had en dat ze niet eens een warme maaltijd kreeg.

Mickeys – of Clints – uitdrukking was voor Peter en Bridget een wachtwoord geworden, een van die zinnetjes die eerst intimiteit scheppen, en deze daarna instandhouden. En het gezegde heeft z'n waarde; in elke situatie zijn er wel twee soorten mensen – zij die dapper en zij die laf zijn, of onbezonnen en voorzichtig, of goed- en slechtgemanierd, en ga zo maar door.

Maar er bestaat nog een derde soort mens, die zowel dapper als laf is, zowel onbezonnen als voorzichtig, zowel goed- als slechtgemanierd, en over het geheel genomen komt die soort het meeste voor. Pater Gerards vraag aan Peter, en Peters antwoord erop, onthulde dit over hem: dat hij geloofde en tegelijkertijd ook weer niet. Daarover uitte Pater Gerard zijn oprechte voldoening.

'Dat bespaart me de tijd die het kost om eerst het geloof weg te ruimen en de twijfel daaronder te vinden, Peter. Nu weten we meteen waar we beginnen moeten.'

Pater Gerard stortte zich op een uiting van twijfel alsof het een scherf was van een zeldzame oude pot en hij een opmerkzame archeoloog, wiens taak het was om die te reconstrueren. Net als alle fanatici straalde hij een energie uit die zowel vermoeiend als aantrekkelijk was. Peter, die het merendeel van zijn leven in een waas van onzekerheid had geleefd, vond de bevlogenheid van Pater Gerard geruststellend, omdat die hem het gevoel gaf dat hij op de juiste weg was met zijn keuze om lid te worden van de katholieke kerk.

Er bestaat ook nog een vierde soort mens. Voor deze soort is dubbelzinnigheid in het gedrag niet alleen een gegeven, het is een waarheid waarvan hij of zij zelf doordrongen is. Dergelijke mensen weten van zichzelf dat ze, onder bepaalde omstandigheden, zouden kunnen heulen met de Nazi's, of een vriend beroven, of hun moeder vermoorden – of misschien ook niet; de tijd, en de situatie van dat moment zijn daarvoor bepalend. Dit inzicht brengt de persoon in kwestie zelden voorspoed of geluk, maar het betekent wel dat ze zeker niet te veel vertrouwen hebben in hun eigen meningen. Van de mensen die Peter overleefd hadden waren Bridget, noch Mickey, noch Zahin, noch Pater Gerard – die al helemaal niet!- zulke mensen. Frances misschien wel, en Peter zelf zeker ook; maar hij had er wel Pater Gerard – of liever gezegd, de procedure die Pater Gerard was toevertrouwd – voor nodig om hem dat duidelijk te maken.

Hoofdstuk 38

Frances had Bridget niet verteld dat ze vermoedde dat Zahins zusje de saffieren ring gestolen had. De ring behoorde nu eenmaal niet tot de veilige gespreksonderwerpen – en sinds Zahin weer bij Bridget was had Frances het gevoel dat die zich weer helemaal door hem liet inpakken. Dus over Zahins zuster zou ze ook wel geen kwaad willen horen. Trouwens, het lag niet in Frances' aard om zomaar iemand te beschuldigen. Ze was van plan geweest de ring om te doen naar de reünie, dus ze moest eerst maar eens nagaan of ze hem daar niet was kwijtgeraakt.

De stukgelopen avond met Ed Bittle was haar niet in haar koude kleren gaan zitten. Een frisse wandeling zou haar goed doen – het was trouwens de hoogste tijd om eens wat aan haar conditie te gaan doen, dus zo sloeg ze twee vliegen in één klap... Ze trok haar joggingpak aan en zette koers naar haar oude school.

Frances had niet verwacht dat er iemand zou zijn op zondag, maar ze zag tot haar genoegen dat de imposante voordeuren openstonden. Ze liep de trap op en zag een vrouw die de marmeren vloer aan het dweilen was – en werd zich er nu pas van bewust dat deze vloer vaak in haar dromen voorkwam.

'Hallo,' zei Frances. 'Neem me niet kwalijk dat ik zomaar kom binnenvallen.'

De vrouw staakte het dweilen en bekeek de binnenvalster van top tot teen.

'Geeft niet, liefje,' zei ze. 'Ik zou hier eigenlijk ook niet moeten zijn, maar mijn dochter is ziek en daarom kon ik gisteravond niet komen. Ze hebben hier een feestje gehad.'

'Dat weet ik,' zei Frances, 'want daar ben ik zelf geweest. Daarom ben ik ook hier – ik denk dat ik daar wat verloren heb.'

'Wat dan?'

'Mijn ring.' Frances tikte op de ringvinger van haar linkerhand. 'Met een vierkante saffier – hebt u hem gevonden?'

'Ik niet, liefje, maar ik ben er pas tien minuten. Is het je verlovingsring?'

Frances keek naar de zwaarberingde hand vol glinsterende, fonkelende briljanten die de steel van de dweil omklemde. 'Ja,' zei ze. 'Mijn verloofde heeft hem me cadeau gedaan voor hij stierf.' Zonde om zo'n tragedie niet te benutten.

'Wat vreselijk voor je. Als Claris hem vindt, zal ze hem zeker voor je bewaren. Hoe heet je, liefje?'

'Frances. Frances Slater.'

'Ga zelf maar gerust rondkijken, Frances. Claris zal haar ogen ook goed openhouden.'

Speurend naar een hoekje felblauw liep Frances de trap weer af, maar zonder succes. De kamer waar Susannah naar haar huid had geïnformeerd bleek al net zo leeg. Ook niks in de eetkamer, al kon je daar makkelijk wat over het hoofd zien. Ze liep naar de toiletten, waar ze haar handen was gaan wassen. Ze bevonden zich op dezelfde plek als vroeger, maar waren verbouwd tot wasruimtes die niet onderdeden voor die van een sjiek hotel. Ze betrapte zich erop dat ze afkeurend dacht: Is dat nou wel goed voor die jonge meisjes, al die luxe? Ze werd met de dag valser! Zelf had ze ooit met trillende hand in deze wasruimtes – voordat ze werden opgeknapt – eyeliner opgebracht voor haar afspraakje met Paul Madden, van de jongensschool. Paul Madden was de leider van een succesvolle rockband, en ze had toen maar wat graag ook zo'n spiegel gehad!

Ook in de wasruimtes was geen spoor van de ring te bekennen.

Claris was net klaar met het dweilen van het zwart-witte marmer toen Frances weer verscheen. Ze beloofde goed 'uit haar doppen' te zullen kijken en pakte Frances' telefoonnummer aan 'voor het geval dat'.

Iets waaraan je gehecht bent niet kunnen vinden, is nog erger dan het verliezen. Op weg naar huis probeerde Frances haar wanhoop van zich af te joggen, maar halverwege stopte ze bij een café om uit te puffen, en bestelde een *caffè latte*. Ze verlangde plotseling heel erg naar Peter. Hij zou het heel erg gevonden hebben van de ring, en haar hebben helpen zoeken. Het leek een slecht teken dat ze nu juist haar liefste aandenken aan hem moest verliezen – zou het een straf zijn voor het moment van zwakte met Ed…?

'Weet je, Peter, we zijn een verzwakte soort – we worden al misselijk als we aan straf denken! Maar toch moeten we ons de vraag stellen: als wij aan "straf" denken, waar denken we dan aan?'

Pater Gerard kon dat nu wel zeggen, maar Peter had in zijn leven al heel wat straf te verduren gehad. Zijn stiefvader was er een voorstander van geweest – een subtiele voorstander weliswaar, maar subtiliteit weerhoudt mensen er zelden van een ander pijn te doen, eerder het tegendeel. Zodra hij in de gaten kreeg dat Peter en zijn moeder dezelfde taal spraken en samen bepaalde grapjes deelden, begon hij op momenten dat Peter er onmogelijk bij kon zijn uitstapjes voor de andere kinderen te bedenken. Pantomimevoorstellingen, circussen en bootreisjes doemden op mysterieuze wijze op als Peter net bij een vriend was of moest rugbyen op school. Marcus – die later gevangenisdirecteur werd en daar zijn voordeel deed met deze lessen in onrechtvaardigheid – was te bijziend om goed te zijn in sport; Clare, de baby, was altijd wel beschikbaar voor spontaan opgekomen uitjes.

De gevolgen van deze voortrekkerij openbaarden zich pas later in Peters leven – Marcus en Clare stuurden allebei bloemen en een condoleance, maar ze kwamen geen van beiden op zijn begrafenis – maar op het moment leek Peter er niet echt onder te lijden. Hij legde zich erbij neer dat het plezier van anderen een bron van pijn was voor hemzelf. Niet het feit dat hij niet mee mocht naar de clowns, of de als vrouw verklede man, of de picknick bij de roeiwedstrijden deed hem pijn, maar wel dat hij opzettelijk werd buitengesloten, en het angstaanjagende machtsgevoel dat de man die hem buitensloot daaraan ontleende.

'Maar het vagevuur is niet iets exclusiefs, Peter,' opperde Pater Gerard, en zijn wat lijzige stem leek zoals altijd in tegenspraak met zijn gedrevenheid. 'Verre van dat. Op een paar gezegende zielen na die zo heilig zijn dat ze meteen klaar zijn voor de hemel, zullen de meesten van ons – en daar reken ik mezelf zeker ook toe – tijd nodig hebben om vergeving te verkrijgen voor onze pekelzonden, de zogenaamde veniale zonden – van het Latijnse woord venia, dat vergeving betekent.'

Vergeving was nu niet bepaald iets waar Peter zich tot nu toe erg mee bezig had gehouden. Je zou kunnen zeggen dat hij het zijn moeder 'vergeven' had dat ze hem in de kou had laten staan, maar zelf zou hij dat geen 'vergeving' genoemd hebben. Op zijn eigen ongecompliceerde manier die moderne psychologen altijd ten onrechte in twijfel trekken, hield hij van zijn moeder, en wist dat zij – om redenen die alleen zij kende – op haar beurt van zijn stiefvader hield. Hij begreep heel goed in wat voor moeilijk parket zij zich bevond. En wat het zelf 'vergeven worden' betreft: hij had er geen flauw idee van hoe dat zou voelen. En als je niet weet hoe het voelt om vergeven te worden, kun je zelf ook moeilijk vergeven.

Als Peter al terughoudend bleef omtrent zijn redenen om rooms-katholiek te worden, dan kwam dat omdat hij het zelf allemaal niet zo goed begreep. Hij legde nooit een expliciet verband tussen wat hij begonnen was, zijn ontmoeting met Atkins op de Brompton Road, het vage gevoel van zijn eigen verraad en de plek die de nonnen hadden ingenomen in Veronica's leven – dat zij volgens haar gered hadden. (Veronica had later van de nonnen gehoord dat ze, 'net als Mozes' gevonden was in een mandje – zij het niet in zo'n gezond biezen mandje als hij). Maar de herinnering aan Veronica was omgeven door een gevoel van schaamte – hij wist, of voelde, vaag dat hij zich verachtelijk gedragen had.

'Je moet het zien als iets liefdevols,' had Pater Gerard gezegd, met ogen die oplichtten met de bezieling van de hoop, 'een kans voor gewone, feilbare mensen om gelouterd te worden – en dat is wat het vagevuur betekent, Peter – een plaats waar je gelouterd wordt. Het is in wezen een verfijningsproces – een soort gigantisch spiritueel gezondheidscentrum, zo je wilt. En nog gratis ook. Voor het leven na de dood heb je geen creditcard meer nodig!'

Als Peter zich al ergerde aan de levendige eigentijdse vergelijkingen van Pater Gerard, dan liet hij dat nooit blijken. Hij werd te zeer in beslag genomen door zijn gevoel van opluchting over het idee dat wat je gedaan had in zekere zin weer ongedaan gemaakt kon worden. En hij liet zich geruststellen door de uitspraak van zijn leraar dat het vagevuur, waar dat zich dan ook bevond, vast geen plek was waar je wist dat de anderen dadelijk lekker naar het circus zouden gaan. Het was heel democratisch allemaal, zoals Pater Gerard voortdurend benadrukte.

'Ze maken de fout, die zogenaamde hervormers, dat ze het begrip domweg laten vallen omdat het niet in de schrift voorkomt. De Kerk bestond al lang voordat de schrift tot stand kwam. Dat vergeten de mensen! Je moet het zo zien, we zijn allemaal, stuk voor stuk, wel schuldig aan een vergrijp waarmee we nog helemaal niet klaar zijn. Vertel me eens, Peter, hoe kunnen we ooit in eeuwige zaligheid rusten als we niet de kans krijgen met onszelf in het reine te komen? Geef me daar maar eens antwoord op, Peter!'

❧

Soms borrelen er, als we toegeven aan de neerslachtigheid en ons daarin laten wegzakken, andere, luchthartigere stemmingen bij ons op. Frances dronk haar koffie en werd opgevrolijkt door een voorbijkomende oudere heer met een bolhoed en een rode roos in zijn knoopsgat – op weg naar een trouwpartij, wellicht? – die bij het passeren van haar tafeltje zijn hoed voor haar afnam en een nadrukkelijke buiging maakte. En Peter, die niet van caffè latte gehouden had en het dus nooit dronk, was erkentelijk voor dit gebaar van ouderwetse hoffelijkheid naar zijn geliefde.

Hoofdstuk 39

Normaal gesproken zou Bridget al lang weer vergeten zijn dat ze de bewoners van Merrow in een onbewaakt ogenblik voor een drankje had uitgenodigd. Maar ze zal er haar redenen wel voor gehad hebben om het te onthouden. Ze had reeds één lang weekend voorbij laten gaan, maar het komend weekend was het weer zover en dat leek een goed moment om de uitnodiging te herhalen. Maar het vooruitzicht om in haar eentje gastvrouw te moeten spelen stond haar kennelijk niet zo aan, of misschien had ze gewoon behoefte aan gezelschap; hoe dan ook, ze belde Frances.

'Heb je zin in een weekendje op het platteland?'

'Niet als Zahin meegaat!'

Door haar omgang met Bridget leerde Frances te zeggen wat ze dacht. Peter en zij waren daar geen van tweeën erg goed in geweest. Die ochtend in bed had ze nog liggen denken hoe weinig Peter eigenlijk voor zichzelf had verlangd.

Bridgets lach knalde door de telefoon. 'Maak je geen zorgen, Zahin blijft hier: hij voert een campagne om Mickey om zijn vinger te winden.'

Frances snapte niet hoe Bridget zo om kon gaan met wat in haar ogen je reinste manipulatie was. Ze kreeg bijna de indruk dat Bridget ervan genoot – erg vond ze het in elk geval niet.

Maar Frances begreep niet dat Bridget Zahins onderdanige gedoe bijna net zo amusant vond als een avondje naar de schouwburg.

'Let vooral op het verschil, Bridget,' had Zuster Maria Eustasia gezegd, 'tussen de Spelers – die Hamlet met open armen verwelkomt – en zijn zogenaamde vrienden die hem proberen te manipuleren.'

Nu ziet u eens wat u van mij maakt: een ding van niets. U wilt mij bespelen, u doet of u mijn kleppen kent, zegt Hamlet tegen

Rozencrantz en Guildenstern, die alleen maar doen alsof ze vrienden zijn, want in werkelijkheid spelen ze onder één hoedje met de moordende koning. En Hamlet had gelijk dat hij dat erg vond, had de jonge Bridget gedacht. *Het is net zo makkelijk als liegen*, zegt hij, alsof hij het verbaasde koppel uitdaagt om op hun blokfluit te spelen, terwijl hij ze alleen maar wil laten weten dat hij hun spel doorziet en dat hij doorheeft dat ze proberen hem te 'bespelen'. Maar de arme, niet al te snuggere Rozencrants en Guildenstern kunnen niet op tegen hun pientere medestudent. Ze vinden uiteindelijk de dood omdat ze het verschil niet begrijpen tussen eerlijk een rol spelen en sjoemelen met waarheid. Maar een mooie tekst is het wel...

Ze stond daarover te peinzen terwijl ze toekeek hoe Frances naarstig in de kastjes naar schalen voor de chips en de nootjes zocht. 'Nou, je hebt ook niet veel te eten voor ze meegebracht!'

'Dan blijven ze tenminste niet zo lang plakken!'

Zoals vaker gebeurt als mensen geconfronteerd worden met de gevolgen van een spontane uitnodiging, wenste Bridget dat ze er maar nooit aan begonnen was. Tijdens de stroeve ontmoeting met de Godwits had het haar een mooie manier geleken om het ijs te breken, maar sinds het uitstapje naar Ludlow hing er alleen nog maar meer spanning in de lucht. Ze had de schoorsteenveger gebeld en vernomen dat Corrie en haar man het laatste weekend van mei beschikbaar waren. Ze had ook dominee Bill Dark uitgenodigd, en haar buurvrouw, Mrs. Nettles, en de dokter en zijn vrouw, want het leek haar wel handig die wat beter te leren kennen.

En natuurlijk Frances. In een opwelling vroeg Bridget zich af wat Stanley Godwit wel van Frances zou vinden. Ze had een neus als een snavel, dus dat zou hem wel aanspreken.

Het was Frances inmiddels wel duidelijk geworden dat het helemaal van haar zou afhangen of het buurtfeestje een succes werd of niet. Bridget mocht het dan bedacht hebben, het zag er niet naar uit dat ze er ook maar een poot voor zou uitsteken. Ze was ineens een boek gaan halen en lag nu languit op de bank te lezen, met haar schoenen uit.

'Zal ik de kaas in blokjes snijden?' vroeg Frances, meer om

Bridgets aandacht te trekken dan om advies te vragen.

'Jasses, wat burgerlijk! Laat ze hun eigen kaas maar snijden, hoor!'

'Ook best,' zei Frances beledigd. 'Ik ga een bad nemen.'

Maar Bridget had het te druk met het herlezen van de scène uit het toneelstuk om haar te horen.

'Maar natuurlijk,' zei ze hardop tegen zichzelf. 'Nu zie ik pas dat het een keuze was van Hamlet. Hij kon kiezen wat voor soort geest het worden zou...'

Na afloop zei Frances dat het feestje een rampzalig idee was geweest van Bridget. Vader en dochter Godwit – met een nog rozer dan normale echtgenoot – arriveerden als apart groepje en bleven de hele avond aan elkaar klitten. Frances probeerde Corrie uit haar tent te lokken, maar kwam niet verder dan een moeizaam vraag-en-antwoordgesprekje dat alle sympathie in de kiem smoort. Corries man probeerde wel een praatje aan te knopen met de dominee, maar die had zich zodanig over de drank ontfermd dat elk glaasje dat bijgevuld moest worden via hem liep, zodat een ongestoord gesprek niet mogelijk was. Bridget, die het helemaal niet eens was met Frances dat je de mensen een beetje op gang moest helpen, deed geen enkele poging om sociaal te zijn. De doktersvrouw belde op om te zeggen dat haar man 'een koutje had gevat', waarop Bridget zich de opmerking liet ontvallen dat je daar tenslotte dokter voor bent. Stanley Godwit stond er stug en verlegen bij, en Mrs. Nettles was, in weerwil van haar netelige naam, een vriendelijke vrouw die niets te melden had.

Tegen het einde van de avond was Frances, die tweemaal de kamer rond was geweest, aan het einde van haar Latijn. En toen Bridget, nadat ze de gasten hadden uitgezwaaid, het idee lanceerde dat Mrs. Nettles gebukt ging onder een onbeantwoorde liefde voor Bill Dark, viel Frances dan ook tegen Bridget uit dat dit nu weer typisch zo'n misselijk fantasietje van haar was om andere mensen belachelijk te maken. Hetgeen Bridget op haar beurt geprikkeld had tot de opmerking dat het maar goed was dat een van hen tenminste nog een beetje fantasie had, want anders was die arme Peter gek geworden van verveling.

En dat was de druppel die de emmer deed overlopen – en misschien had Bridget het daar ook wel op aangestuurd. Frances trok zich terug in de net geïnstalleerde twijfelaar, waar ze ziedend van woede de nacht doorbracht.

Bridget lag ook wakker, maar niet van woede. Ze had er de hele avond naar verlangd verder te kunnen lezen in *Hamlet*. Lezen in bed was een gewoonte die ze in haar huwelijk met Peter geleidelijk aan had uitgebannen, en het was iets wat ze in haar huis in Fulham nog steeds niet graag deed. Maar hier, waar ze kon slapen wanneer ze wilde, las ze vaak tot het groene licht al door de dunne gordijnen begon te schemeren. Ze las met de opwinding van een geliefde...

In de offerzang van de oude Requiem-mis klinkt het verzoek op dat de ziel van de gestorvene bevrijd mag worden van de pijnen van een eeuwigdurende straf. 'Zoet', zo zegt een eminente autoriteit op dit gebied, 'is de troost van de stervende, die – zich bewust van zijn onvolmaaktheid – gelooft dat er anderen zijn om voor hem te bemiddelen als zijn eigen tijd om verdiensten te verwerven verstreken is; rustgevend voor de getroffen overlevenden de gedachte dat zij krachtige middelen bezitten om hun vriend te bevrijden.'

'Dit is een twistpunt,' had Pater Gerard met gefronst voorhoofd gezegd, 'en er wordt op dit moment menig debat aan gewijd, begrijp je, Peter – maar sinds de eerste Paters heeft de Kerk onderwezen dat de houding van de levenden een wending kan geven aan het hiernamaals van degenen die ons zijn voorgegaan.'

'Zoals ouders een wending kunnen geven aan de toekomst van hun kinderen?' Hij begon warempel al net zo te klinken als Pater Gerard!

'Precies!' Pater Gerards brede vollemaansgezicht straalde goedkeuring uit. 'Een liefhebbende pa of ma haalt voor het kind de hobbels uit de weg door 's werelds problemen. In onze smeekbeden voor de doden ontdoen wij hen van de last van hun zonden en sturen hen naar het eeuwigdurende licht – een gedeelde last is een halve last – de last verlichten, Peter, dat is onze opdracht. De Last verlichten!'

'Een gedeelde last is een dubbele last,' had Bridget soms gezegd, als Peter haar een enkele keer durfde te vragen waar ze aan zat te denken. Want haar momenten van bedachtzaamheid werden vaak veroorzaakt door Peters 'huisbezoeken', waaraan zij aanstoot nam. Dat was een van de dingen uit haar leven met Peter waar ze nu spijt van had. Ze wilde hem nu heel graag zien om hem vertellen waar ze aan dacht. Aan de katholieke leer over het hiernamaals bewaarde ze slechts wat vage herinneringen, maar wat haar nog wel bijstond waren de woorden van Zuster Maria Eustasia over de geest.

'Wat voor schepsel keert er nu in vredesnaam terug uit het graf met verhalen over zijn eigen zielenpijn? Is dat nu een liefhebbende vader, die zijn zoon opzadelt met zulk abominabel nieuws? Hamlet had niet naar hem maar naar de Speler Koning moeten luisteren. Dat is de ware tragedie van het verhaal, Bridget!'

Bridget was voor de tweede keer naar een *Hamlet*-uitvoering geweest toen ze in een hotel in Bath werkte. Ditmaal hoefde ze zich niet te verstoppen onder make-up. Ze had erheen kunnen gaan met Terence, de tweede sauskok in de keukens. Terence was verkikkerd op Bridget en had haar, toen hij hoorde dat het blonde Ierse meisje met de lach van poëzie hield, een purperen dichtbundel van Tennyson cadeau gedaan die aan zijn grootvader had toebehoord.

Bridget was niet erg dol op Tennyson maar ze had wel een zwakke plek voor Terence, die haar deed denken aan een giraffe, met zijn lange, magere lijf, zijn nerveuze vlekkerige huid en zijn adamsappel die als een pingpongbal op en neer danste in zijn spichtige hals.

Maar hoe dol ze ook op hem was, ze negeerde zijn bedekte toespelingen dat ze wel samen konden gaan – want ze had zich laten ontvallen dat ze op haar vrije avond naar de Koninklijke Schouwburg wilde – en dan daarna naar de Chinees…? Ze wilde zich onbekommerd kunnen concentreren op het stuk, zonder zich druk te hoeven maken over wat een ander ervan vond.

De zes maanden voordat ze in het hotel in Bath kwam werken had Bridget in Rouen doorgebracht, waar ze geleerd had van Franse dingen te houden. Een van de dingen waarvan ze was gaan houden was de filosofie van Jean-Paul Sartre geweest, die ze had opgepikt van een andere Jean-Paul, die werkte in een café waar Bridget ook minder abstracte dingen had opgedaan.

Jean-Paul had haar bekendgemaakt met het filosofische denkbeeld dat de mens geneigd is een rol te spelen. 'Kijk, Bridget, de kelner speelt *zichzelf.* Op die manier is hij *meer* dan alleen maar een kelner... Dat is nu juist zo briljant van Sartre!'

Bridget, die zelf op dat moment 'alleen maar' serveerster was, zag wel wat in dat idee. De filosofische denkbeelden van de twee Jean-Pauls en die van Zuster Maria Eustasia mochten dan nog zo uiteenlopen, ze hadden ook wel wat gemeen. Dat herinnerde ze zich toen ze in het Koninklijk Theater, voor de tweede keer, zat te kijken naar het toneelstuk in haar lievelingstragedie.

'De Muizenval' noemt Hamlet dat stuk. Die arme Terence had vreselijk gebloosd toen hij er – veel later, toen ze hem vertelde over haar avondje in de schouwburg omdat ze het goed wilde maken – achter kwam dat het niet het stuk van Agatha Christie was, dat zelfs in die tijd al eindeloos lang in Londen speelde...

Daar schrok het van, zoals een schuldig wezen van een gevreesde oproep...

Bridget schrok wakker. De haan op de boerderij van Mrs. Nettles kraaide – weer vroeg, want strikt genomen was het nog nacht. Het stuk had tijdens haar slaap doorgespeeld in haar hoofd – of, zo scheen het haar toe, rondgezworven tussen twee werelden: tussen de wereld van de haan van Mrs. Nettles en de haan die de geest doet neerdalen van tussen de Deense kantelen. Was dat waar Peter ook rondzwierf, in de ruimte tussen deze wereld en de volgende – of een van de volgende? In haar halfwakkere toestand zag ze vele werelden, die terugweken en vervaagden in de duisternis. Plotseling drong het tot haar door dat er twee geesten waren – of liever, twee illusies van de man die de Oude Hamlet was geweest: de gewapende geest, die op de kantelen van Elsinore verschijnt en zijn zoon opdraagt hem te wreken, en de Speler Koning, die de rol van Hamlets vader speelt. En voor het eerst overviel de gedachte haar dat zij misschien wel allebei schaduwen waren van de man die Hamlets vader geweest was, die elk een geheel andere manier boden om zijn dood te benaderen – zo anders dat je haast zou denken dat er twee soorten geesten voorkwamen in *Hamlet*.

Bridget ging rechtop in bed zitten en trok het geruite hemd van haar man om zich heen. Het verweerde rode boekje was op de grond gevallen, en haar vingers, die nog koud waren, bladerden door de rijstpapierdunne pagina's maar konden de juiste plek niet vinden. Hier stonden ze, de regels die Zuster Maria Eustasia altijd met zoveel smaak citeerde: *'t Is onvermijdelijk dat wij vergeten/ de schulden aan onszelve te voldoen*, zegt de Speler Koning, als zijn vrouw, de koningin, volhoudt dat ze hem trouw zal blijven tot in eeuwigheid. Maar het enige wat de geest op de kantelen wil is toch dat zijn vermeende schuld aan hem wordt afgelost? Oog om oog, tand om tand, een leven voor een leven – hetgeen aantoont dat je voorzichtig moet zijn met wat je vraagt – want uiteindelijk geeft zijn schepper hem dat zesmaal – achtmaal, als je de twee onafscheidelijken, Rozencrantz en Guildenstern, meetelt!

Bridget staarde naar de in duister gehulde hoeken van de kamer waar ze samen met Frances geslapen had op de nacht dat ze Farings betrok. Geen Peter te bekennen – ook niet in de gedaante van een geest. Ze had het gevoel dat ze voor het eerst achter de wandtapijten kon kijken met al die lagen die verschillende versies uitbeeldden van de werkelijkheid. Wat was het verschil tussen de denkbeeldige geest en de denkbeeldige Speler Koning op het toneel? Of tussen nabootsen en acteren? Of tussen liegen en de waarheid? Sterker nog, wat was het verschil tussen de levenden en de doden? 'Speelden' de levenden de werkelijkheid slechts? Maar in het leven bestond geen heldere, tastbare 'werkelijkheid', alleen keuzes, en als je koos trok je je

eigen versie van de werkelijkheid om je heen, als een kledingstuk, net zolang tot die paste en jouw speciale lot werd van
wraakzuchtig vader, overspelige echtgenote, verraden dochter,
vergoelijkende zoon... En dan werd dat tevens het lot van de
mensen in je naaste omgeving. Als Hamlet de Speler Koning
gekozen had als spreekbuis voor zijn vader, en de 'schuld' aan
zijn vader vereffend had, dan was Ophelia en haar vader – een
lastpak en een ouwe bemoeial, dat wel, maar de man deed geen
vlieg kwaad – Laertes, Gertrude, Claudius, ja zelfs de lichtelijk
absurde Rosencrantz en Guildenstern, om nog maar te zwijgen
van Hamlet zelf, mogelijk een lang – en zelfs welvarend? – leven
beschoren geweest. Allemaal mensen waar wel wat op aan te
merken viel, maar Hamlet merkt zelf al op dat weinigen van
ons een pak slaag zouden ontlopen als we allemaal kregen wat
we verdienden!

En de geest, zou die dan de weg door het vagevuur – waar
dat dan ook was – hebben afgelegd en terechtgekomen zijn bij
datgene wat erachter ligt? En wiens geest was dat nu eigenlijk?
Was het de geest van de Oude Hamlet of ook die van zijn zoon?
Misschien, dacht ze, was het wel geen van beiden, maar de
mogelijkheden die daartussen liggen. Want ze begon in te zien
dat er tussen mensen een oneindige hoeveelheid mogelijkheden
liggen die verwezenlijkt zouden kunnen worden. Waar lag
iemands verantwoordelijkheid jegens de doden? Volgens
Shakespeare leek het alsof het aan de levenden – de 'gezwinden'
– was om te beslissen...

Hoofdstuk 40

'Het spijt me,' zei Bridget eerlijk, 'dat ik me gisteravond zo honds gedragen heb.' Ze had Peters hemd uitgedaan, haar eigen Provençaalse kamerjas aangetrokken en was toen naar beneden gegaan, waar Frances in de keuken zat te ontbijten.

Haar excuus nam Frances de wind uit de zeilen. Hoewel ze niet strijdlustig van aard was, had ze de hele nacht een toespraak liggen instuderen die ze zelf zo fraai geformuleerd vond dat ze er niet zomaar afstand van kon doen.

'Ik wil je er *ten eerste* op wijzen dat je me zelf hier hebt uitgenodigd en *ten tweede* dat het jouw idee was om een buurtfeestje te geven!'

'Volkomen waar,' zei Bridget. 'Het was helemaal mijn idee. Mijn gedrag was beneden alle peil.'

Het is nooit leuk om verontschuldigingen te moeten aanvaarden voordat je woede is bekoeld. Frances had haar tas met de geborduurde appels, die ze gekocht had voor haar reisje met Peter naar Parijs, al ingepakt. Als ze nu naar boven ging om hem weer uit te pakken, dan zou ze dat voelen als een nederlaag.

'En,' zei Bridget terwijl ze naar Frances keek en probeerde niet te glimlachen, 'ik verwacht echt niet dat je me zomaar vergeeft omdat ik nou toevallig mijn excuses aanbied.'

Woede heeft haar eigen kracht. Frances knabbelde in stilte aan haar toast terwijl ze uit het raam naar de roeken keek die hun jongen oefenden in de kunst van de vrije val. Wat moest het makkelijk zijn om een vogel te zijn; je groeide volgens de wet van je eigen soort en hoefde je nooit druk te maken om hoe je leefde, om wat goed of slecht was – je ging gewoon door met leven, of je kwam in de buik van een havik terecht, of in een roekentaart.

Bridget keek naar Frances en vroeg zich af wanneer Frances

en Peter voor het laatst met elkaar naar bed waren geweest. De oude, nieuwsgierige Bridget had Frances graag van haar stuk gebracht door het haar gewoon te vragen. Maar ze moest zich gedragen; Peter had haar gevraagd op Frances te letten als hem iets overkwam.

De laatste keer dat Peter en Frances elkaar ontmoet hadden was in een restaurant aan Kew Green geweest, waar ze ruzie hadden gemaakt. Dat was pech, want ruzie was iets wat ze probeerden te vermijden.

Peter was te laat, en Frances, die daar meestal niets van zei, maakte een licht geïrriteerde opmerking.

Zoals ze naderhand zei hadden haar woorden, vergeleken bij het soort opmerking dat veel vrouwen onder die omstandigheden maken – en in haar geval ingegeven door een nimmer aflatende stroom slappe smoezen bij eerdere gelegenheden – weinig om het lijf. Maar het is vrij zinloos om je bij een ruzie te beroepen op wat anderen gezegd zouden hebben. Peter was, net als het gros van ons, blind voor zijn eigen zwakheden; hij beschouwde zichzelf als een man van de klok – als hij te laat was, kwam dat omdat de wereld hem dwarszat, in de vorm van verkeersopstoppingen, vertraagde treinen, lakse bussen etc. Frances, die zelden te laat was – hoogstens tien minuten, en daar zat ze dan enorm mee in haar maag – had de verzinsels van haar geliefde altijd glimlachend aangehoord. Maar zelfs Homerus sluimert weleens.

Elk mens heeft wel een tere plek die af en toe geraakt wordt; zo kon Frances er absoluut niet tegen onrechtvaardig behandeld te worden. Ze had een gesprek met een belangrijke kunstcriticus afgebroken – iemand die de reputatie van een tentoonstelling kon maken of breken – om op tijd voor haar eetafspraak met Peter in Kew te zijn. En ze had min of meer dezelfde verkeersdrukte gehad als Peter die avond. Dus om dan te horen dat het allemaal aan het verkeer lag en dat zij heus niet punctueler was dan hij, deed haar pijn. Het gevolg was dat ze hun maaltijd min of meer in stilte naar binnen hadden gewerkt.

En laten we eerlijk zijn, het feit dat Peter te laat was had maar zijdelings te maken met het verkeer. Hij was onderweg naar Kew nog even langs Zelda gegaan, waar hij niet langer dan vijf minuten had willen blijven, maar je weet hoe dat gaat, het bezoekje was uitgelopen tot midden in het spitsuur rondom Shepherd's Bush.

We kunnen het slechtst tegen kritiek als we zelf wel weten dat die terecht is. Peter had de neiging zachtjes te gaan neuriën of fluiten als hij uit zijn evenwicht werd gebracht. Bridget, die deze eigenaardigheid van hem wel kende, zou iets gevonden hebben om hem aan het lachen te maken – iemand die langskwam met een belachelijk kapsel, of een hond die op zijn baas leek – maar Frances, die een dunnere huid had, was sneller gekwetst. En toen ze Peter, kennelijk onaangedaan, 'Loch Lomond' hoorde fluiten was het hek van de dam.

'Ik ga naar huis,' zei ze toen hij haar een cognacje aanbood. 'Ik heb een gesprek afgebroken om hier op tijd te zijn en dat betekent dat ik morgen heel vroeg moet bellen.'

Dat was een leugen – de criticus was een beruchte langslaper, en met een vroeg telefoontje zou ze alle goodwill jegens de galerie verspeeld hebben.

Peter, die terecht voelde dat ze hem alleen maar op zijn nummer wilde zetten, zei, 'Best. Wil je nog een afspraak maken…?'

'Ach, het is nogal druk momenteel in de galerie,' zei Frances, met bloedend hart.

'Zal ik je dan over een poosje nog eens bellen…?'

'Ja, doe dat maar. Je weet me te vinden…'

Peter liet een grotere fooi achter op tafel dan normaal, om er zeker van te zijn dat hij tenminste nog door één mens op deze wereld gewaardeerd zou worden. Hij bracht Frances naar haar auto en ze gaven elkaar stug een zoen, met hun lichaam krampachtig op een afstand om elkaar maar zo min mogelijk aan te raken.

Frances wachtte een tijdje tot ze er zeker van was dat Peter vertrokken was voordat ze haar hoofd in haar handen begroef. Toen ze een paar minuten later opkeek schrok ze van Peters gezicht dat zich tegen het raampje aan drukte. Ze draaide het raampje naar beneden.

'Ja?'

'Ik hou van je, France.'

'Ik hou van je, Peter.'

'Doe dan niet zo belachelijk…' en met vliegende vaart waren ze naar het kerkhof gereden waar Frances haar rok (een wijde, gelukkig) had opgetild om over het hek te klimmen (hetgeen niet eens zo moeilijk was, misschien omdat de doden zich tenslotte ook niet laten weerhouden van hun zwerftochten door hoogte of scherpe punten).

Peter had haar opgevangen in zijn armen, en dat was de inleiding geweest tot het herstel van de breuk tussen hen, voor de milde, nietsziende blikken van de marmeren engelen.

☙

Bridget was bijna net zo moeilijk te shockeren als een marmeren engel. Toen Frances opstond om haar ontbijtboel af te ruimen in de keuken op Farings, tekende haar profiel zich een ogenblik af tegen het raam. Bridget keek naar haar en stak de sigaret die ze wilde opsteken weer terug in het pakje. 'Ga je spullen maar weer uitpakken,' zei ze zachtjes. En Peter keek, vanaf zijn gunstige positie tussen de tuimelende roeken, in liefhebbende goedkeuring neer op zijn vrouw.

Hoofdstuk 41

'Het spijt me, maar er is geen vergissing mogelijk. En ik schat dat u al ruim zeven maanden bent, al is er nog maar weinig van te zien.'

Miss Ellen Nathan had aluminiumgrijze, opvallend goed geknipte haren, en een uitstekende smaak op het gebied van oorbellen. Frances richtte haar blik nu op een daarvan – amberkleurig, met de skeletten van piepkleine, peperdure, oeroude vliegjes die door het stroopkleurige binnenste heen schemerden. Het eerste wat ze dacht was: Godzijdank dat ik niet met Ed Bittle naar bed ben geweest.

Onze spontane gedachten – niet noodzakelijkerwijs degene waarnaar we handelen – geven vaak het best onze emoties weer. De gedachte die daarop volgde was eigenlijk niet zozeer een gedachte als wel een gevoel van extase: Het moet Peters baby zijn!

Frances ging er al jaren vanuit dat ze onvruchtbaar was. Ze had altijd al een onregelmatige cyclus gehad en eigenlijk vond ze het heel gepast dat ze sinds Peters dood helemaal niet meer gemenstrueerd had – ze had dat trouwens nooit zo precies bijgehouden. Ze had zich wel vaag voorgenomen eens naar de gynaecoloog te gaan; de opmerkingen van Susannah – over HRT – op de reünie hadden haar ertoe gebracht een afspraak te maken.

'U hebt het lichaam van een veel jongere vrouw,' zei Miss Nathan. 'Ik verwacht niet dat u problemen zult krijgen. Natuurlijk zullen we een scan laten maken, maar we zullen ook een vruchtwaterpunctie moeten doen – '

'Nee,' zei Frances vastberaden. 'Dat wil ik niet. Wat die ook uitwijst, ik wil de baby toch.' Toen ze het woord 'baby' eenmaal had uitgesproken was het een uitgemaakte zaak – ze wilde geen woord horen over eventuele 'complicaties'.

'Uitstekend,' zei Miss Nathan. Haar amberkleurige oorbellen glansden goedkeurend. 'Gezonde vrouwen van in de veertig zijn het fysiologische equivalent van prehistorische vrouwen van in de twintig.' Frances vroeg zich af hoe ze dat wist. 'Al die moderne paniek is nergens voor nodig. Ik kan u wel een bed bezorgen in de particuliere kliniek waaraan ik verbonden ben, als u dat wilt – maar u bent net zo goed af in het reguliere ziekenhuis waar ik werk.'

'Daar wil ik graag even over nadenken,' zei Frances, die het gevoel kreeg dat ze een beetje onder druk gezet werd om het reguliere ziekenhuis te kiezen. Als het alleen om haarzelf ging vond ze het niet zo erg om betutteld te worden, maar dat werd anders nu ze Peters baby in zich droeg.

'Denk maar niet te lang!' zei Miss Nathan. 'We zullen een echo doen, maar ik vermoed dat u nog zo'n twee, hoogstens drie maanden te gaan hebt...'

De avond op het kerkhof, toen Peter Frances voor het laatst in zijn armen gehouden had voor hij zijn lichaam met tegenzin losmaakte van het hare, lag precies zeven maanden, twee weken en drie dagen achter haar. Hij had haar naar haar auto gebracht, waar ze afscheid genomen hadden – voorgoed, naar later bleek – en hoewel ze al zo vaak afscheid genomen hadden, had ze het gevoel dat ze zich dit afscheid niet alleen achteraf als een heel speciale gebeurtenis herinnerde. Ze had die avond voor het slapen gaan geen bad genomen omdat ze hem in zich wilde houden, en dat had uiteindelijk tot de onverwachte conceptie geleid.

De afspraak met Ellen Nathan vond 's ochtends plaats. Gelukkig lag er eerst nog een hele werkdag voor haar voordat ze zich over haar toekomst moest gaan buigen en plannen moest maken.

Toen ze weer terugkwam in de galerie had Roy een briefje voor haar achtergelaten: *Ben lunchen met Lady Kathleen bij de Gay Hussar. Painter heeft gebeld – bel jij hem even terug? – R.*

Als Roy zijn naam ergens onderzette voorzag hij het bovenste deel van de R graag van een glimlachend gezichtje, een gewoonte die Frances altijd mateloos irriteerde. Maar als er dramatische dingen gebeuren, heeft continuïteit vaak een geruststellend effect – en vanochtend was Frances bijna blij met de glimlachende R.

Ed Bittle scharrelde achterin de galerie rond; zo te zien was er iets met een van zijn keien gebeurd. (De keien bleken afkomstig uit een streek vlakbij Farings, en toen Frances dat aan Bridget vertelde, had die gezegd dat dergelijke toevalligheden heus niet zo zeldzaam zijn als mensen denken.) Ed had bijna elke dag wel een smoesje om naar de galerie te komen. Zijn werk verkocht goed, deels dankzij het feit dat Painter besloten had de jonge beeldhouwer zijn steun te verlenen en een ongekend lovend interview gegeven had waarin hij openlijk verklaarde dat dit een veelbelovend jong talent was. Dat artikel was de reden dat Roy wilde dat Frances Painter belde.

Frances besloot dat het beter was Ed niet te negeren, dus ging ze naar hem toe en vroeg of hij koffie wilde – zij nam zelf een kop kruidenthee. Hij kwam bij haar in het kantoortje waar zij de administratie deed en waar de ketel en een hele batterij verschillende drankjes zich bevonden. Roy dronk alleen maté, een of ander ondrinkbaar gezondheidsdrankje waar je zogenaamd stokoud mee werd. Frances dronk meestal Colombiaanse of Blue Mountain-koffie; en verder was er thee, Lapsang voor Lady Kathleen voor als ze eens binnen mocht vallen (wat ze nooit deed), Darjeeling voor de vriend van Roy, Typhoo voor Painter. Gelukkig waren er bovendien nog allerlei soorten 'gezonde' kruidentheeën, achtergelaten door de voorlaatste receptioniste met de vriend die drugshandelaar was geweest – en waarschijnlijk nog steeds was.

Frances zette een kop 'Rustgevende Thee voor Innerlijke Vrede en Harmonie' voor zichzelf. Misschien kwam het door de thee, maar ze voelde zich volkomen rustig tegenover Ed.

'Hoor eens,' zei Ed, en zijn gespannen, witte gezicht glom onder het meedogenloze elektrische licht, 'ik moet met je praten!'

'Prima,' zei ze. 'Ik heb nog het een en ander te doen, maar zullen we straks samen lunchen aan de overkant, bij Marie Rose?'

Er lagen nog rekeningen en een fax van een galerie in New York met wie ze wederkerige afspraken hadden voor tentoonstellingen; en ze moest Painter nog bellen. Het was nog geen twaalf uur, dus handelde Frances eerst de andere twee zaken af voordat ze, om kwart over twaalf, Painter belde.

Hij nam meteen op. 'Hallo?'

'Patrick,' zei Frances, 'Roy zei dat je me wilde spreken.'

'Waarom heb je verdomme niks van je laten horen?'

'Belde je daarom?'

'Bestaat er een betere reden?'

'Patrick,' zei Frances verdedigend, 'Ik heb je vorige week nog gezien.'

'Ja, toen je met dat joch bij me langskwam – hoe is het daar trouwens mee? Wat een beeld van een jongen.'

'Hij is terug naar Bridget,' zei Frances, 'en ik moet zeggen dat ik daar heel blij om ben.'

'Mocht je hem niet?'

'Hij heeft iets griezeligs. Mijn broer Hugh had wat hij noemde een "griezelmeter" – en daar had hij zeker een tien op gescoord.'

'Nou ja, hoe dan ook,' zei Painter, 'doordat hij erbij was heb ik geen woord met jou kunnen wisselen. Ik wil je iets vragen – kom zo gauw als je zin hebt bij me langs.'

'Hoe staat het met de *Sunday Sport?*' vroeg Frances.

Maar Painter herhaalde alleen maar dat hij haar gauw bij zich verwachtte.

Toen was het tijd om naar Marie Rose te gaan.

Ed stak met Frances de straat over en hield zijn lichaam zo ver van haar af als dat mogelijk was in een smalle, drukke straat in het hartje van Londen waar het verkeer slechts een heel smal paadje voor voetgangers openlaat. De opknapwerkzaamheden bij Marie Rose verliepen schoksgewijs. Om bij het enige tafeltje te komen waar je vrijuit kon praten moesten ze over wat planken heen stappen, hetgeen Frances, denkend aan het kleine stukje Peter in haar dat ze voor geen goud wilde kwijtraken, heel voorzichtig deed. Zij en Ed Bittle gingen tegenover elkaar aan de smalle tafel zitten.

'Wat drink jij?' vroeg Frances; ze had het gevoel dat zij de leiding moest nemen.

'Doe maar een cola.' Ed sprak als een veroordeelde die zijn laatste maaltijd bestelt.

'Plus wat te eten?' vroeg Frances opgewekt.

'Ja.' Grimmig liet Ed zijn blikken over de kaart glijden. Het eten bij Marie Rose was weinig inspirerend – eigenlijk alleen maar sandwiches en salades; vroeger was dat nog exotisch, maar tegenwoordig kon je dat soort dingen in de gewoonste bars en cafés in Londen krijgen. 'Een sandwich met rundvlees.'

'Met mosterd?'

'Mij best.'

'Engelse of Franse?' hield Frances aan. Ze voelde een soort paniek bij de gedachte dat ze het over minder alledaagse dingen moesten gaan hebben.

'Engelse, geen Franse. Maakt ook niet uit.'

'Ed,' zei Frances nadat Marie Rose hun bestelling opgenomen had. 'Hou alsjeblieft op met dat tragische gedoe – je kent me nauwelijks!'

'Wat heeft dat er verdomme mee te maken – sorry.'

'Dat heeft er alles mee te maken,' zei Frances, die zich zekerder van haar zaak voelde nu het onderwerp eenmaal was aangesneden. 'Om te beginnen ben ik zwanger.'

Ze was niet van plan geweest dat aan Ed te vertellen, maar zoals zoveel wat je niet van plan bent, was het haar gewoon ontglipt. Nu zag ze dat ze hem, zonder het te willen, een valse indruk gegeven had.

Eds gezicht lichtte op dramatische wijze op. 'Waarom heb je dat niet gezegd!'

'Zoiets zeg je nu eenmaal niet zo makkelijk.'

Soms lijkt de waarheid wel erg onbarmhartig. Frances zag dat de valse indruk haar goed van pas kon komen; Ed voelde zich voornamelijk beroerd omdat ze hem afgewezen had, en niet zozeer omdat hij diepere gevoelens voor haar koesterde. 'Maar ik wilde het je nu vertellen zodat je weet dat het niets met jou te maken heeft…'

Eds gezicht was wonderbaarlijk rood aangelopen. Zijn

dunne huid wisselde zo snel tussen rood en wit dat hij leek op de huid van de geliefde van een van de mindere Elizabethaanse sonnetdichters.

'Kut! Het moederschap is het mooiste wat er bestaat! Mag ik je tekenen als de baby komt?' Hij sprak met het vuur van de kunstenaar, en even betreurde Frances het dat het kleine, teergevormde leventje in haar andere wegen afsloot. Ed was een aardige jongen en op een dag zou hij het juiste meisje gelukkig maken.

'Kunnen we niet,' ging Frances door, 'gewoon alleen maar vrienden zijn?'

Waarom zeg ik nu 'alleen maar', dacht ze toen ze de straat weer overstaken – ditmaal met Eds hand stevig om haar elleboog – want een echte vriend is meer waard dan wat dan ook.

En denkend aan vrienden: het volgende probleem was hoe ze het Bridget zou vertellen. Ze moest dat meteen doen. Frances draaide het nummer in Fulham en kreeg Patrick aan de telefoon.

'Patrick! Ik wilde iemand anders bellen!'

'Hoe kun je, terwijl je wist dat ik je wilde zien?' Painter klonk oprecht chagrijnig.

'Ik wilde jou pas bellen als ik de lastigste telefoontjes gepleegd had.'

'Niemand is lastiger dan ik,' zei Painter, die er zelden ver naast zat.

Hoewel het voor de meeste mensen al lang en breed etenstijd was toen ze in Isleworth arriveerde, bood Painter haar thee met koekjes aan. 'Nee dank je, ik drink geen caffeïneproducten meer.'

'Je bent toch zeker niet op zo'n walgelijk dieet?' vroeg Painter mild. 'Ik heb net wat over zo'n dieet gelezen in de *Sunday Sport*. Klonk mij in de oren alsof je alles wat je lekker vindt opgeeft waardoor je je vervolgens zo rot gaat voelen dat je jezelf een kogel door je kop jaagt. Niet dat ik daar een excuus voor nodig heb...'

'Problemen met schilderen?' vroeg Frances. Ze was blij dat ze niet hoefde uit te leggen waarom ze geen caffeïne meer dronk.

'In zekere zin,' zei Painter geheimzinnig. 'Kom maar eens kijken.'

Een van de schildpadden, die een voorliefde had voor de ruimte waar Painter altijd schilderde vanwege het licht, zat luidruchtig te knabbelen aan een blaadje sla. Ginger, zo te zien – want het vrouwtje was iets groter dan het mannetje.

'Ze heeft eieren gelegd, en is nu bezig weer op krachten te komen,' knikte Painter naar de gespikkelde, smakkende schaal. 'Zeven stuks, dus binnenkort hebben we jonkies.'

'Waar legt ze die dan?' vroeg Frances, met een nieuwe belangstelling voor de voortplantingsgewoonten van alle soorten.

'In de tuin. Ze begraven ze – ik graaf ze op en leg ze in zand in een van moeders bloempotten, en die zet ik dan in de linnenkast.'

'En hoe lang is de draagtijd?'

'Acht weken. Wanneer ben jij uitgeteld?'

Frances, die stond te kijken naar een groot doek waarop een reeks lila en crèmekleurige vierkantjes het tweedimensionale vlak verdeelde in achterwaartse driedimensionale bogen, voelde een elektrische schok van haar kruin naar haar voetzolen gaan. 'Hoe wist je dat?'

Painter keek haar vol in het gezicht. In zijn groene ogen, die een tikkeltje scheef stonden ten opzichte van elkaar, blonk een lach. 'Ik schilderde al vrouwenlijven toen jij nog niet eens wist waar die goed voor waren. Ik zag het al de voorlaatste keer dat je bij me was.'

'Maar toen wist ik het zelf nog niet eens!'

'Tja, eh, dat vroeg ik me toen al af...'

Met het schilderij bleek achteraf eigenlijk niets aan de hand te zijn. Frances at met Painter en zijn moeder aan een bridge-tafeltje in de serre. Ze aten plakken ingeblikte ham uit Denemarken, tomaten en radijsjes uit Mrs. Painters tuin, en kommommer met een romige saus uit de winkel op de hoek. Als toetje hadden ze mandarijnenpudding, maar die sloeg Frances af. Ook de ambrosia-rijst uit blik, die volgens Mrs. Painter zo goed was voor de botten van de baby, sloeg ze af; wel nam ze een driehoekje smeerkaas in zilverpapier, iets wat ze al vanaf de kleuterschool niet meer gegeten had. Painter stond haar geen alcohol toe, al verzekerde Frances hem dat Miss Nathan uit Upper Wimpole Street gezegd had dat een glaasje witte wijn absoluut geen kwaad kon.

'Dokters zijn niet te vertrouwen,' zei Painter. 'Waar ga je trouwens bevallen?'

Frances zei dat ze besloten had naar het plaatselijke ziekenhuis te gaan, dat een goede reputatie had en waar Ellen Nathan een praktijk had. 'Zij wil graag dat ik daarheen ga en ik heb zelf ook het gevoel dat je daar beter verpleegd wordt. Ik voel me lekkerder tussen gewone mensen.'

Painter zei dat hij dat verstandig van haar vond; 'die rijkelui', zei hij, die wilden geen pijn hebben en kregen daarom te veel medicijnen. En hoewel hij zelf goed was voor een paar miljoen, dacht ze toch niet dat hij zichzelf tot die groep rekende.

Hoofdstuk 42

Bridget mocht dan wat afwezig zijn geweest tijdens het avondje voor de buurt, maar ze had haar gasten wel goed gadegeslagen. Het leek haar verstandig om Stanley Godwit met rust te laten, maar ze had zich wel met zijn weinig mededeelzame dochter bemoeid.

'Ik heb je nooit gevraagd wat je eigenlijk doet?'

Cordelia had haar verteld dat ze vroeger accountant was geweest, maar dat ze nu inspecteur bij de belastingen was.

'Goeie genade,' had Bridget uitgeroepen, 'ik dacht altijd dat het andersom was.'

'Wat?'

'Nou, dat je eerst inspecteur bij de belastingen werd en dat je dan met de kennis die je daar had opgedaan de mensen ging vertellen hoe ze de belasting moesten ontduiken.'

Maar dat had ze niet moeten zeggen.

'Mensen vertellen hoe ze de belasting moeten ontduiken? Dat zou iemand die bij de belastingdienst heeft gewerkt nooit doen.'

In *King Lear* gaat het laatste wat we over Cordelia horen over de frons in haar voorhoofd. Haar naamgenoot leek met deze zelfde eigenschap behept te zijn.

'Nou, mijn belastingadviseur wel hoor, tenminste, dat hoop ik!' ging Bridget onverschrokken verder. 'Ik heb een hele aardige jonge vrouw, Saskia, ongeveer net zo oud als jij.' Cordelia keek alsof ze elk moment het adres zou kunnen vragen van die verderfelijke vertegenwoordigster van haar voormalige beroep, dus stuurde Bridget het gesprek een andere richting uit. 'En je man, de psychoanalyticus. Wat een fascinerend beroep lijkt me dat, gekwelde geesten uit elkaar rafelen.'

'Hij is geen psychoanalyticus, hij is psychiater,' zei Cordelia. 'Is dat iets heel anders dan?'

'Totaal anders,' zei Cordelia en vroeg waar ze de wc kon vinden.

Frances was al weer terug naar Londen toen Stanley Godwit de volgende ochtend op de stoep stond.

'Leuke avond, gisteren.'

'Dat meen je niet,' zei Bridget. 'Ik ben een slechte gastvrouw.'

'Corrie zei dat ze zo leuk met je gepraat had.'

Bridget, die dat betwijfelde, vond het nodig hem een kop thee aan te bieden. Zuster Maria Eustasia's *Hamlet* lag open op het tafeltje bij de bank, en toen ze terugkwam uit de keuken met twee mokken thee zat de schoorsteenveger erin te lezen. Hij legde het boek neer en merkte op dat er een godheid was die onze bedoelingen vormgeeft, hoe grof wij die ook schetsen.

'Geloof je daarin?

Het was haar al eerder opgevallen dat hij met zijn ogen knipperde wanneer hem een directe vraag werd gesteld.

'Het ligt voor de hand.'

'Ik vind het geen prettig idee dat alles al voor ons beslist is.'

'Shakespeare zegt toch "vormgeeft", en niet "maakt"? Dat is niet hetzelfde als voor ons beslissen.'

Bridget wou dat ze cake had. Er waren nog wat slap geworden kaascrackertjes over van gisteren, de rest was allemaal naar binnen gewerkt door Bill Dark. Het leek niet waarschijnlijk dat ze het met hem ooit over predestinatie zou hebben. 'Is het echt je vrouw die je dochter Cordelia genoemd heeft?'

Stanley Godwit pakte het boek op en bladerde het door, alsof hij het antwoord zocht op haar vraag. 'Eigenlijk was het mijn idee.'

'Ik heb zelf geen kinderen,' zei Bridget, 'maar ik weet niet of ik een kind had durven noemen naar iemand die zo afschuwelijk aan haar einde gekomen is.' Het leek net alsof ze alleen maar dingen kon zeggen waarmee ze hem voor het hoofd kon stoten.

'Ik weet wat je bedoelt,' zei Stanley Godwit onverstoorbaar, en nam een slok thee. 'Maar dat hangt van je eigen houding af – je krijgt het gevoel dat Cordelia het niet erg vindt om dood te gaan. Ze kent geen vrees! Corrie is ook een dappere. En dat pleit voor iemand, zou je kunnen zeggen.'

Peter had de dood altijd al half verwacht, hetgeen niet wil zeggen dat hij erop zat te wachten. Toch had het vooruitzicht ook iets aantrekkelijks – hij zou niet precies hebben kunnen zeggen wat, misschien was het de afwezigheid van verantwoordelijkheid die de dood met zich meebracht. Maar Pater Gerard bracht daar verandering in.

'Het leven houdt niet op bij de dood, o lieve hemel nee,' riep hij uit terwijl hij voorover leunde in zijn stoel alsof hij in eigen persoon de houding wilde demonstreren die nodig is voor het leven hierna. 'We zouden zelfs kunnen stellen dat de dood pas het begin is!'

Peter aanvaardde deze nieuwe ordening der dingen met de inschikkelijkheid die hem eigen was. Als hij het verlies al betreurde van een plek waar je van al je verplichtingen ontslagen werd, dan gaf hij dat in elk geval niet toe tegenover zijn leraar. Wel dacht hij af en toe bij zichzelf dat Pater Gerard het, met zijn gespierde, stimulerende taal, heel goed zou doen als coach van het nationale rugby-elftal,

'Weet je, Peter, we sterven in de volle omvang van al onze vergrijpen, maar onze ziel wordt, door een gestaag louteringsproces – en door de gebeden en daden van degenen die we achterlaten, natuurlijk – gezuiverd van zonden. Je kunt het vergelijken met – ' Pater Gerard haperde even – 'ja, je kunt het vergelijken met een tafelkleed dat de vlekken draagt van te veel goede diners, en dat telkens opnieuw gewassen wordt in een eeuwige wasmachine!'

Pater Gerard legde uit dat er, behalve pekelzonden, nog andere zonden waren. Zo was er de doodzonde, waarvoor kennelijk meer nodig was dan de eeuwig wassende wasmachine. En dan had je ook nog de zonde die louter bestond uit het geboren worden. Over die zonde was Pater Gerard niet minder enthousiast.

'De erfzonde, of de zonde van onze oorsprong, onze eerste pa en ma. Ik zeg altijd maar zo,' en het vollemaansgezicht bereidde zich voor op een geintje, 'iedereen begaat hem zelf, dus wat is dat voor een erfenis? Eigenlijk is het een doodgewone zonde!'

Peter had zich misschien weleens afgevraagd of Zelda een doodzonde was. Maar meestal verdrong hij dat soort gedachten. Zelda zelf werd niet geplaagd door wat voor morele vragen dan ook, hoewel Peter haar eens over Frances had verteld.

'Heb je behalve mij nog een liefje?'

Het mooie aan een hoer is, dat je niet tegen haar hoeft te liegen. Toch was Peters antwoord in zekere zin een leugen, want in het beeld dat hij schetste kwam Bridget helemaal niet voor. 'Ik heb een minnares – ze heet Frances.'

'En ze is mooi? En je houdt van haar?'

'Niet zo mooi als jij – maar, ja, ik hou van haar.'

Misschien zei Peter niets over Bridget uit een soort zelfbescherming. Of misschien had hij het gevoel dat een minnares en een hoer in wezen iets gemeen hadden en dat hij dus geen verraad pleegde door hun bestaan te onthullen. Of misschien kwam het doordat hij zo letterlijk van aard was dat hij alleen antwoord gaf op Zelda's vraag, want het is waar dat 'liefje' meestal niet betekent 'vrouw'.

'De zonden van het verzwijgen tellen even zwaar als de zonden die je begaat,' had Pater Gerard hem meegedeeld. 'Als je je inkomen niet opgeeft aan de belastingdienst is dat volgens de wet diefstal, net zo goed als wanneer je iets zou stelen in een warenhuis.'

Peter had nooit de behoefte gevoeld om iets te stelen in een warenhuis, en zijn belastingformulieren werden ingevuld door een knap meisje dat Bridget ergens had opgeduikeld en vertoonden voor zover hij wist geen gebreken die onthuld dienden te worden. Maar hij voelde zich wel schuldig over het feit dat hij Zelda niet verteld had dat hij een vrouw had.

Dat schuldgevoel gold niet zozeer Bridget als wel Zelda zelf – of meer nog misschien de rol die ze voor hem was gaan spelen.

Filosofen hebben zich vaak de vraag gesteld of de bron van de verwondering ligt in degene die waarneemt of in dat wat waargenomen wordt. Peter was geen filosoof en probeerde dit kunstmatige onderscheid niet te maken. Zelda had hem een gevoel van verwondering terugbezorgd dat hij pas eenmaal in zijn leven ervaren had – met Veronica. Daarom was Zelda voor hem, wat ze ook was, fantastisch.

Het besef van dit kostbaars werd overgedragen aan het leven zelf. Voor het eerst had Peter het gevoel dat hij echt wilde leven, en dat was een geheel nieuwe sensatie voor hem. De driehoek die zijn verbeelding vormde als hij de liefde bedreef met zijn vrouw of zijn minnares was verschoven; in plaats van Veronica was het nu Zelda die hij altijd voor ogen had.

Toen hij Zelda ontmoette was hij inmiddels lid van de Katholieke Kerk, maar de woorden van Pater Gerard kwamen nog vaak bij hem boven.

'De drie-eenheid is een groot mysterie – misschien wel het grootste dat er is,' had Pater Gerard beweerd. 'God in drie personen, als de verschillende smaken van een Italiaans ijsje, Peter – aardbeien, pistache en chocola, elk met een uitgesproken eigen smaak en toch elk een wezenlijk deel van het hele ijsje…'

Peter deed zijn uiterste best, maar zelfs hij kon zich weinig voorstellen bij dit beeld van zijn behulpzame leraar; de associatie met ijswafels lag te dicht bij de andere soort wafel die hij bij de Mis proefde en waarin, zo zei men, het wezen van het lichaam van zijn Heiland sluimerde. Het was maar goed dat zijn onvermoeibare meester nooit te weten kwam wat Peters eigen model was voor de drieledige aard van zijn God: de samengevoegde personen van zijn drie sterfelijke geliefden – Bridget, Frances en Zelda.

'Om diezelfde reden houd ik ook van Donne,' zei Bridget. Ze zat nog steeds met Stanley Godwit over Shakespeare te praten. 'Hij had ook begrip voor menselijke zwakheden. Zelfs als Deken van de St.-Paul vond hij het nog nodig zichzelf te blijven voorhouden dat ook hij menige vrouw van haar slipje had ontdaan.'

Ze had een tweede pot thee gezet. De schutterigheid van de vorige ontmoetingen was helemaal verdwenen.

'Droegen ze toen al slipjes?' Stanley Godwits ogen waren net zo grijsblauw als de Ierse zee. Denkend aan de dag dat hij haar het rotspad afgeholpen had, liet ze haar blik over zijn handen glijden.

'Hoe komt het dat je zoveel van poëzie afweet?' vroeg ze maar gauw, hoewel ze dat eigenlijk ook echt wilde weten.

'Ik ben schoolinspecteur geweest voor Engels, maar daar heb ik de bruid aan gegeven toen het Nationale Curriculum werd ingesteld. Mijn vader was schoorsteenveger – hij heeft me het vak al geleerd toen ik nog een kind was. Het is een schoon beroep, vergeleken bij de meeste andere.' De harde handpalm vouwde zich om haar zachtere.

'Net als Matthew Arnold? Zoetheid en licht?'

'Ik betwijfel of Arnold een goede schoorsteenveger geweest zou zijn. Maar hij was wel een goede schoolinspecteur.'

Later zei Bridget, 'Je kunt de heuvels zien van hier, door de iepen. Housmans heuvels. Hij had gelijk dat ze blauw zijn.' Het schuldgevoel leek verdwenen.

'Arme kerel,' zei Stanley Godwit en trok zijn sokken aan. 'Om zo ingehouden te moeten leven.'

'Je bedoelt zijn seksualiteit?'

'Ik bedoel, houden van die jonge hoe-heet-ze-ook-weer en dat niet eens kunnen zeggen.'

'Ik vraag me af of het er echt toe doet van *wie* je houdt,' zei Bridget mijmerend. 'Zolang je maar *van* iemand houdt. Denk je ook niet?'

Hoofdstuk 43

Het bleek makkelijker dan ze verwacht had om Bridget te vertellen over de baby.

'Ja, ik heb het op Farings al gezien.'

Had iedereen gezien dat ze zwanger was behalve zijzelf? 'Waarom heb je niks gezegd?' vroeg Frances geërgerd.

''t Is mijn zaak niet. Ik neem aan dat het van Peter is?'

'Ik zou niet weten van wie anders, tenzij het een Onbevlekte Ontvangenis is geweest.'

Bridget snoof bedenkelijk en bood Frances koffie aan.

'Nee, dank je, voor mij geen caffeïne meer.'

'Ik hoop dat je niet opeens een gezondheidsfreak gaat worden?'

'Tot de baby er is wel, denk ik,' zij Frances, een beetje stijfjes.

Ze zaten bij Bridget in de keuken. Frances had in vredesnaam de stoute schoenen maar aangetrokken en was bij haar langsgegaan. Bridget leek opmerkelijk ontspannen. Maar bij Bridget was dat moeilijk te zeggen; ze kon van het ene moment op het andere opvliegen en je kop afbijten.

'Waar is Zahin?' vroeg Frances even later. Ze hoopte dat ze hem niet hoefde te zien.

'Naar zijn zusje, geloof ik.'

'Heb je haar al ontmoet?'

'Nog niet, nee,' zei Bridget. Ze had moeite haar aandacht bij het gesprek te houden want ze was met haar gedachten bij Stanley Godwit; om daar fatsoenlijk – of liever, onfatsoenlijk – van te kunnen genieten moest ze Frances zo snel mogelijk de deur uit werken.

'Nou, dan ga ik maar weer,' zei Frances, die zich lichtelijk verslagen voelde maar niet precies begreep waarom.

Maar op dat moment ging de bel; het bleek Marianne te zijn,

die een stel beschilderde kasten kwam afleveren. Bridget werd ineens ongewoon sociaal, want ze besefte wel dat ze Frances het gevoel had gegeven dat ze niet welkom was.

'Marianne, dit is mijn vriendin Frances – ze is in verwachting. Weet je wat – we laten Marianne een speciale kast voor kinderspeelgoed beschilderen – daar is ze goed in, met bladeren en madeliefjes enzo.'

Marianne moest en zou de kristallen hanger om haar nek boven de buik van Frances laten bungelen.

'Een jongetje,' kondigde ze aan. 'Met de klok mee is een jongetje, tegen de klok in een meisje – ik heb nog nooit meegemaakt dat het niet uitkwam. Hoe ga je hem noemen?'

'Daar heb ik nog niet over nagedacht,' zei Frances. Ze had nadrukkelijk gevraagd haar bij de uitslag van de scan niet te vertellen of het een jongetje of een meisje was.

'Hoe wil zijn pappie hem noemen?'

Bridget was bang dat Frances zou denken dat ze dat met opzet zei en vroeg, 'Marianne, kun je de volgende zending op tijd klaar hebben, voor eind juli?' Dat had het gewenste effect: een stortvloed van excuses maakte korte metten met de aandacht voor de vader van Frances' baby.

'Luister,' zei Bridget toen Marianne eindelijk was vertrokken met de belofte dat ze het beschilderde meubilair niet later dan augustus – dat werd dus september – af zou hebben – 'Als ik jou was sloeg ik me hier nu maar in één klap doorheen. Je bent er nou toch, dus waarom vertel je het niet meteen aan Mickey…?'

De theebladeren in Mickeys kopje wezen uit dat het zonder enige twijfel een meisje werd. 'Mijn moeder, moet je weten,' zei Mickey, 'mijn moeder zwoer bij theebladeren. Ze breide een complete roze garderobe voor me toen ze mij verwachtte. Hetzelfde geldt voor mijn broer, Sean – alles in het blauw: de theebladeren liegen nooit.'

'Hetgeen betekent dat ofwel de kosmologie van Marianne of die van Mickey een deuk oploopt,' zei Bridget toen Frances het haar vertelde. 'Tenzij je een gemengde tweeling krijgt?' Maar Frances wist dat dat niet het geval was.

'Daarvoor ben ik te weinig aangekomen en bovendien zouden ze me dat verteld hebben toen ze de scan maakten.' Zelf voelde ze dat Marianne gelijk had en dat het kind dat ze droeg Peters zoon was; maar uiteindelijk had iedereen die het geslacht van een baby raadde natuurlijk vijftig procent kans!

Toen Zahin zondagochtend thuiskwam was hij enthousiast over het nieuws. 'O Mrs. Hansome, een baby, wat een wonder!'

'Nou, dat niet, Zahin. Ik weet zeker dat de baby op de gebruikelijke wijze tot stand is gekomen.'

Bridget had nooit de moeite genomen zich een beeld te vormen van het leven dat Zahin leidde als hij niet bij haar aan het huishouden was. Hij had het nooit over vriendinnetjes, en er was ook niets dat er op wees dat hij met meisjes omging, op de ongrijpbare Zelda na. Het was heel goed mogelijk dat hij niet eens wist waar de meeste mannen en vrouwen zich graag samen mee bezighielden. Of misschien vond hij het gewoon fijner om bij oudere vrouwen te zijn? Hij en Mickey waren in elk geval heel verknocht aan elkaar geraakt.

De reden daarvan was dat Zahin bezig was met een project; hij hoopte Mickey over te halen om met hem een broodjeszaak te beginnen, en had al inlichtingen ingewonnen over een vergunning bij een aantal plaatselijke kantoren. Als dat iets werd, hoefde hij misschien zijn studie voor scheikundig ingenieur niet af te maken. Hoewel hij, op zijn manier, dol was op Bridget, juichte hij het toe als ze naar haar weekendhuis ging en hij het huis voor zichzelf had. Dan experimenteerde hij wat met Zelda's haren of haar make-up, er was ook weinig anders wat ze daar doen konden; sinds die toestand met de sjaal paste hij er wel voor op dat Zelda geen kleren van Mrs. Hansome meer aantrok.

Frances was blij dat Zahin er niet was toen ze bij Bridget op bezoek ging. Haar houding ten aanzien van de jongen was uitgegroeid tot een duidelijke afkeer. Ze bleef achterdochtig over de rol die zijn zusje gespeeld had bij het verdwijnen van de saffieren ring – en als je iemand al niet zo mag, dan maakt wantrouwen dat er natuurlijk niet beter op!

Lindsey, de secretaresse van de Reünistenvereniging, had op haar antwoordapparaat ingesproken dat er een marcasieten broche in de vorm van een poedel gevonden was – was dat waar Frances naar op zoek was? Verder niets. Ook geen bericht van Claris, maar dat had Frances ook eigenlijk niet verwacht.

Bij thuiskomst van haar bezoek aan Bridget had Frances een heel onbevredigd gevoel, en ze was blij toen Lottie haar belde om te vragen of ze nu misschien zin had in het beloofde uitje naar het huis van Hogarth.

Lottie was gepast geïnteresseerd in de baby.

'Wie is de vader? Zeg maar niks als je dat niet wilt – ik ben ooit zwanger geweest van een fagottist maar dat heb ik weg laten halen.'

Misschien omdat Lottie iemand was die zichzelf opzettelijk in een kwaad daglicht zette – en het tegenovergestelde is zo vaak waar – vond Frances deze onsentimentele benadering van de beëindiging van het leven niet storend. De twee vrouwen liepen onder de kastanjebomen waar Peter had gelegen met Zelda's arm op zijn borst en zich zo gelukkig had gevoeld als een koning – gelukkiger waarschijnlijk, want koningen staan – tegenwoordig althans – niet bepaald bekend om hun geluk.

'Beloof me dat je bij mij komt als je ooit in de problemen komt,' smeekte Peter; en toen Zelda haar verbazend blauwe ogen op hem richtte en vroeg hoe ze dat in vredesnaam moest aanpakken als ze niet wist waar ze hem vinden kon, haalde Peter als antwoord een van zijn zakelijke visitekaartjes uit zijn portefeuille en overhandigde dat haar met een groots gebaar – zonder te luisteren naar het stemmetje in hem dat de wijsheid van dat gebaar in twijfel trok.

'Maar dit is je kantoor – wil je dat ik naar je kantoor kom?' had Zelda gevraagd. Peter had daarover nagedacht en was tot de conclusie gekomen dat het minder waarschijnlijk was dat Bridget vragen zou stellen dan zijn secretaresse of Mark, de manager; hij had zijn hand uitgestoken naar het kaartje, het adres in Holborn geschrapt en vervangen door zijn huisadres in Fulham.

Frances vertelde Lottie over een lezing die ze had bijge- woond, waarin beweerd werd dat Hogarth een zwak had voor damesondergoed.

'Maar dat hebben de meeste mannen toch?'

Frances zei dat ze dat niet wist; Peter had dat niet, dacht ze – nou ja, niet speciaal; hij zag haar net zo graag zonder als met.

Lottie vertelde haar over een stalknecht met wie ze iets gehad had en van wie ze alleen kousen mocht dragen – echte zijden kousen nog wel, geen panty's.

'Ik betaalde me blauw – ik heb hem moeten ontslaan, want ik kon het me niet meer veroorloven' zei Lottie.

Hoofdstuk 44

Bridget was blij dat ze besloten had haar regel om slechts eens in de veertien dagen naar Farings te gaan te handhaven; ze had het weekend in Londen nodig om na te denken over wat er gebeurd was tussen haar en Stanley Godwit. Toen Peter nog leefde was het nooit bij haar opgekomen hem ontrouw te zijn, want ze was niet iemand die haar eigen moraal baseerde op andermans gedrag.

Toen ze besefte dat ze erover had lopen piekeren of ze hem nu 'ontrouw' was, moest ze daar dan ook om glimlachen. Volgens de algemeen geldende maatstaven was Peter 'dood'. Maar 'algemeen geldende' maatstaven zeiden haar niet zoveel – en kon je het ook eigenlijk wel echt 'dood' noemen? De figuur die aan haar bed was verschenen – was dat Peter, of was het een versie van hem? De levende Peter had het zeker niet leuk gevonden als ze met een andere man naar bed was gegaan – maar ze voelde, al wist ze niet hoe, dat deze Peter daar heel anders over dacht.

Wat haar ook bezighield was Mrs. Godwit. Stanley praatte nauwelijks over zijn vrouw; maar Bridget voelde dat dit niet voortkwam uit gebrek aan gevoel, maar aan een veel gecompliceerder mechanisme. Ze wist niet goed of het feit dat ze zelf in die positie verkeerd had het voor haar erger of juist minder erg maakte om met de man van een andere vrouw naar bed te gaan.

Het volgende weekend arriveerde Stanley Godwit op Farings met iets in een bruine zak.

'Waarschijnlijk heb je deze al...'

De Preken van John Donne, gebonden in leer.

'Nee,' zei Bridget, 'toevallig niet.' Ze werd er zo door overvallen dat ze bruusker klonk dan normaal.

'Ik heb hem dubbel – deze heb ik over.'

Bridget keek naar de prachtige oude band. 'De andere moet

dan wel helemaal bijzonder zijn!' Omdat ze verder ook niet wist wat ze erover zeggen moest, vroeg ze, 'Eerst thee, of...?'

Het werd na afloop thee, uitkijkend over de heuvels. Bridget dacht: wat een geluksvogel ben ik, dit is niet blijvend, niets is blijvend, en ze zei hardop – want vervelende dingen stelde ze niet graag uit – 'Weet je vrouw dat je hier bent?'

'Geen idee.'

'Ik wil niet nieuwsgierig zijn – maar als ik ergens voor moet uitkijken...'

Stanley stapte uit bed en ze keek bewonderend naar de spieren op zijn rug, die tekenen van zware lichamelijke arbeid vertoonden. De rug verschilde net zo veel van die van Peter als – nou ja, vergelijkingen gaan mank, zei Zuster Maria Eustasia toch altijd? Verse lijken geven stank, hadden ze er op de speelplaats van gemaakt. Stanley rook lekker – de beste graadmeter voor lichamelijke verenigbaarheid.

Hij kwam de slaapkamer weer binnen met het boek van Donne in zijn handen. 'Kijk.'

Ze kneep haar ogen tot spleetjes om de oude druklettertjes te kunnen ontcijferen.

Ik twijfel niet aan mijn eigen verlossing; en in wie kan ik zoveel aanleiding tot twijfel vinden als in mij Zelve? Als ik in de hemel kom, zal ik dan tegen om het even wie kunnen zeggen, Heer! Hoe bent u hier gekomen? Was er enig mens van wie het minder waarschijnlijk was dat hij hier zou komen dan ik?

'Mooi vind ik dat,' zei Stanley Godwit. 'Als Deken Donne dat van zichzelf kon zeggen, dan is er misschien nog hoop voor mij.'

'Het huwelijk is een beslissing, dunkt me,' zei Bridget voorzichtig. Ze voelde dat hij haar iets vertelde van een hogere orde, en dat er wellicht een gebroken hart – of in elk geval verdriet – voor haar in het verschiet lag. 'Ik weet zeker dat je nooit onaardig bent tegen je vrouw.'

'Het is niet veilig om ergens al te zeker van te zijn,' zei Stanley Godwit, 'en al helemaal niet van je eigen gedrag.'

Bridget, die het daarmee eens was, voelde een perverse

behoefte bij zich opkomen om wat van haar gebruikelijke afweermechanismes in werking te stellen. 'Ik moet weinig hebben van dat soort help-jezelf-filosofie.'

Er viel een stilte; toen stapte Stanley Godwit weer uit bed en begon zich aan te kleden.

'Kom, ik moest maar eens gaan,' merkte hij uiterst goedgehumeurd op.

Bridget kwam overeind en keek toe; ze bedekte met opzet haar naakte lichaam niet met het laken. Toen hij bij de deur was zei ze, 'Ga niet weg. Alsjeblieft. Het spijt me.'

'Het punt is dat ik je niet veel te bieden heb.'

Hij stond met zijn rug naar haar toe, en dat was op dit moment maar goed ook. 'Dat weet ik.' Ze had haar stem nu weer in bedwang. 'Maar blijf toch nog maar een poosje, als je kunt.'

'Mij best,' zei Stanley Godwit, en draaide zich om. 'Betekent dat "blijven" dat ik me weer uit moet kleden?'

'Biechten hoeft niet altijd in woorden,' had Pater Gerard gezegd, maar Peter had geen manier gevonden om Zelda 'op te biechten' omdat hij haar diep in zijn hart helemaal niet beschouwde als een 'zonde' – iets waarmee de katholieke kerk – of welke kerk dan ook – het natuurlijk niet eens zou zijn.

En toch, wie kan Gods gedachten lezen? Peter zou nooit hebben durven beweren dat hij dat kon; en het is zeer waarschijnlijk dat de onzekeren, de inschikkelijken, de verguisden, de verbijsterden, ja, zelfs zij die volledig van het rechte pad zijn afgedwaald, datgene wat ons verteld is over dat specifieke mysterie het dichtst benaderen. Voordat hij hen die zonder zonden waren uitnodigde de overspelige vrouw dood te stenigen, boog de man van Nazareth zich voorover en schreef zonder een woord te zeggen in het zand, 'als hoorde hij hen niet'.

De inleiding tot die befaamde woorden had Peter van Frances gehoord. Ze waren in de National Gallery waar ze hem plagend wees op het schilderij van Rembrandt van de vrouw die betrapt was op overspel.

'Kijk, dat zouden ze toen ook met mij gedaan hebben!'

'"Wie uwer zonder zonden is, werpe de eerste steen...".'

'Het stuk daarvoor spreekt me meer aan,' zei Frances, 'waar Christus in het zand tekent.'

Painter had naar deze gebeurtenis verwezen toen zij met hem de Rembrandt voor het eerst had gezien. 'De beste tekenaar aller tijden!' had Painter uitgeroepen. 'Daar kan niemand aan tippen. Hij wist wat de jongen zeggen wilde met dat gekrabbel in het zand.'

'Wat dan?'

'In die streken houdt een tekening in zand nog geen vijf minuten stand. De jongen wilde daarmee kenbaar maken wat hun ideeën hem waard waren. Kijk maar eens hoe Rembrandt die dweepzieke gezichten van ze geschilderd heeft, glimmend van de eigendunk!'

Eigendunk was een eigenschap waar Bridget geen last van had, misschien dat ze zich daarom ook niet zo druk maakte over de vrouw van Stanley Godwit. Toch probeerde ze de volgende ochtend Cordelia te ontlopen toen ze haar op straat aan zag komen. Maar zoals altijd als je iemand niet wilt zien, zag Cordelia haar en stevende op haar af.

'Hallo, Cordelia. Ik kom worstjes kopen.'

'Dat zal je niet lukken.'

Het was waar dat Bridget er tot nu toe nog niet in geslaagd was ook maar één worstje te bemachtigen bij de varkensslager.

'Hoe komt dat toch? Als ik ernaar vraag zijn ze er nooit!'

'Ze zijn in een mum van tijd uitverkocht.'

'Maar waarom bestellen ze er niet meer van als ze zo gewild zijn?'

En daarmee leek het onderwerp worstjes uitgeput. Cordelia liep humeurig zwijgend naast Bridget voort en Bridget, die vond dat ze door de recente gebeurtenissen Stanley Godwits dochter een speciale beleefdheid verschuldigd was, kon met geen mogelijkheid een vruchtbaarder gespreksonderwerp bedenken.

'Mijn moeder heeft gevraagd of je eens op bezoek wilt komen.'

Dat was een klap. Bridget probeerde tijd te winnen. 'Ik wil

haar niet lastig vallen – ze is tenslotte invalide.'

'Het is niet lastig – ze heeft op het ogenblik weinig pijn.'

Hel en verdoemenis, dacht Bridget. 'Kom je elk weekend hier?' vroeg ze. Ze kon het niet helpen, maar ze vond Cordelia nogal bazig.

'Ik probeer zo vaak mogelijk te komen.'

Bridget beloofde dat ze de Godwits zou bellen – ja, ze had het nummer – om een afspraak te maken. Roland zou die avond zijn vrouw en de kinderen komen halen.

'Is het geen erg lange reis, zo op en neer in één dag?' hoorde Bridget zichzelf vragen. Het leek haast onmogelijk om geen stomme opmerkingen te maken tegen Stanley Godwits dochter.

Hoofdstuk 45

Zahin zag met genoegen dat zijn broodjeszaak vaste vorm begon aan te nemen. Hij had een balans opgemaakt met te verwachten Winst- en Verliesposten, en die doorgenomen met een neef van hem – de accountant – in St.-John's Wood, wiens bestaan hij voor Bridget verzwegen had. Het was niet verstandig om verschillende porties van je leven door elkaar te gooien. De neef had voorgesteld een marktonderzoek te houden onder de plaatselijke kantoren, waar Zahin zijn broodjeszaak van de grond hoopte te krijgen. Ze hadden een enquêteformulier ontworpen waarop mensen hun voorkeuren konden aanstrepen: wit of bruin brood, roggebrood, volkorenbrood, meergranenbrood, baguettes, zachte broodjes, pita, bagels enzovoort, plus een ruime keus aan beleg. Zoals te voorspellen was geweest, bleken de diverse kaassoorten, met zuur of tomaten, op de eerste plaats te komen. Maar er waren ook verrassende uitkomsten: zalm, en gezouten rosbief, wat hij zelf niet verwacht had; en bijna overal moest mayonaise bij.

Omdat Bridget het weekend vaak de stad uit was had hij er hard aan kunnen werken, zo hard zelfs dat hij bijna geen tijd voor Zelda meer had.

Zelda werd steeds meer iemand voor wie hij alleen tijd over had als hij zich verveelde. Goed, Mr. Hansome had haar graag gemogen, maar nu die dood was had het weinig zin meer Zelda op te tutten in haar sexy kleren, en haar gezicht op te maken en haar nagels te lakken. Niet dat Zahin niet vond dat meisjes altijd aandacht aan hun uiterlijk moesten besteden. Hij had geen goed woord over voor al die moderne, onappetijtelijke meisjes die hij in Londen zag – bijna of zelfs helemaal zonder make-up – die nog niet eens de moeite namen zich mooi of sexy te maken.

Hoewel hij Mr. Hansome soms wel miste, voelde hij zich

toch prettiger in het gezelschap van Mrs. Hansome en Mrs. Michael. Mrs. Michael had een grote verzameling videobanden; het was rustgevend om bij haar op de bank naar Clint Eastwood te liggen kijken, terwijl Mrs. Michael thee voor hem inschonk en tegen hem kletste. Ze wist een hoop over de nieuwste schoonmaakmiddelen, die ze op televisie zag – er was een goed middel om hout af te nemen zonder dat de glans eraf ging – gegarandeerd 'natuurlijk', zei Mrs. Michael, met sinaasappelschil erin. Mrs. Hansome en Mrs. Michael waren geen van beiden veeleisend – hij was het zat om altijd naar andermans pijpen te moeten dansen. Miss Slater mocht hij niet zo – en zij hem ook niet, dat merkte hij wel. Mr. Hansome had Zelda verteld dat Miss Slater zijn liefje was; Miss Slater droeg mooie kleren en dat vond Mr. Hansome natuurlijk leuk aan haar, al kon ze niet tippen aan Zelda als hij haar mooi had gemaakt. Persoonlijk zag hij, Zahin, liever de forse, blonde verschijning van Mrs. Hansome. O, als Mrs. Hansome hem eens zijn gang liet gaan, wat zou hij haar dan mooi kunnen aankleden en opmaken – wat meer kleur in haar lippenstift en oogschaduw, wat fraai getinte lokken in haar haar, en je kende haar niet meer terug...

'"Als je oud en grijs bent, en vol slaap..."', had Stanley Godwit geciteerd voor het discrete publiek van verre heuvels, terwijl hij met zijn vingers door Bridgets fijne, met zilver doorvlochten haren gleed. 'Ik ben blij dat je het niet verft.'

Bridget herinnerde zich dat terwijl ze op de stoep van de Godwits stond te wachten tot er iemand opendeed; ze streek haar rok glad en wenste dat ze een andere had aangetrokken. Ze had gezweefd tussen ijdelheid en gezond verstand, en het verstand had gewonnen – de rok die ze aanhad was door en door degelijk.

Cordelia deed open. 'O, hallo!'

'Hallo!' zei Bridget. Om de een of andere reden – nee, ze wist de reden – sloeg ze ongewild een uitbundig, wat beschermend toontje aan tegen Cordelia.

Cordelia liet Bridget in een kamer met openslaande deuren

die uitkeek op een keurig onderhouden tuin. Goudsbloemen en salvia, heel anders dan de rommelige wilde tuin op Farings. Ze keek of er bonenstaken stonden – ja, een wigwam van staken, met groene tentakels met de kleine rode bloemetjes waar zoveel bijen op afkomen.

Mrs. Godwit zat, gekleed in lange broek met joggingschoenen, op de bank. Godzijdank geen rolstoel te bekennen. 'Ik ben Gloria. Het spijt me zo dat ik niet op je feestje was.'

'Bridget Hansome.' Haar eigen stem klonk nors. De vrouw van Stanley was sociaal vaardiger dan ze had verwacht. Ze voelde zich plotseling verlegen.

'Ga toch zitten, nee, niet daar, dat is Stanleys stoel, maar de stoel ernaast zit heel lekker. Ik kon geen woord over je lospeuteren uit Stanley, dus heb ik je gewoon hier uitgenodigd, zodat ik je zelf kan zien.'

Ze dronken sherry uit tulpvormige glazen die eruitzagen als het restant van een huwelijkscadeau uit het grijze verleden. Cordelia's kinderen, een jongen en een meisje, allebei nogal saai, dronken Pepsi. Bridget sloeg nootjes en chips af, maar vroeg of ze mocht roken.

'Natuurlijk. Corrie, ga jij eens een asbak zoeken, er moet er wel ergens een zijn...'

Maar Bridget zei dat ze geen moeite hoefde te doen en aanvaardde een olijf van Corries zoon.

Stanley liep de kamer in en uit. 'Ga toch zitten, Stanley, of ga de garage uitmesten en laat ons met rust,' zei zijn vrouw. 'Ik word op het ogenblik gek van die man!' Ze zag eruit alsof ze elk moment 'Mannen!' kon uitroepen, met haar blikken vertwijfeld ten hemel geslagen, waar ze meer kans liep Bridgets man aan te treffen dan die van haarzelf.

Cordelia kwam terug van een vergeefse jacht op een asbak en zei, 'Misschien is het de mannelijke menopauze?'

'Bestaat die dan? Mijn man was altijd rusteloos.' Bridget vond dit een mooi moment om een man ten tonele te voeren.

'O, wat tactloos van me! Ik was dat helemaal vergeten, van uw man. Stanley heeft het me verteld. Ik moet natuurlijk mijn handen dichtknijpen dat ik Stanley heb.'

Ja, dat moet je zeker, dacht Bridget later toen ze de laan uitliep, de zonsondergang tegemoet, over de opstap naar het voetpad naar Farings. Ze vroeg zich af of Stan werkelijk van plan was geweest de dichtbundel die hij in Ludlow had gekocht aan zijn vrouw te geven. Ze leek helemaal geen type voor poëzie. Haar blik was iets te uitgekookt. Ze zag in gedachten de vriendelijke, grijsblauwe ogen van Stanley Godwit opengaan; ze hoopte dat ze niet bezig was verliefd te worden op haar ouwe dag...

Maar wie van ons kan weerstand bieden aan verliefd worden? Van alle verleidingen waaraan de mens kan worden blootgesteld is dat vast en zeker de meest boeiende. Peter had niet eens geprobeerd zich ertegen te verzetten toen hij, zoals hij eerlijk tegen Zelda vertelde, merkte dat hij verliefd op haar aan het worden was.

Zelda had er niet over gepeinsd Mr. Hansomes verklaringen met haar broer te bespreken; zij en Zahin hielden er totaal andere interesses op na. Zelda had haar werk met haar klanten, waarin haar moeite financieel goed werd beloond. Ze begreep dat het haar plicht was hen gelukkig te maken – en als het idee dat ze verliefd op haar waren hen gelukkig maakte, dan lag het niet op haar weg om ze tegen te spreken. Integendeel zelfs, want ze wist maar al te goed dat tegenspreken slecht was voor de zaken. En het kwam haar ook wel van pas dat Mr. Hansome een beetje week deed over haar, want dat betekende dat hij het haar niet lastig maakte als ze bepaalde dingen niet met hem wilde doen. Niet dat ze het erg vond als andere klanten dat graag wilden – daar kwamen ze tenslotte voor! Maar Mr. Hansome had een andere reden om bij haar te komen – ze deed hem denken aan iemand op wie hij lang geleden verliefd was geweest. Dat vond ze niet erg – al gaf ze zelf niet zoveel om de liefde. Maar daarover praatte ze niet met Zahin, want die was alleen maar geïnteresseerd in het geld dat ze voor hen verdiende. Zelf was hij nu ook niet bepaald een type om verliefd te worden...

Peter, die op zijn plek van winderige duisternis nadacht over de mysteriën die hem nu onthuld werden, herinnerde zich dat Frances hem verteld had van de inscriptie, getekend in het zand, en begreep ineens de betekenis van dat gebaar.

Hoofdstuk 46

Bridgets winkel was 's maandags gesloten, en daarom had ze altijd rustig de tijd om na het weekend op haar gemak naar Londen terug te rijden. Ze had net de auto ingepakt en stond nog even naar de roeken te kijken toen Stanley Godwit aan het tuinhek van Farings rammelde.

'Ik sta op het punt om weg te gaan. Als je vijf minuten later was gekomen, had je me gemist.'

'Ik mis je nu al.'

Ze keken elkaar in de ogen.

'Kom volgend weekend terug, Bridget.'

Vreemd toch dat we, als we iets heel graag willen, vaak het tegenovergestelde zeggen. 'Dat kan niet – ik moet in Londen zijn voor een beurs.'

'Zeg 'm af.'

'Is dat verstandig, Stanley?'

'Kan me niks schelen, Bridget. Jou wel?'

'Stan, schrijf je me?'

Bridget scheurde zo hard over de M50 dat ze een bekeuring opliep.

'Verdomme! Ik kan u zeker niet omkopen?'

'Pardon, mevrouw?'

'Ik ben verliefd, agent, en daarom ben ik een beetje in de bonen.'

'Het is voor uw eigen bestwil, mevrouw. Als u niet uitkijkt rijdt u zich nog te pletter, en misschien nog wel iemand anders op de koop toe.'

'Vindt u de dood dan een koop, agent?'

'Pardon, mevrouw?'

Ach, wat is dat ook eigenlijk, een 'koop'? dacht Bridget toen ze haar rijbewijs had ingeleverd in ruil voor een onheilspellend ogend groen formulier. Iets van waarde dat je voor een habbe-

217

krats op de kop had getikt? Misschien was het leven dan wel de 'koop'… Zou je alle ellende die ze had meegemaakt 'goedkoop' kunnen noemen: haar vader, het weglopen van huis, het voor een schijntje in de hotels ploeteren? Maar daar had natuurlijk wel het een en ander tegenovergestaan: Zuster Maria Eustasia, Shakespeare, Peter – en nu, al durfde ze het nauwelijks te zeggen, zelfs niet bij zichzelf, nu had ze Stan.

Met het groene formulier in haar tas reed ze angstvallig correct naar Fulham, zodat ze daar pas laat arriveerde. Tot haar genoegen zag ze dat Zahin er niet was. Ze mocht dan nog zo dol op hem zijn, nu snakte ze ernaar om alleen te zijn. Of misschien niet helemaal alleen…

'Peter?' vroeg ze – want ze was er bijna zeker van dat ze zijn speciale stukje duisternis zag, daar in de hoek van de slaapkamer bij de grote Franse *armoire*. 'Kom maar te voorschijn, hoor, de kust is vrij.'

Ze wist zeker dat Zahin uit was, ze had het huis doorzocht – ze was alleen thuis, lag alleen in het bed dat ze eens gedeeld had met de man wiens verschijning nu zwijgend aan de andere kant van de kamer stond.

Stilte, op het geronk van het verkeer na dat af en aan reed door Fulham Road. De zeepaardjes gingen op en neer in hun kleurige, hypnotische ritme.

'Ook goed,' zei Bridget, 'graag of niet. Ik dacht dat je zin had in een praatje.'

Ze zakte weg en begon te dromen dat ze met Stanley Godwit door de laan bij Farings liep, toen ze een bekende stem hoorde.

'Zo makkelijk is het niet.'

'Peter?'

Ze schoot overeind en stootte haar hoofd tegen de metalen Jugendstil-lely met de kelkbladeren die – gevaarlijk trots, had Peter altijd gezegd – vanaf het hoofdeinde naar beneden hingen.

'Peter?'

'Ja, wie denk je anders?'

'O Pete! Ben jij het *echt*?'

Het was jaren geleden dat ze hem Pete had genoemd; vanaf

de dag dat ze hem van ontrouw begon te verdenken had ze dat niet meer gedaan.

'Dat zal ervan afhangen wat je met "echt" bedoelt.'

'Godzijdank ben je je gevoel voor humor niet kwijtgeraakt!' Hij was uit de schaduw naar voren gestapt, en ze zag dat hij zijn oude tweedjasje en zijn corduroy broek aanhad. Zijn gezicht was gladgeschoren, zonder de donkere stoppels die, toen hij nog leefde, zo snel op zijn kaken verschenen dat ze hem het uiterlijk gaven van een respectabel geworden mafiabaas. Ze had hem daar altijd mee geplaagd. Eigenlijk zag hij er nog net zo uit als de laatste keer dat ze hem gezien had – in zijn kist – maar dan zonder de ontsierende snijwonden en schrammen van het ongeluk.

'Je hoeft je nu zeker niet meer te scheren?'

'Dat is een van de voordelen.'

Hij was dichter bij het bed komen staan en ze klopte op de dekens. 'Wil je niet gaan zitten?' Daar had hij vroeger weleens gezeten als hij haar thee bracht bij haar terugkomst van een van haar reizen – meestal had hij dan iets goed te maken. 'Kun je eigenlijk wel zitten?'

'Jawel, maar het hoeft niet meer zo nodig – om je voeten te ontlasten, bedoel ik.'

'Nee, dat zal wel niet.'

Er viel een enigszins pijnlijke stilte. Wat moest je zeggen tegen een dode man met wie je ruim dertig jaar had samenge-leefd? 'Hoe is het om dood te zijn?' Dat klonk erg wreed, maar ze wilde het wel weten.

'Net als het leven – hard werken.'

'Pete – kun je mijn gedachten lezen?'

'Nog een voordeel – als je het zo mag noemen.'

'Maar daar zitten ook nadelen aan, denk ik.' Ze had eraan toe kunnen voegen dat zij – zelf een bekwaam gedachtenlezer – dat maar al te goed wist omdat ze zo lang met hem had samen-geleefd, maar dat zou niet erg beleefd zijn.

'Ik weet nu hoe het voor jou geweest moet zijn.'

'Dus *jij* kunt echt gedachten lezen – ik kon alleen maar goed raden.'

'Dat kun je wel zeggen, ja!' Hij glimlachte teder.

'Ik hoop dat je het geen impertinente vraag vindt, maar wat doe je hier eigenlijk? Niet dat ik het niet enig vind om je te zien, hoor.'

En dat meende ze – enig vond ze het. Ze vroeg zich af of het misschien iets te maken had met haar verliefdheid op Stanley Godwit, en probeerde die gedachte toen weer snel uit haar hoofd te zetten.

'Je kunt een gedachte niet ongedacht maken – en inderdaad, dat komt ook omdat jij je zo'n stuk opgewekter voelt.'

Dit was een geheel nieuwe sensatie: nu was zij degene die zich moest schamen.

Alsof hij dat voelde ging het ding-dat-Peter-was-geweest door. 'We verschijnen niet aan mensen die daar nog niet klaar voor zijn. Laten we zeggen dat we de juiste golflengte nodig hebben.'

'Maar ik heb je toch al eerder gezien…'

'Maar toen kon ik nog niet tegen je praten. Ga je er met die man vandoor?'

'O, Pete, dat weet ik nog niet. Ik denk van niet. Hij is getrouwd.'

'Zijn vrouw is een behoorlijke lastpak. Ik heb haar bekeken.'

'Dat heeft er niks mee te maken, dat weet je best.'

'Zo, weet ik dat best!?'

'Kun je me vertellen…?'

'Een andere keer, misschien. Nu nog niet.'

Ze zaten elkaar in de behoedzame stilte aan te kijken. Bridget probeerde tevergeefs niet te denken aan hoe anders het was om naar Stanley Godwit te kijken. Het was niet erg beleefd om zo doorzichtig te zijn – en toch dacht ze nog steeds met liefde aan Peter.

Later wist ze niet meer hoe lang hij bij haar geweest was voordat ze in slaap viel; tegen zonsopgang werd ze wakker van het geluid van de deur van de gang, die niet zachtjes genoeg dichtging. Zahin, die thuiskwam van een nachtelijke bezigheid. Wat een zegen dat ze nooit 's nachts woelend van bezorgdheid op kinderen had hoeven liggen wachten. Ze vroeg zich af of

Peter het miste dat hij bij haar nooit kinderen had gehad, nu hij was waar hij dan ook was...

Of eigenlijk *niet was*, dacht ze terwijl ze terugzweefde naar de groene laan in Shropshire, met haar hand in de harde hand van Stanley Godwit, op weg naar een onbekende bestemming.

Hoofdstuk 47

Toen Bridget tegen Zahin zei dat ze dit weekend weer weg zou zijn, vond hij dat helemaal niet erg.

'Geen probleem, Mrs. Hansome, ik pas wel op het huis.'

'Vind je het echt niet ongezellig?'

'Ik moet toch studeren, Mrs. Hansome, en Mrs. Michael heeft me uitgenodigd om bij haar naar *The Crying Game* te komen kijken.'

Dat mocht in de krant: Mickey die naar een film keek zonder Clint erin. 'Is dat soms jouw idee, Zahin?'

'Het is goed om eens van gewoonte te veranderen, Mrs. Hansome.'

Tja, dat hoeft-ie mij niet te vertellen, zei Bridget bij zichzelf, terwijl ze over de snelweg raasde. Ze had nog nooit eerder een beurs overgeslagen – en sinds Peters dood was ze zelfs nauwelijks meer in Frankrijk geweest. Ze voelde zich plotseling schuldig bij die gedachte; ze wist dat Peter haar gemist had, dat hij niet graag alleen was, en toch had ze daar nooit iets aan geprobeerd te doen. Terwijl Stanley Godwit maar met zijn vingers hoefde te knippen of ze vloog naar hem toe. Hij had haar een briefkaart gestuurd met een foto van een Noordse Stern, en achterop had hij slechts één regeltje geschreven: *Hoop niet dat dit stof voor tragedies is* – hij had dus het Johannes-evangelie gelezen. Hield ze meer van Stanley dan ze van Peter gehouden had? Of was ze, nu ze wist wat het was om iemand te verliezen, banger om hem kwijt te raken? Hoe kon je zoiets incalculeren? Trouwens, wat had Zuster Maria Eustasia ook weer gezegd over vergelijkingen…?

Zahin dankte de hemel dat Bridget van gedachte veranderd was. Hij was te zeer op zijn hoede om zijn gevoelens te tonen, dus liet hij haar niet merken dat hij blij was dat hij nu het hele weekend met vullingen voor zijn broodjes kon experimenteren.

Hij was niet iemand die zich ergens met hart en ziel in stortte, maar hij kon wel genieten van wat hij deed. Hij had een hele hoop broodjeszaken in de stad bezocht om nog wat extra marktonderzoek te verrichten. En nu was hij klaar om zijn eigen menu's te gaan ontwikkelen.

Hij had besloten een 'Stervulling van de Week' te lanceren om de traditionele broodjes waar hij volgens de uitslagen van zijn enquêtes beslist niet omheen kon wat pittiger te maken. Nu Bridget was opgekrast – denk maar niet dat haar nieuwe parfum: Mitsouko van Guerlain, hem ontgaan was – kon Zahin zijn mouwen opstropen en ongestoord alle ingrediënten op haar keukentafel uitstallen. Vandaag ging hij rivierkreeft met abrikoos, bietjes met gepeperde worstjes en zijn eigen lievelingsvulling: gerookte eend met rode uien en salsasaus, uitproberen. Straks, als hij tevreden was over de resultaten, nodigde hij misschien Mrs. Michael wel uit om te komen proeven. Ze vond zijn vondsten wel niet altijd lekker, maar ze kwam maar wat graag een kijkje nemen in Bridgets keuken. En daarna zouden ze dan bij haar naar een video gaan kijken en plannetjes maken voor 'Broodje Bijzonder', zoals de zaak ging heten.

Stan had met Bridget afgesproken dat ze elkaar zaterdagochtend vroeg zouden ontmoeten. Ze zouden dan naar de kust rijden, naar de plek waar ze al eerder geweest waren om vogels te kijken. Dat betekende dat Bridget de hele vrijdagavond in haar eentje moest zien door te komen, en toen ze Bill Dark het tuinpad af zag komen vond ze dat dan ook niet eens zo erg – iedere afleiding was welkom.

'Hallo, Bill.'

'Bridget, ik zag je auto staan dus ik dacht ach, kom... Wat heerlijk dat je er nu al weer bent.'

Bridget zag welke kant zijn blikken op gingen en verloste hem uit zijn lijden. 'Een glaasje sherry, Bill?'

'Prima idee. Ik moet zeggen, je ziet er goed uit, stralend zelfs, als ik het zeggen mag.'

Niets is irritanter dan een complimentje van de verkeerde persoon. Bridget wierp een steelse blik op zichzelf in de spiegel van de wc. Eigenlijk had hij wel gelijk, ze zag er goed uit – ze was afgevallen en haar jukbeenderen waren weer zichtbaar.

Na een paar glazen sherry kroop de dominee dichter tegen Bridget aan op de bank en begon haar aan te halen.

Maar dat werd haar toch te gortig.

'Ach kom, gewoon een vriendschappelijke knuffel. Dat kan toch helemaal geen kwaad!'

'Het spijt me wel,' zei Bridget, die opsprong en haastig naar de andere kant van de kamer liep, zo ver mogelijk bij de bank vandaan, 'maar het wordt hoog tijd dat je weggaat, Bill.'

'Nou ja, ik zeg maar zo: niet geschoten, altijd mis.'

'En ik zeg maar zo: schiet een beetje op,' zei Bridget energiek terwijl ze de deur achter hem op de knip schoof.

Daarna ging ze in bad en naar bed; maar ze kon niet slapen. Ze begon in *King Lear* – maar de naam Cordelia staarde haar verwijtend aan, en ze legde het boek terzijde, knipte het licht uit en probeerde haar opwinding te onderdrukken – want ze wist hoe gevaarlijk het was om je te veel op iets te verheugen.

Lonkend kroop de ochtend door de gordijnen om haar te verwittigen van de naderende hitte. Bridget, die zich al drie keer had verkleed – alles wat ze aantrok moest vooral uitstralen dat ze niets om kleding gaf – koos ten slotte een verbleekte katoenen jurk uit die ze jaren geleden in Montelimar op de markt had gekocht. Ze bekeek haar gezicht in de badkamerspiegel en smeerde een vleugje rouge – die ze tot haar verbazing gisteren in Fulham in de la van haar toilettafel vond toen ze op zoek was naar make-up – op haar wangen.

Nu kon ze niets anders meer doen dan wachten en vooral niet te veel thee drinken, want ze moest zorgen dat ze op weg naar zee niet hoefden te stoppen.

Om 7 uur hoorde ze het geluid van een dieselmotor en vloog de oprit af, zodat Stan de bus niet hoefde te keren.

'Keurig op tijd!'

'Nou, dat mag ook wel – ik ben al vanaf vijf uur op.'

'Ik ook!'

Ze grinnikten tegen elkaar, verlegen en samenzweerderig.

Het witte busje reed door de met bloemen bezaaide lanen met steile bermen. De lucht was dampig van de vochtige klei en de varens en de muffe amandelgeur van de spirea met zijn tere, romige schutbladeren, doorboord door de lange, fallische pluimen van de kattestaart. De bloem van Gertrude: *waar 't ruwe herdersvolk een platte naam voor heeft/ maar die de meisjes dodemansvingers noemen...*

'Wat voor naam zou dat geweest zijn, denk je, Bridget?' had Zuster Maria Eustasia gevraagd. 'Zie je wel hoe fijntjes Shakespeare de vergeeflijkheid van de koningin aan de kaak stelt? Ze is gewoon een seksmaniak – ze kan het onderwerp niet met rust laten, zelfs niet als ze verslag uitbrengt van de verdrinkingsdood van Ophelia.'

Bridget had zich weleens afgevraagd hoe Zuster Maria Eustasia over Peter gedacht zou hebben. Zelf betwijfelde ze de juistheid van de diagnose 'seksmaniak' voor Gertrude. Hamlets moeder moest domweg bij iemand horen, dat was haar probleem, zelfs als die iemand de moordenaar was van haar dode man – of misschien juist omdat hij dat was (want zijn seks en de dood niet onvoorspelbaar met elkaar verbonden?). Misschien was seks voor Gertrude, net als voor Peter, het spelen met intimiteit? Ditmaal had Zuster Maria Eustasia, die maar al te graag liet zien dat ze een beladen onderwerp als seks niet schuwde, het echt bij het verkeerde eind gehad. Als er hier al sprake was van een goed of een slecht eind, hetgeen Bridget nu ook sterk betwijfelde. De essentie van Shakespeare was waarschijnlijk juist dat hij wist hoe gevaarlijk het was om het bij een eind – goed of slecht – te hebben...

Haar geest, vrij en expansief, zweefde naar een andere junidag, nu ruim dertig jaar geleden, toen ze paarse kattestaarten gevonden had langs de oever van een rivier in Oxfordshire. Ze was daar met een man die horloges verkocht in Portobello Road, in het kraampje naast het hare. Keith, heette hij. Later was hij boos op haar geweest toen ze hem vertelde over Peter. 'Maar ik heb je geen enkele reden gegeven om te denken dat dit blijvend was!' had ze geprotesteerd. Alsof er zoiets bestond! Maar dat was niet eerlijk geweest tegenover Keith; zij had zelf wel degelijk gedacht dat Peter 'een blijver' zou zijn.

Ze voelde zich op haar gemak bij Stan. Zijn stiltes vermengden zich met de hare. En hij wist wanneer hij ze kon verbreken.

'Ik heb een thermosfles met koffie bij me, als je daar trek in hebt.'

'Vindt je vrouw het erg dat je dit doet?'

'Dan is ze even van me verlost.'

Bridget vertelde hem van Bill Dark. 'Waar haalt-ie het gore lef vandaan! Het wordt tijd dat ik die kerel een bloedneus sla!'

'Dat klinkt sexy,' zei Bridget verheugd.

De zee was mintgroen. Ze liepen het steile pad af naar het verlaten strandje, en ditmaal bracht Bridget het er een stuk beter vanaf. Bij het laatste sprongetje ving Stan haar op in zijn armen. 'Dat wou ik de vorige keer ook al doen.'

'Had het maar gedaan – ik had je niet tegengehouden.'

De zee was koud, ondanks de zon, maar Bridget trok haar Franse jurk uit en rende de golven in. 'Kom erin!' riep ze hem toe.

''t Ziet eruit alsof het de ballen eraf vriest.'

'Weet je dat dat een marineterm is, en helemaal niet schunnig?'

Maar natuurlijk wist hij dat.

Bridget stak stoer haar billen omhoog uit het water.

'Je bent net een roze dolfijn!' zei Stan, onder de indruk. '"Zijn genoegens/ leken dolfijnen, zij toonden zijn rug /boven het element dat zij bewoonden" – welk stuk?'

'Antonius en Cleopatra!' riep ze terug.

De zon bezaaide de instemmende zee met sterren terwijl hun armen het water in diamanten scherven sloegen. Aan de overkant van de baai week een vergezicht van licht en schaduw lui achteruit naar de steile rots waar ze vanaf kwamen. Boven de klif zweefden, als in een droom, de parelmoeren zeevogels; hun vleugels kerfden sabelbogen in de gewelfde hemel.

Bridgets ogen, duizelig van de waterdruppels, zagen Stans hoofd opduiken van onder een grote golf; haar zoute wimpers schiepen een aura van licht om hem heen, alsof hij een god uit de oudheid was. Godzijdank, daar was hij weer! Ze was even bang geweest dat een boze zeegeest hem in zijn klauwen had gekregen.

'Nu eentje voor jou!' schreeuwde ze opgelucht. *'De zeeën dreigen, maar ze zijn genadig!'*

'Geen idee. *De Storm?*'

'Klopt!'

Na het zwemmen wreven ze elkaar droog met één stugge handdoek, want Bridget had er geen bij zich en Stan had slechts het risico durven lopen dat er eentje gemist zou worden uit de linnenkast thuis. Maar ze hadden wel allebei boterhammen meegenomen, en ze voerden elkaar – ham met mosterd, kaas met augurken, 'De stof des levens,' zei Stan. Toen nestelden ze zich in de kiezels en de toezichthoudende zon verwarmde hun botten en hun lijf, en van het een kwam al spoedig het ander...

'Ik ben nog nooit zo gelukkig geweest,' zei Stan, toen ze met verbrande gezichten en schouders de terugweg aanvaardden.

'Ssst! Straks hoort een boze fee je nog!'

'Ik geloof in feeën.'

'Natuurlijk, een verstandige kerel als jij!'

Het zal dus misschien wel een boze fee geweest zijn die Dominee Dark net langs Bridgets huis voerde toen Stan haar die avond op straat afzette.

'Goeienavond, Mrs. Hansome. Goeienavond, Stanley. Prachtige avond, hè?'

'Hallo, Bill,' zei Stan, terwijl hij probeerde er niet al te schaapachtig uit te zien. 'Wat moet jij helemaal hier?'

Bridget keek hem strak aan en zei, 'Kwam je soms voor mij, Bill?'

'Ik werk gewoon een beetje aan mijn conditie – moet, van de dokter!'

'Dus ik kan je geen lift naar het dorp aanbieden?'

'Nee dank je, Stanley. Ik loop even met Mrs. Hansome mee, als dat mag.'

Stan wierp Bridget een haastige blik toe – maar ze keerde hem de rug toe om de bus niet te hoeven zien wegrijden.

Vlak voor de oprit zei Bridget, 'Als je hier tegen iemand je mond over opendoet, dan zeg ik dat je me hebt aangerand.'

'Wat zou ik erover moeten zeggen...?'

'Je hebt me gehoord,' zei Bridget met klem, terwijl ze het hek opendeed, 'en ik vraag je niet binnen!'

De zondag was bijna niet om door te komen; Bridget probeerde te lezen en begon vervolgens maar wat te wieden in de tuin. Daarna ging ze op het gras liggen niksen. Elke vezel in haar lichaam snakte naar Stan – naar de druk van zijn lichaam op het hare.

Ze dacht aan zichzelf en Peter, in de tijd dat hij de lijstereikleurige sjaal voor haar had gekocht. Tjonge, wat een heibel had ze gemaakt over die sjaal, met Zahin en zijn zusje. Waarom had ze zich zo laten gaan? Het sop was de kool feitelijk niet waard geweest – hoewel, ze was wel degelijk verknocht aan die sjaal. Maar de emotie die ze erbij gevoeld had, was die wel zuiver geweest? Er had een onplezierige bijsmaak aan gezeten – jaloezie, of schuldgevoel? Misschien was de emotie die ze nu voelde ook wel niet zuiver, dat gevoel dat ze gek werd van verlangen naar hem...?

In de verte cirkelden en tolden de roeken door de lucht, hun vleugels beschreven ellipsen en omringden in lukraak verbonden bogen de genadeloos vrolijke vergeet-me-nietjeslucht. Bridgets ogen, verblind door het kijken naar de zon, maakten luchtspiegelingen van de wolken.

Soms zien we een draakachtige wolk... Dat had die arme Antonius gezegd bij het aanschouwen van zijn eigen lotswisselingen, voordat hij zelfmoord pleegde – of althans, poogde dat te doen. Een kluns, had hij zichzelf genoemd, toen hij de boel verprutste. Antonius, de minnaar van Cleopatra, had wel wat van Peter – al leek zij zelf in de verste verte niet op Cleopatra!

'Peter?' riep ze naar de dakloze hemel, maar zelfs de roeken gaven geen antwoord.

Haar oog viel op een van hun lange, roetzwarte veren op de grond. Ze raapte hem op, als boekenlegger. Maar ze kon zich niet concentreren – zelfs niet op het boek dat ze van Stanley Godwit gekregen had.

Ze werd geplaagd door een mengeling van verveling en opwinding, belde naar huis en kreeg Zahin aan de lijn. Hij zat hard te werken voor zijn scheikundeproefwerk, zei hij. Bridget waagde dat te betwijfelen. 'Wat ben je *echt* aan het doen, Zahin? Is Zelda bij je?' Haar berouw over de heisa die ze gemaakt had over de sjaal riep een verantwoordelijkheidsbesef ten aanzien van het meisje in haar wakker. Maar Zahin zei dat hij niets van Zelda had gehoord – hij ging straks naar Mickey...

Die avond werd er op de deur geklopt. Bridget vloog erheen en stond oog in oog met Mrs. Nettles – kwam de hele buurt nu bij haar op bezoek behalve die ene man die ze zo graag wilde zien?

'Dag Mrs. Nettles.'

'Ik kwam eens even kijken hoe het met je gaat. Ik hoorde van Dominee Bill dat je je niet goed voelt.'

'Hoe komt-ie daar nou bij? Ik voel me kiplekker, Mrs. Nettles.;

'Hij zei dat hij je tegen het lijf gelopen was en dat je heel raar had gedaan.'

'Maar Mrs. Nettles, hij houdt u voor de gek. U kent hem toch!'

Mrs. Nettles, die Bridget al meer dan eens gevraagd had haar Mandy te noemen – maar door de wonderlijke combinatie van de twee namen kreeg ze dat niet over haar lippen – keek verwonderd. 'Hoezo, doet-ie dat dan weleens, de dominee? Daar heb ik nooit wat van gemerkt.'

'Reken maar, hij is om te gillen!' zei Bridget, die de grootste moeite had om zelf niet te gaan gillen.

'O. Ik ben niet zo snel van begrip, weet je. Ik heb mensen nooit zo goed door.'

'Je bent precies goed zoals je bent, Mandy,' gaf Bridget zich gewonnen.

Ze stond net de auto in te pakken om maandagochtend vroeg te kunnen vertrekken, toen Stan arriveerde. Het stukje been tussen de rand van zijn broekspijpen en zijn sokken zag er heel kwetsbaar uit.

'Het spijt me, ik kon niet eerder wegkomen. Gloria heeft weer een terugval gehad.' Zijn vriendelijke zee-ogen vertelden woordenloos wat niet verwoord kon worden.

'O, wanneer dan?'

'Toen wij op het strand waren…'

Verwarring werkt aanstekelijk. 'O.'

'Ik heb je gezegd dat ik je niet veel te bieden had.'

'Ja,' zei Bridget, 'dat heb je me gezegd.'

Ditmaal reed ze zo rustig als ze kon terug naar Londen. Een mens moest niet te veel verlangen, zei ze bij zichzelf.

Hoofdstuk 48

Mrs. Painter had Frances verteld dat een geboorte meestal wordt voorafgegaan door een ongebruikelijke schoonmaakwoede. Frances had dat beleefd aangehoord, maar inwendig had ze de waarschuwing, die vergezeld ging van een verzameling felgekleurde gebreide babykleertjes, afgedaan als ouwewijvenpraat.

'Ik hou niet van pasteltinten,' zei Painter, (die voor zijn schilderijen bijna niet anders gebruikte), 'dus heb ik gezegd dat ze vooral felle kleuren moest gebruiken.'

'Zo, dus dit komt uit jouw koker, Patrick?' Frances hield een paars gebreid vestje op met een bijpassend petje met een rode pompoen.

'Een beetje kleur zal haar wel staan.'

'Waarom zeg je "haar"?'

'Het is een meisje – dat zie ik aan de ligging.'

Twee nachten later bedacht een klaarwakkere Frances zich dat ze het aanrecht niet had afgespoeld voor ze naar bed ging. Halverwege het schoonmaken van het bad ging haar rubberhandschoenen kapot en moest ze naar beneden om een nieuw paar uit het gootsteenkastje te halen. Ze vond echter alleen een paar chirurgische handschoenen van Zahin, die haar helaas te klein waren. Frances zag zich daardoor genoodzaakt het poetsen te staken, maar de volgende ochtend was het wel duidelijk dat ze maar beter het ziekenhuis kon bellen. En Lottie – die beloofd had paraat te zijn...

'Neem vooral wat kompressen mee,' adviseerde Lottie. 'Ik heb me laten vertellen dat het vreselijk pijnlijk is.'

Uiteindelijk stond de ambulance al zo snel voor de deur dat Frances alleen zichzelf maar mee kon nemen.

Patrick en de theebladeren kregen gelijk: het was een meisje, binnen een uur geboren, met piepkleine vuistjes en een klein rood boksersgezichtje.

'Wat een schatje,' zei Frances gefascineerd.

'Ieder zijn meug,' zei Lottie. 'Ik dank de hemel dat ik er geen wilde! Hoe voel je je nu?'

'Fantastisch!' zei Frances.

'Het klonk afschuwelijk. Deed het heel erg pijn?'

'Ik heb er niks van gevoeld,' zei Frances met een gelukzalige glimlach.

'Je lag te kermen als een viswijf,' zei Lottie. 'Ik heb nog nooit iemand zo tekeer horen gaan.'

De eerste reactie op de geboorte kwam van Ed Bittle, in de vorm van een bos witte lelies.

'Waar zijn die voor – voor Maria Boodschap?' vroeg Painter, die zelf die avond kwam aanzetten met een in de *Sunday Sport* gewikkeld bosje lathyrus uit de tuin. 'Hij verwart je met iemand anders, een zekere maagd…'

'Ik vind ze prachtig,' zei Frances loyaal.

'Alsjeblieft!' zei Painter, en hij viste een broze suikerspin-bloem uit de boezem van een jongedame in de krant en vleide die tegen de wang van de baby. 'Roze voor een meisje – en geen wit voor een vervloekte engel. Je kunt haar Lathyrus noemen, naar de baby van Popeye. Je hebt zelf wel wat weg van Olijfje.'

Frances vatte dit terecht op als een compliment. 'Ik was eigenlijk van plan haar Petra te noemen,' en op het moment dat ze het zei wist ze dat haar dochter altijd zo geheten had.

Miss Nathan kwam haar gedecideerd feliciteren. 'Goed zo! Ze strekt je tot eer, en ik hoor dat ze er ook zonder tegenstrib-belen uitgekomen is. Ik wou dat al mijn jonge moedertjes zo vlot bevielen.'

Frances was gewend geraakt aan de sleep buitenlandse vrou-wen op zaal die met desinfecterende middelen onder de bedden dweilden. De ene dag was het Teresa uit Portugal; de volgende Elsa uit Sierra Leone. Dus toen er een pronte, donkere vrouw verwoed onder haar bed begon te dweilen besteedde Frances daar geen aandacht aan en bleef rustig liggen lezen in het boek over Henry Moore dat Painter voor haar had meegebracht.

'Hebt u die ring ooit nog gevonden?'

Frances keek op. 'Claris!'

'Goh, dat u dat nog weet!'

'Wat doe jij hier? Natuurlijk weet ik dat nog! Nee, die ring heb ik nooit meer teruggevonden.'

'Wat zonde. Dit is een van mijn vaste schoonmaakadressen – de school, en dan het ziekenhuis. Maar God heeft je er wel iets voor in de plaats gegeven, hè? Je hebt me helemaal niet verteld dat je zwanger was.'

'Dat wist ik toen zelf nog niet!'

'Dat zijn de besten! Mijn Pearl was er ook zo eentje. Van dat kind heb ik meer gehouden dan van alle anderen. Een gave van God. Haar vader heb ik nooit gekend.'

Frances zei, 'Petra's vader is dood. Zij zal het ook zonder vader moeten stellen.' Het was een geruststellend gevoel dat Petra en de dochter van Claris iets gemeen hadden.

'O ja? Dan zal dit kind dat verlies zeker ook goedmaken. Haar pappie zal nu vast en zeker over haar waken, nietwaar, schatje?'

Claris boog zich voorover en pakte Petra op, die net wakker geworden was en met omfloerste ogen opkeek naar een aanwezigheid die geen van beide vrouwen kon zien. Het was onmogelijk, dacht Frances, om naar die ogen te kijken en niet herinnerd te worden aan Hugh. Het is net een groot web, mijmerde ze, Hugh en ik en Peter en Petra, en dan Bridget en Patrick en Zahin, en nu weer Claris en Pearl – op de een of andere manier zijn we allemaal met elkaar verweven – zelfs de doden.

'De mooiste liefde die er is.' Claris legde Petra terug in haar wiegje. 'Pas maar goed op jezelf, liefje. Zorg dat je genoeg rust.'

Een andere verrassing was dat Painter haar elke dag kwam opzoeken. Omdat Petra te vroeg geboren en dus te licht was, en Frances thuis niemand had om voor haar te zorgen, had Miss Nathan besloten dat ze langer dan achtenveertig uur in het ziekenhuis moesten blijven. Uiteindelijk bleven ze een week; Painter kwam hen met een taxi ophalen.

'Pas op voor de baby, pas op, pas op!' riep hij toen ze door het ziekenhuis liepen met Petra als een stevig ingepakt bundeltje in Frances' armen.

'Patrick, iedereen hier heeft een baby.'

'Niet zoals die van ons! De andere zien er allemaal halfbak-ken uit.'

Op weg naar huis zei Frances, 'Ik ben vergeten Claris goei-endag te zeggen.'

'Lieve hemel, mens, wie is Claris? Omkeren, omkeren, we moeten terug!' bulderde Painter tegen de taxichauffeur, maar toen de taxi met een zwaai wilde omkeren zei Frances, 'Nee, nee, laat maar zitten. Ik wil nu gewoon naar huis.' Claris zag ze later nog wel eens.

Painter installeerde Frances en Petra in het appartement en vertrok, om een poosje later terug te keren met plastic tassen vol eten.

'Patrick, ik ben maar alleen – Petra eet niet. In die tassen zit genoeg voor een heel leger!'

'Je moet nu eten voor twee!'

Maar toen Painter weg was, voelde ze zich in haar eens zo veilige appartement als een kat in een vreemd pakhuis. Misschien kwam het door de aanwezigheid van Petra, maar er was beslist iets ingrijpend veranderd, al kon Frances er niet pre-cies de vinger op leggen wat.

'Misschien moet je een tuin hebben,' opperde Lottie. 'Ik heb er geen verstand van, maar ik heb me laten vertellen dat kinde-ren graag naar de blaadjes kijken.'

Het duurde een week voor Bridget op bezoek kwam, nota bene met Zahin. 'Het spijt me dat we nog niet bij je zijn geweest, maar ik heb het razend...'

'O, Miss Slater, wat een schattig kindje!'

'Dank je, Zahin, dat vind ik ook.'

'Wat zou mijn zusje Zelda daarvan genieten – ze is dol op baby'tjes.'

Frances liet zich meeslepen door de nieuwe charmes van het moederschap en nodigde Zelda uit om naar het wonderkind te komen kijken. Toen Zahin de kamer uit was om thee te zetten, zei ze tegen Bridget, 'Eigenlijk wil ik die Zelda ook best eens van wat dichterbij bekijken – ik ben wel nieuwsgierig naar haar, jij niet?'

'Nou, nee.' Bridget vocht tegen een wanhopige, woeste, valse jaloezie. Ze had nooit kinderen gewild, en toch riep de aanblik van deze kleine vertegenwoordigster van Peters genen iets laags in haar wakker dat ze dacht overwonnen te hebben.

Frances, die dat wel aanvoelde, zei dapper, 'Je mag haar wel even vasthouden, hoor', terwijl dat het laatste was wat ze wilde.

Bridget nam het bundeltje in haar armen. Peters dochter. Ze probeerde iets van haar man te herkennen in de kleine, verkreukelde gelaatstrekken.

'Ze lijkt meer op mijn broer Hugh,' zei Frances, die Bridgets gedachten las.

'Ik wist niet dat je nog een broer had.'

'Hij is dood.'

'Jij hebt ook niet veel geluk met je mannen,' zei Bridget, en legde Petra abrupt terug in haar mandje.

Het was maar goed dat Zahin op dat moment terugkwam met een theeblad. 'Ik wist nog waar alles lag, Miss Slater – '

'Frances,' zei Frances werktuigelijk.

'– en dat u van slappe thee houdt, kijk maar, ik heb heet water meegebracht, en volle melk voor Mrs. Hansome.'

'Zahin,' zei Frances, die haar kans schoon zag om van Painters voorraden af te komen, 'er liggen een heleboel gemberkoekjes in de keuken, Mrs. Hansome wil vast wel een koekje bij de thee. Er liggen trouwens ook nog handschoenen van jou in het gootsteenkastje. Neem die alsjeblieft mee als je straks weggaat.'

Ed Bittle had zich ontpopt als een probleem. Hij belde Frances aan één stuk door op om naar haar gezondheid te informeren – blij dat het zo goed met haar ging want dan kon hij haar komen tekenen! Zijn telefoontjes begonnen Frances zo te irriteren dat ze een uitnodiging van Mrs. Painter aannam om in Isleworth te komen logeren.

'Het zal Patrick goed doen dat Petra hier is,' merkte Painters moeder op terwijl ze met een in geborduurde pantoffel gestoken voet een por tegen het biezen mandje gaf.

Even dreigde er ook een probleem met Roy. Hij had iets gemompeld in de trant van dat hij iemand anders voor Frances zou zoeken nu ze het zo druk had met de baby. Maar dat idee was onmiddellijk van de baan toen Painter in een telefoonge-sprek de naam van een concurrerende galerie liet vallen die al jaren naar zijn gunsten dong. 'Maar ik peins er natuurlijk niet over om weg te gaan bij Gambit, vanwege Frances,' zei hij, en nog diezelfde dag werd er een bos reukloze rode rozen bezorgd met een briefje erbij: *Lieve schat – zorg maar goed voor jezelf, en voor onze kleine Petronella natuurlijk. R.*

De glimlach in de R was nog charmanter dan anders.

Frances was Painter dankbaar voor zijn bemoeienissen. En het was ook prettig – Lottie had gelijk gekregen – om in de tuin te liggen, met de volmaakte Petra naast zich in haar biezen mandje, en te lezen, en naar de pauwogen en rode admiraal-vlinders te kijken die hun tere schildersvleugeltjes over Mrs. Painters buddleia verspreidden.

Kon Peter zijn dochter maar zien, zoals ze daar opgerold lag te slapen in haar mandje in de schaduw van Mrs. Painters seringen. Zou Peter blij geweest zijn met Petra? Zou hij eigenlijk wel gewild hebben dat ze het kind kreeg?

❦

We kunnen niet weten wat het ergste is wat hen die zijn heenge-gaan kan overkomen, maar de steek die Peter voelde toen hij over Petra waakte kwam daar vast heel dicht bij. Hij bekeek elk gelaatstrekje op het samengeknepen gezichtje van zijn dochter, telde de verrukkelijke zijden kussentjes van haar vingers en de piepklei-ne, weergaloze teentjes, en wist dat hij ze nooit in zijn hand zou kunnen houden om erin te knijpen, eraan te sabbelen of ze te kus-sen – zoals je dat met zijden kussentjes en weergaloze teentjes behoort te doen.

Doden huilen niet; daarom bekeek Peter zijn pasgeboren doch-ter met droge ogen, in stilte.

Hoofdstuk 49

Zahin gaf niet openlijk blijk van zijn irritatie toen Bridget hem vertelde dat ze voor het derde achtereenvolgende weekend in Londen zou blijven, maar het was voor het eerst dat ze aan hem kon merken dat het hem niet beviel.

'Maar het is toch zo heerlijk daar in uw buitenhuis, Mrs. Hansome...?'

'Zahin, het lijkt wel of je me kwijt wilt...'

'Helemaal niet, Mrs. Hansome.'

Helemaal wel, dacht Bridget nijdig. Zelfs in haar eigen huis was ze teveel; ze had zich nog niet eerder zo gedeprimeerd gevoeld, zelfs niet toen Peter net dood was. Mickey kwam langs en wist zich niet goed raad met haar houding toen ze Bridget in haar eigen keuken aantrof. Ze mompelde wat over tonijn en mayonaise.

'Zahin, krijgt Mickey mensen te eten of zo? Ze had het over broodjes.'

Zahin besloot dat de tijd gekomen was om Bridget op de hoogte te stellen van zijn plannen. 'Ik ben bezig een eigen zaak op te zetten. Mrs. Michael en ik worden partners.' Hij vertelde haar over 'Broodje Bijzonder' en het logo dat hij speciaal had laten ontwerpen: een open broodje met een glimlachend gezichtje van tomaten en hardgekookte eieren.

'Zo, en het hoofdkwartier van de hele operatie is mijn keuken.' Bridget voelde zich haast gekwetst. 'En je zusje? Maakt zij ook deel uit van het plan om mijn huis over te nemen?'

Maar Zahin wilde niet dat Zelda in verband werd gebracht met zijn broodjeszaak. Sterker nog, hij wilde helemaal niet dat er over haar gepraat werd. Bijna nukkig zei hij, 'Ik weet niet waar mijn zusje is.'

'Maar je hebt toch beloofd dat ze bij Frances en Petra op bezoek zou gaan? Ik heb begrepen dat Frances momenteel bij die akelige kunstenaar in Isleworth logeert...'

Later die dag zette een opvallend uitziende jonge vrouw koers naar Charing Cross Road en hield halt bij een van de vele telefooncellen. Als ze al geschokt was over de op de muur gekrabbelde invitaties was dat haar niet aan te zien, tenzij het onnodig aanbrengen van een nieuwe laag mascara duidde op een ongewone behoefte aan zelfbescherming. Diezelfde middag, toen Mrs. Painter al rustend de krant met het overzicht van de komende paardenrennen lag te bestuderen en Painter voor de derde keer een piepklein vierkantje lavendel aanbracht, liep het meisje ietwat verlegen door de zijpoort de tuin van de Painters in. Ze bleef even staan, keek gespannen om zich heen – als een loerende kat – en stapte toen op het biezen mandje dat op het grasveld stond af.

Frances, die net met een glas limonade het huis uit kwam, zag tot haar schrik Petra in de armen van een jonge vrouw in een strakke witte spijkerbroek en een krap rood hemdje.

'Hé daar!' gilde ze. 'Leg ONMIDDELLIJK die baby neer!'

Het meisje keerde Frances een uitdrukkingsloos gezicht toe. Toen boog ze zich voorover, legde Petra – die het op een krijsen had gezet – terug in haar mandje en rende de tuin uit.

'Dat is de laatste keer!' zei Zelda bij zichzelf. 'De allerlaatste keer.'

Haar haren zaten in de war, ze had steken in haar zij en haar spijkerbroek was bijna opengebarsten bij haar poging die vreselijke vrouw te ontvluchten. Van bovenuit de bus keek Zelda neer op Painter die, gealarmeerd door Frances gegil, als een bezetene de binnendringster achternagerend was tot de plek waar de bus, drie straten verder, haar wegrennende gestalte had opgeslokt.

Toen hij terugkwam huilde Petra nog steeds.

'Het kreng is me ontsnapt!' zei Painter ziedend. 'We moeten de politie inschakelen – ik zou haar zeker herkennen.'

Frances kalmeerde hem. 'Zouden we dat nou wel doen? Ik denk dat ik wel weet wie het was.' Zodra het meisje weg was en Frances zich ervan had vergewist dat Petra niets mankeerde, had ze geweten wie het was. 'Het was het zusje van Zahin, daar ben ik haast zeker van. Ik had haar uitgenodigd om naar Petra te komen kijken.'

Toen Frances Bridget belde, hoorde ze dat Zahin niet thuis was; zodra hij thuiskwam zou Bridget hem vragen of zijn zusje naar Frances was gegaan. 'De beschrijving klopt helemaal met het meisje dat ik bij je appartement heb gezien – een witte spijkerbroek en donkere haren.'

'Een typische slet!' zei Painter. Ze zaten buiten te eten, en Painter had Petra op schoot. 'Hier, drink dit maar eens op – ' zei hij, terwijl hij haar een glas Guinness voorhield – 'da's goed voor het zog.'

'Nee dank je, Patrick, ik haat donker bier – ik word al dik als ik er maar naar kijk.'

'Kuis je taal, Patrick,' zei zijn moeder toegeeflijk.

'Ik hoop maar dat ze Petra nergens mee besmet heeft,' zei Frances, gekweld door de neurosen van het ouderschap.

Bridget was verbaasd toen Zahin bij thuiskomst aankondigde dat hij een groot vuur ging maken. 'Maar het is bloedheet, Zahin. Kun je niet wachten tot het wat koeler is?'

In de regel was Zahin een echte charmeur als hij iets van je gedaan wilde krijgen, maar nu reageerde hij ronduit koppig. 'Het moet gebeuren,' was het enige wat hij zei.

'Nou ja, vooruit dan, maar dan moet je wel eerst de buren waarschuwen. Mickey geeft je natuurlijk toch je zin…'

Gelukkig waren de buren aan de andere kant met vakantie, net als trouwens de helft van de straat, dus alleen Bridget had last van de scherpe rook die van Zahins vuur af kwam. Bridget, die ook wel tactvol kon zijn en die meende sporen van tranen op Zahins gezicht te zien, vroeg niet wat hij aan het verbranden was; zo te zien was het een stapel kleren – al zou je verwachten dat hij die makkelijker naar de liefdadigheidswinkel op de hoek had kunnen brengen.

Pater Gerard, die gevormd was in de leer in Zuid-Amerika, was heel duidelijk over de hel.

'Tegenwoordig hebben we echt geen beeld meer voor ogen van een eeuwig brandend vuur, of duiveltjes met hooivorken, lieve hemel nee! Er zijn mensen die denken dat het een plek is vol as, waar eeuwige stilte en kou heersen – maar de meesten van ons zien de hel liever als een plek waar je voor eeuwig gescheiden bent van Gods genade. Als een kind dat onttrokken wordt aan de ouderlijke zorg – de ergste straf die je je bedenken kan, vind je ook niet, Peter?'

Deze vergelijking van Pater Gerard was weliswaar doeltreffend, maar in het geval van Peter nogal ongelukkig gekozen. Peter had het, door toedoen van zijn stiefvader, zo veel jaren zonder de liefdevolle zorgen van zijn moeder moeten stellen, dat hij bij het vooruitzicht van een soortgelijke, maar nog langere ontbering compleet afhaakte.

Misschien sprak daarom het idee uit een gedicht dat Bridget eens voor hem geciteerd had hem zo aan:

Volgens sommigen eindigt de wereld in vlammen
Volgens anderen in ijs,
Maar terugdenkend aan mijn brandend verlangen
Verkies ik de vlammen boven het ijs...

Toch legde Peter geen verband tussen zijn verlangen naar Zelda en een eeuwige verdoemenis. De menselijke geest is zo eindeloos flexibel, en Peter beleefde de intensiteit van zijn verlangen als iets verhevens, iets louterends zelfs. Maar het leed geen twijfel dat datgene waar hij mee bezig was in de ogen van de Kerk – Pater Gerard zou dat zeker ook gezegd hebben! – een doodzonde was. En hij wist maar al te goed dat doodzonden waarvoor geen boete was gedaan rechtstreeks naar die onvoorstelbare plek leidden waaraan schilders tot aan de eenentwintigste eeuw zich zo vaak te buiten waren gegaan met afbeeldingen van gehoornde duivels die met een grijns de verdoemde zielen op loeiende brandstapels of in ijzige vlaktes smeten.

'Wat gebeurt er als je sterft zonder dat je de kans hebt gehad je zonden op te biechten?' had Peter eens gevraagd, en Pater Gerard had uitgelegd dat er in dat geval vergiffenis geschonken werd als de persoon in kwestie volledig berouw toonde voor zijn zonde. 'Als je op het moment dat je sterft je zonde oprecht afwijst, Peter, dan is dat voldoende om je te verzekeren van Gods oneindige genade, en dan blijft elk ander lot je bespaard!'

Genade – oneindig of niet – kun je waarschijnlijk beter begrijpen door haar zelf te ervaren dan doordat iemand je er een beschrijving van geeft. Een van de objectieve, universele manifestaties ervan is wellicht de neiging die gevaar heeft om in mensen een reddende antwoordende kracht los te maken. Op het moment van zijn dood zag Peter in gedachten drie personen voor zich – en voor het eerst zag hij ze zoals ze werkelijk waren.

Een ander aspect van objectieve genade is wellicht verbonden met de ziende blik. 'Waarachtig' zien is mogelijk wat men verstaat onder zien met de blik van de eeuwigheid, hetgeen een andere manier is om te zeggen 'zien door het oog van God'. Op het moment dat Peter stierf, zag hij waarachtig, en hij begreep – en, eenmaal begrijpend, vergaf hij wat hij zag.

Bridget wist dat Peter die nacht niet bij haar in de slaapkamer was. Er hing slechts een duisternis die de spontane duisternis in haarzelf weerspiegelde. Omdat ze niet kon slapen, trok ze Peters kamerjas aan en liep naar buiten.

Op blote voeten liep Bridget het pad af tot achterin de tuin. De hemel werd licht in het zomerse ochtendgloren en de rode fonkelingen in de lucht weerkaatsten de nasmeulende resten van Zahins vuur.

Bridget raapte een onverbrande stok op en duwde een restant van een kledingstuk – iets wits – in de gloeiende as. Waarom zou Zahin in vredesnaam een spijkerbroek verbranden die nog zo goed leek? Wat was het toch een vreemde jongen. Wist ze maar wat Peter van hem gevonden had!

Hoofdstuk 50

Tegen juli besloot Bridget niet langer te wachten op 'de brief die nooit kwam'. Het groene formulier ten spijt reed ze als een gek naar Farings, waar ze de hele vrijdagavond een beetje rond liep te hangen.

Op zaterdag zette ze zich ertoe om in de tuin te werken. De pronkbonen waren rijp; ze plukte er een hele mand van – veel te veel voor één persoon.

Ze was net klaar met het uitgraven van wat aardappelen toen het tuinhek klikte; met een beantwoordend klikken van haar hart draaide ze zich om en zag niet Stan, maar zijn dochter.

'Hé, dag Cordelia.'

Cordelia keek afkeurend – maar dat was niets nieuws; ze kwam te dicht bij Bridget staan en tuurde naar de riek.

'Wat is dat voor soort?'

'Desirée, als ik het wel heb.'

'Rare naam voor een aardappel – "Begeerd".'

'Kom je zomaar eens langs?' vroeg Bridget, die het maar het beste vond om de zaken zo duidelijk mogelijk te houden.

Cordelia ging op de tuinbank zitten die Bridget op haar laatste strooptocht naar Frankrijk voordat Peter stierf gekocht had. Het was geen erg geslaagde reis geweest; maar de oude bank was haar zo goed bevallen dat ze hem zelf gehouden had.

'Die kan wel een kwastje verf gebruiken,' zei Cordelia, met een kritische blik op de afgebladderde latjes.

'Vind je dat? Ik vind hem juist zo mooi zoals-ie is.'

'Ik vind ons leven hier ook mooi zoals het is,' zei Cordelia plompverloren.

Tijdens de stilte die daarop volgde schatte Bridget pijlsnel de situatie in.

'Dominee Dark is bij Ma langs geweest.'

'O.'

'Hij zei dat hij je met Pa in de bus had gezien.'

'Om vogels te kijken, ja,' zei Bridget, terwijl ze zich afvroeg hoe iets wat bijna de waarheid was zo ongeloofwaardig kon klinken.

'Hij gaf haar het idee dat er meer achter zat – niet dat hij dat zei, maar zijn blik verraadde genoeg.'

Het was nooit slim om mensen openlijk af te keuren. 'Ja,' zei Bridget, 'die blik die ken ik.'

'Hoe dan ook, Ma is nogal van streek en daarom leek het me verstandig om maar eens met je te komen praten.'

Bridget keek naar de eeuwige roeken. De veer die ze gevonden had lag als bladaanwijzer in de Shakespeare-bundel van Zuster Maria Eustasia. *Deze veer roert zich; zij leeft!*, zegt Koning Lear over de dode Cordelia, vlak voordat hij zelf sterft. Als Cordelia dood is – en Shakespeare suggereert dat Lear dat niet gelooft. Was het dan slechts een waan, of had de verbeelding – of de liefde, of de combinatie van die twee – de kracht om de dood op een afstand te houden? Maar het omgekeerde was ook waar.

'Weet je,' zei Bridget, 'je vader zei al dat je moedig was. En dat ben je ook. Net als je naamgenoot.'

'Schei toch uit! Die Pa met zijn eeuwige poëzie. Ik haat dat soort flauwekul.'

O! het verschil tussen mens en mens, dacht Bridget.

'Ik vind het naar voor je moeder.'

'Ik ook, ja,' zei Cordelia terwijl ze Bridget strak aankeek. 'Die dag dat we naar tante Karen gingen rook Pa naar jouw sigaretten. En het boek dat je hem gegeven hebt heeft ze ook gevonden. Een dichtbundel, hè? Ma is net als ik – ze houdt niet van poëzie.'

Het leek haar het beste om maar meteen te vertrekken, dus reed Bridget diezelfde nacht nog terug naar Londen. Hoe ironisch dat Gloria Godwit dacht dat zij de gedichten van H.V. St.-John voor Stan gekocht had. Een fragment van een ander gedicht speelde constant door haar hoofd, een gedicht waar Peter dol op was geweest, over het einde van de wereld. Ze hadden gelijk, de dichters – verlangen was een eigenaardig soort hel, nee, geen 'eigenaardig' soort hel – er was niets 'aardigs' aan – verlangen was gewoon een hel, punt uit!

Door een gelukkig toeval – of misschien had ze haar portie pech nu wel gehad? – bleef haar auto onopgemerkt door agenten en camera's. Bridget had om zeven uur de deur van Farings achter zich dichtgetrokken en reed in recordtempo naar haar huis in Fulham, waar ze nog voor tienen aankwam. Ze liep haar slaapkamer in en trof Zahin voor haar toilettafel aan. Hij had Bridget pas de volgende dag terugverwacht en had het daarom niet nodig gevonden zijn gebruikelijke voorzorgsmaatregel – het oude metalen blik tegen de voordeur om hem te waarschuwen bij onraad – te treffen.

Spraak is trager dan instinct. 'Zelda?' zei Bridget vragend.

'O, Mrs. Hansome.'

'Zahin!'

De blik van ongenoegen werd dieper. Lamgeslagen kneedde Zahin de bol watten in zijn hand waarmee hij zijn oogmake-up aan het verwijderen was. De toilettafel lag bezaaid met crèmes, lippenstiften, poeder, oogschaduw, alle parafernalia van een laatste uitje voor Zelda voordat het tijd werd om de volle verantwoordelijkheden van 'Broodje Bijzonder' onder ogen te zien – Bridget herkende de rouge die ze voor Stan had opgedaan.

'O, Mrs. Hansome...' zei Zahin nogmaals. Zijn anders zo melodieuze stem rees tot een scherpe jammerklank, als het gekerm van een vechtende kat.

'Wat dacht je van een kop thee?' zei Bridget, praktisch als altijd.

Er bleek weinig meer te zeggen. Het feit dat haar huurder de gewoonte had zich als meisje te verkleden vond Bridget op zichzelf niet zo interessant. Wat haar dwars zat was iets anders – iets wat haar eerst met bijna tastbare kracht raakte, en wat vervolgens plotseling keurig op zijn plekje gleed. Nu begreep ze eindelijk waarom Zahin Peter indertijd was komen opzoeken; maar het was iets waarover ze het in geen geval met de jongen wilde hebben. Er was maar één levende persoon met wie ze dacht daar ooit over te kunnen praten.

Zodra Zahin begreep dat Mrs. Hansome het niet aan zijn familie zou verraden was hij opgehouden met snikken. Hij bleek werkelijk een zusje te hebben – een buitengewoon bescheiden meisje; het was voor haar van levensbelang dat niemand erachter kwam wat haar broer uitspookte, omdat dit haar kansen op de huwelijksmarkt blijvend kon vergallen.

'Natuurlijk vertel ik dit aan niemand, Zahin. Niemand heeft wat te maken met andermans seksuele leven.'

Maar gold dat ook als je dat seksuele leven met je vrouw deelde? En met je minnares?

Hoofdstuk 51

Bridget kon zelf niet verklaren waarom ze na Peters dood niet meer naar Frankrijk was gegaan. Op het eerste gezicht was haar enige belemmering om erheen te gaan nu juist uit de weg geruimd, om het zo maar eens te zeggen... Want haar man had haar regelmatige reisjes naar het buitenland nooit op prijs gesteld.

Bridget was zich ervan bewust dat dit, onder meer, de oorzaak was geweest van Peters dwalingen. Maar het valt niet mee om je activiteiten in te perken voor een ander, vooral als ze onschuldig zijn van aard – tenslotte was het reizen voor haar altijd een puur zakelijke aangelegenheid geweest, ze ging echt niet op stap om de bloemetjes buiten te zetten. Sinds ze aan haar huis en haar vader ontsnapt was, had ze nooit meer concessies gedaan aan haar eigen vrijheid, zolang ze er zeker van was dat ze er niemand mee dupeerde. Maar misschien had ze daarbij te weinig rekening gehouden met de gevoeligheden van de man met wie ze had samengeleefd.

De gedachte dat ze Peters zoektocht naar ander gezelschap wel een beetje in de hand had gewerkt was weleens bij Bridget opgekomen, en had ongetwijfeld een rol gespeeld in haar aanvaarding van Frances. Ze zou het nooit openlijk toegegeven hebben, maar in zekere zin was het een soort troost geweest dat ze Frances had om tegen te praten. Dat er grenzen waren aan Frances' begrip maakte, eerlijk gezegd, deel uit van die troost: Peter mocht dan het gevoel gehad hebben dat hij steviger in zijn schoenen stond bij Frances, beter in staat was zijn eigen zwakheden te verbergen of in elk geval te omzeilen, maar met Frances alleen zou hij zich nooit echt veilig hebben gevoeld.

Maar nu ze begrip nodig had dat vooral grenzen moest kunnen overschrijden, wierpen de 'grenzen' van Frances Bridget ook op zichzelf terug. Wat ze nu zocht was een oude, door de wol geverfde vriendin op wie ze zich veilig kon verlaten, en dat was niet Frances, maar Frankrijk.

Bridget besloot naar het gebied ten noordoosten van Parijs te gaan. Op weg daarheen kwam ze door Reims, waar ze besloot de nacht door te brengen; het kon helemaal geen kwaad om een beetje bijtijds te stoppen, en dan kon ze de volgende ochtend weer vroeg op pad.

Ze nam haar intrek in een redelijk hotelletje waar ze al eens eerder had gelogeerd – en dat, tegen alle verwachtingen in, gerund werd door een dynamisch jong Chinees stel – en liep naar buiten om een eindje te gaan wandelen.

De stad Reims is, net als veel Franse steden uit dezelfde tijd, gesitueerd rondom de kathedraal, aan het einde van de lindelaan, waar lang geleden de koningen van Frankrijk kwamen om gekroond te worden.

Bridget liep, in het spoor van de dode koningen, naar de westkant van het stompe bouwwerk met de zuilengaanderijen met groteske voorbeelden van menselijke zwakheden en figuren van glimlachende engelen. Het liep tegen het einde van de middag, en de muggen zwermden reeds in kolkende wolken om haar heen en beten haar in haar blote armen. Ze stak een sigaret op.

De hoge houten deuren stonden wijd open, alsof ze erop wachtten om haar te omhelzen, en een priester die zich nodig eens moest scheren kwam erdoor naar buiten, knipperend tegen het licht.

Zelfs als je niet religieus van aard bent kan een grote kathedraal rust bieden, een plek weg van de wereld – maar Bridget keerde de uitnodigende deuropening de rug toe. Het was lang geleden dat ze een kerk van binnen had gezien. Ze had alles wat met godsdienst te maken had achter zich gelaten – nou ja, alles, behalve Zuster Maria Eustasia. De bereidheid van haar oude lerares om grenzen te overspannen (je kon bijna de graagte zien waarmee ze haar habijt optilde om beter te kunnen rennen) had haar leerling tot onverwachte hoogten gebracht, maar in het aangezicht van deze crisis leek zelfs het begrip van Zuster Maria Eustasia te wankelen.

Bridget liep om de kathedraal heen naar de zuidkant van het gebouw, waar nog meer engelen vanuit de hoogte hun vage blik op haar richtten. Ze ging op een bank zitten en stak nog een sigaret op.

Misschien was het idee dat ze zich over Peter en Zelda had gevormd niet meer dan een macabere fantasie – de menselijke verbeelding lijkt vaak nog het meest op een beerput, daar was ze al lang van overtuigd. Maar terwijl ze daar zat tussen de hardnekkige, zoemende muggen, onder de oude engelen die al eeuwenlang hun milde, bijziende blikken lieten rusten op menselijke dwaasheid, wist Bridget dat haar plotselinge inzicht op de avond dat ze Zahin verrast had geen verbeelding was: Peter had niet alleen Zahin gekend – hij had ook Zelda 'gekend', in de andere zin van het woord.

'Het spijt me,' zei ze door de telefoon in het hotel. 'Ik zal hier echt geen gewoonte van maken. Maar ik moet ergens met je over praten.'

Geen vonk aan de andere kant van de lijn; Stanley Godwits stem klonk deprimerend vlak en formeel. 'Ik zal kijken wat ik doen kan.'

'Ik bel vanuit Frankrijk,' zei Bridget, en ze probeerde haar stem in bedwang te houden. 'Dat registreert je nummermelder niet. Dus je kunt zeggen dat ik een klant ben die je mobiel belt omdat ik vogels in mijn schoorsteen heb, of omdat ik ze zie vliegen, als je dat leuker vindt!' en ze hing op voordat ze te baldadig werd.

De volgende zaterdag kwam Stan bij haar langs. Bridget was op de terugweg uit Frankrijk meteen doorgereden naar Shropshire. Het was een sombere, onstuimige, gure dag.

'Ga je mee naar de zee kijken?'

'Heb je tijd? En is dat wel verstandig?'

'Ditmaal heb ik er toestemming voor.'

Verbijsterend hoe twee – verder volledig identieke – gebeurtenissen plotseling elkaars tegenstelling kunnen worden: zelfs de roeken die in zwermen de stoppelvelden afkamden waren van karakter veranderd; het leken net bejaarde, kromme geestelijken die de benen strekken op een nobel kerkelijk uitje.

Dezelfde rit, door dezelfde hoge lanen omzoomd met de vruchtbaar geurende bloemen, leek nu slechts woede en jaloezie en pijn te baren – alle plagen waar ik voorgoed verlost van dacht te zijn, dacht Bridget. Maar ja, niets is echt voorgoed...

Aan het einde van het rotspad stond ze stil en begon te declameren:

> *De plek zelf wekt al, zonder verdere oorzaak,*
> *vlagen van wanhoop op bij iedereen*
> *die zoveel vadem neerkijkt in de zee*
> *en haar hoort bulderen.*

'*Hamlet*, eerste bedrijf, vierde akte?'

'Klopt!'

Ditmaal ving hij haar niet op toen ze van het rotspad sprong.

Ze gingen op het strand zitten, naast elkaar op zijn jack, zonder elkaar aan te raken.

'Het spijt me,' zei Bridget nogmaals. Alsof stilte het enige was wat hun nog restte, hadden ze in de bus nergens over gepraat. 'Er is iets wat me dwarszit, en ik moet er met iemand over praten die een goede kijk op de dingen heeft.' Ze bedacht zich dat ze Peter eigenlijk nooit zo had gezien.

'Prima,' zei Stan.

Elke idioot kon zien dat het helemaal niet prima was. Hij raapte een stuk vuursteen op dat gladgepolijst was door de meedogenloze beweging van de zee, en gooide hem naar een paal waarop een zilvermeeuw zat. De steen kaatste tegen de paal, maar de meeuw gaf geen krimp en bleef hooghartig zitten.

'Het gaat over de jongen die bij mij in huis woonde.'

'Die Iraanse jongen?'

'Zahin, ja.' Het was verleidelijk om verachting te zien in de wrede gele snavel met rode spikkeltjes van de zilvermeeuw.

'Je mag hem graag.' Het was meer een verklaring dan een vraag.

'Ja. Ik hou wel van excentriekelingen – "rare vogels", zoals Peter ze noemde.'

'Is Zahin een rare vogel?'

'Misschien wel, ja.'

'Ach, in zekere zin zijn we dat toch allemaal?'

Er waaide een kille bries uit zee en op het donkere, petroleumkleurige water stonden roerige schuimkoppen. Bridget keek hoe de golven zich opstandig en doeltreffend een weg baanden naar de plek waar zij met z'n tweeën zaten, met nog geen broodje om samen te delen – zij en Stanley Godwit, die nog geen maand geleden op diezelfde plek de – wat voelde als ware – liefde bedreven hadden. *Zoals de golven naar het kiezelstrand spoelen,/ Zo haasten onze minuten zich naar hun eind...*

'Ik hou mezelf maar steeds voor dat travestie helemaal niet zo vreemd is. Ik bedoel, kijk nou naar Shakespeare.'

'Hij trekt meisjeskleren aan?' Wat een zegen dat ze het hem niet haarfijn hoeft uit te leggen.

'En hij is prostituee, denk ik, ja.'

'Zo.'

Stanley Godwit keek peinzend uit over dezelfde zee. We zitten allemaal in dezelfde wereld, maar zien we ook hetzelfde? vroeg Bridget zich af. Wat had haar man gezien in een jongen die speelde dat hij een vrouw was?

'En het joch was een vriend van je man?' De zeegrijze ogen stonden verlegen.

'Ja,' en ze praatte door omdat het wel duidelijk was dat hij dat niet zou doen, 'ik denk dat Peter een klant van hem was. Bij nader inzien heb ik aldoor gevoeld dat er iets was, want ik heb angstvallig vermeden te vragen naar hun – vriendschap, als je begrijpt wat ik bedoel?' En ze had die man aan de deur gehad, waar ze nota bene zelf wel mee naar bed had gewild! De man die haar aan Peter had doen denken. Zelfs van wat ze met haar eigen ogen had waargenomen had ze zich afgewend.

'Wilde je het niet weten?'

'Zou jij dat dan willen?'

Stanley Godwit wierp nog een steen; ditmaal miste hij de paal. 'Hangt ervan af. Ik hecht aan de waarheid, daar voel ik me veiliger bij.'

Maar 'wat is waarheid?' vroeg Bridget zich af. Komen we daar ooit achter? Was het mogelijk dat Peter werkelijk niet geweten had dat Zahin – Zelda – een jongen was? Misschien wel. Zijn onvermogen – of onwil – om door de manier waarop de wereld zich aan hem voordeed heen te kijken was een deel van Peters charme geweest. Een onschuld. Die onschuld had zij niet met hem gedeeld, zelfs niet als meisje, en ze besefte wel dat een deel van haar wrok daaruit voortkwam. Ze had zich aan hem gepresenteerd zoals ze was, eerlijk en oprecht, en in ruil daarvoor had hij een farce verkozen boven haar – een onechte versie van vrouwelijkheid.

'Wat ik nog het moeilijkst te verteren vindt, is de onbeschaamdheid.'

'Ik moet zeggen – ' zei Stan, na een stilte waarin Bridget zich afvroeg hoeveel kiezels je nodig zou hebben om je met succes te verzuipen – waarschijnlijk zes van die hele grote in elke zak, maar dan was de maat van de zak weer een probleem – 'er is een scène in *Antonius en Cleopatra*, waar Cleopatra zegt hoe vernederend ze het vindt dat "een Cleopatra-knulletje met een piepstem haar grootheid moet verbeelden". Weet je welke scène ik bedoel?'

'Waar ze bang is dat ze door Caesar gevangen genomen zal worden?'

'Volgens mij kan alleen Shakespeare zoiets verzinnen: hij laat het grootste vrouwelijke sekssymbool aller tijden – zoals we weten – door een jongen spelen, en die laat hij dan verontwaardigd vertellen dat de Romeinen haar zullen laten vervangen door een jongensacteur als ze triomfantelijk voor de ogen van de menigte in gevangenschap wordt geleid, om haar vrouwelijkheid te beledigen. Over onbeschaamdheid gesproken! Het is natuurlijk een truc, maar het zegt wel wat!'

'Wat zegt het dan?'

'Dat weet ik ook niet,' zei Stanley Godwit. 'Daar ben ik niet slim genoeg voor. Ik weet alleen dat elke vermomming, althans bij Shakespeare, een betekenis heeft. Maar wat de betekenis ervan is, blijft een mysterie…'

'Mijn lerares Engels heeft vroeger ook eens zoiets gezegd.'

'Want weet je, Bridget,' had Zuster Maria Eustasia gezegd, 'met de Spelers weet Hamlet tenminste waar hij aan toe is. De jongen die de rol van de koningin speelt – Hamlet laat ons weten dat dat een jongen is door de vurige hoop uit te spreken dat hij de baard niet in zijn keel zal krijgen. Maar denk je het Elizabethaanse publiek eens in! Dat zit te kijken naar een toneelstuk dat een tweede een toneelstuk in zich bergt, met een jonge knul – de jonge acteur – die de rol speelt van Hamlets moeder, een personage dat wij aanschouwen op het toneel maar dat zelf ook naar een toneelstuk zit te kijken. Dus wij, het publiek, kijken naar een toneelstuk over een publiek dat naar een toneelstuk kijkt waarin een jonge knul verkleed is om de rol te spelen van de vrouw die naar hem zit te kijken. En haar eigen rol wordt ook door een jongen gespeeld, maar ditmaal worden we verondersteld dat niet te merken! En waar dient het allemaal voor – "deze kunstspiegel"? Om ons het beeld van het eigen, zelfingenomen, pretentieuze zelf voor te houden. Kun je je een amusantere inleiding tot het raadsel dat "werkelijkheid" heet voorstellen?'

Maar wat zijn wij dan, en wie bekijkt ons? had Bridget zich in stilte afgevraagd.

'Stan, die dag dat wij naar Ludlow gingen, toen ik je bij het hek tegen het lijf liep, kwam je toen voor mij?'

'Voor wie anders, Bridget?'

'Ik vroeg het me af.'

'Ik kon niet wachten tot ze vertrokken waren.'

'En dat vertelt hij me nu pas!'

'Ik had het je niet eerder kunnen vertellen.'

Nee, daar was hij veel te loyaal voor. 'Dank je dat je het me nu vertelt.'

En die bundel met gedichten die hij door haar onschuldige tussenkomst gekocht had? 'Dat boek heb je nooit aan je vrouw gegeven, hè?'

'Ik heb ze voor mezelf gekocht omdat jij ze mooi vond.'

De stof voor komedies!

'Wat zijn wij, Stan? Wij mensen, bedoel ik, niet alleen jij en ik. Waartoe zijn we hier? Zijn we amusement voor iemand of *iets*? Zoals de 'Muizenval' in *Hamlet*? Waar dienen we voor?'

'Ook daarvoor ben ik niet slim genoeg. Voor de liefde, misschien?' Samen zagen ze dezelfde ronde robijnen zon in de wijdopen armen van dezelfde zee zakken. 'Het punt is,' zei Stan, 'dat ik mijn vrouw niet in de steek kan laten – niet in haar toestand.'

De prijs van een goede vrouw is niet in robijnen uit te drukken.

'Ik begrijp het.' Bridget liet haar blik afdwalen van de plek waar de zon zich eindelijk had overgegeven aan de koortsachtige omhelzing van de zee, en richtte hem vervolgens op de zilvermeeuw.

'En met iemand als jij zou ik – '

'Ik begrijp het,' zei Bridget nogmaals. 'Zeg maar niks meer. Alsjeblieft.' De zilvermeeuw vloog op van zijn paal en klapwiekte met veel misbaar omhoog naar de onverschillige hemel.

Na een poosje zei Stanley Godwit, 'Raar eigenlijk, hè? Je ontmoet iemand en je weet dat je daar, als je nog een leven had, even goed mee had kunnen leven, beter nog misschien, maar je krijgt de kans niet omdat je al een leven gekozen hebt.'

'Ja,' zei Bridget. Nu de zilvermeeuw weg was bleef alleen de zee over om naar te kijken. En zelfs de alles omhelzende, eeuwigdurende, onmetelijke zeeën konden je daarvan niet vrijspreken.

'Je zou willen dat je dat allemaal van tevoren wist – maar ja, het feit dat wij niet in de toekomst kunnen kijken is juist wat ons tot mensen maakt, neem ik aan.'

Bridget maakte eindelijk haar blikken los van het opkomende tij en zei, 'Eigenlijk ben je een hele vervelende man. Je zegt aan een stuk door dat je niet zo slim bent – maar volgens mij ben je je hele leven al bezig te verbergen hoe akelig slim je eigenlijk bent!'

Ze keken elkaar aan, en ze was zich ervan bewust dat ze de vreemde zeekleur in zijn ogen in haar geheugen probeerde te griffen.

'Niet zo slim dat ik jou op tijd heb weten te vinden,' zei Stanley Godwit.

Hoofdstuk 52

Stanley zette Bridget bij Farings af, en nog diezelfde nacht reed ze terug naar Londen. Bij aankomst was het stil in huis, zo stil dat Zahin er onmogelijk kon zijn.

In de keuken was het, voor Zahins doen, een troep. Hij had melk gemorst op de vloer bij de ijskast. Bridget, die te moe was om te slapen, raapte haar laatste restje energie bij elkaar en zocht onder de gootsteen naar een doekje om de melk mee op te doen. Ze zag een paar chirurgische handschoenen van Zahin liggen en raapte ze op. In een van de slappe vingers zat een bobbel, en toen ze de handschoen uitklopte viel er een hard, rond voorwerp uit.

'Ik wist het niet,' zei Peter. Hij stond al bij het bed maar was nog niet gaan zitten. Misschien wilde hij eerst haar reactie zien op de waarheid die ze ontdekt had. 'Ik zweer je met mijn hand op mijn hart dat ik niet wist dat ze – dat *hij* – dat het een jongen was.'

'Gezien de omstandigheden zegt die hand op je hart me niet zo veel. Maar je moet het toch gemerkt hebben toen jullie…?

'Nee, dat is het 'm nu juist. Zo ver zijn we nooit gegaan. Ik dacht dat dat kwam omdat ik anders was dan haar – neem me niet kwalijk, voor mij is hij nog een "zij" – andere klanten, en dat ze wilde dat ik haar met respect behandelde.'

Even vergat Bridget Peters onsterfelijke krachten en dacht: Tjonge, wat naïef!

'Inderdaad ja, heel naïef, maar dat ben – was – ik ook. Dat is – gedeeltelijk – waar ik hier voor moet boeten, nu.'

'Wat doe je hier, Peter?'

Die vraag had ze hem al eerder gesteld; nu wist ze zeker dat ze er recht op had dat te weten.

'Ik ben gewoon in het vagevuur, en als je het eenmaal begrijpt is het ook heel gewoon. Het is precies zoals Pater Gerard altijd zei – je wordt gestraft door je zonden, niet voor je zonden.'

'Pater Gerard?'

'Een katholieke priester die ik vroeger gekend heb. Hij had gelijk in alles – het gaat er niet om wat jou vergeven wordt als je sterft, het gaat erom wat jij vergeeft.'

Bridget riep het beeld op van de Oude Hamlet, de geest van de vader van Prins Hamlet, die met zijn onvergeeflijkheid dood en verderf gezaaid had onder de mensen die hij achterliet. 'Ik geloof dat ik je dat ook wel had kunnen vertellen.'

'Ik denk niet dat jij lang in het vagevuur zult vertoeven, Bridget.'

'Dat weet ik zo net nog niet. Ik heb de smaak van overspel te pakken de laatste tijd.'

'Ja, rot voor je, van Stan.'

Hij keek treurig. Bridget zag het en vroeg zich af of er nu iemand was die voor hem zorgde – of maakte dat ook deel uit van wat hij moest leren?

'Misschien maakt het niet uit,' opperde ze. 'Misschien is het, als je echt van iemand houdt, niet zo belangrijk wie of wat hij is en of hij blijft of weggaat en of jij blijft of weggaat.' Dat was ofwel een buitengewoon banale opmerking, of een hele wijze. 'Hoe ziet het vagevuur er tegenwoordig uit?' ging ze haastig door. 'Toch niet zoals bij Dante?'

'Dante!' zei Peter, en lachte schimmig. 'Die zat jij te lezen toen ik je voor het eerst ontmoette. Ik werd pardoes verliefd op je!'

'Volgens mij zijn er in jouw leven te veel dingen "pardoes" gebeurd.' Bridget klonk kordater dan ze zich voelde, want het liefst had ze haar armen om hem heen geslagen.

'Ook daar pluk ik nu de zure vruchten van – ik moet de gevolgen gadeslaan van alles wat er "pardoes" gebeurd is in mijn leven, ik moet jullie tweeën blijven volgen.'

Bridget bestudeerde zijn gezicht: het stond – hoe stond het? Eigenlijk alleen doodmoe. 'Maar niet te lang, hoop ik,' zei ze. 'Trouwens, waarom alleen ons tweeën? En Zahin – Zelda dan?'

'Dat is wat anders. Zelda bestond niet echt, zie je, dus die stierf toen ik stierf. Alleen het werkelijke overleeft hier.'

Bridget werd overmand door haar behoefte hem te troosten. 'Nou ja, Frances heeft haar – of liever gezegd, jouw – baby en je weet dat ik me altijd wel red. Dus als het alleen van ons afhangt zul je wel gauw vrij zijn om te gaan naar waar je hierna heengaat. Waar is dat eigenlijk, als ik vragen mag?'

'Onbespreekbaar.'

'O jee!'

'Nee, ik meen het echt. Daar mag niet over gesproken worden. En dat is maar goed ook, gezien alle flauwekul die de mensen over dergelijke zaken uitkramen.'

Dus hij zag zichzelf al niet meer als mens. 'Krijg je het daar goed?'

'Ik heb geen idee.'

Het was nog net als toen hij leefde, dacht Bridget, en toch was er een verschil. 'Pieker er maar niet over,' zei ze.

'Dat doe ik wel.'

Dat was het verschil. Niet dat hij piekerde, maar dat hij wist dat hij dat deed. 'Het komt goed met ons – met ons allemaal. Zo zijn mensen. Ze zeggen dat ze ergens niet overheen komen, maar dat doen ze wel. Dat ligt in de aard van de mensheid.'

'De aard van de mensheid, schei toch uit!'

'Alleen omdat je niet meer een van ons bent, hoef je nog niet zo verwaand te doen, hoor.'

Hij schonk haar een mistige glimlach, de glimlach van een geestverwant, en ze wist dat hij zo zou vertrekken.

'Adieu,' zei hij. 'Wist je dat dat betekent: ik vertrouw je toe aan God?'

Ze wilde uitroepen: Je weet toch dat ik altijd van je gehouden heb, en dat ik nog net zoveel van je houd nu je niet meer leeft? Maar dat wist hij nu; dat was het andere verschil.

'Wijsneus!' Ze keek naar de zeepaardjes. 'Gek eigenlijk – tot nu toe leken we steeds met z'n drieën. Eerst jij, ik en Frances, toen ik, Frances en Zahin. Nu Frances Petra heeft, en Zahin zijn broodjeszaak, zijn we eindelijk pas echt met z'n tweetjes.' En iets wat eindelijk gebeurt, of het nu goed is of slecht, geeft toch een zekere opluchting. 'Maar jij zult nu ook wel gauw naar de eeuwige jachtvelden gaan…'

'Wat een rotgrap, Bid! Tot nu toe ben ik hier echt aldoor alleen geweest, hoor.'

Zijn woorden stemden haar verdrietig. 'Dat wist ik niet.'

'Wees maar niet verdrietig voor me. Ik ben hier om te leren.'

'Nou, sinds jij er niet meer bent heb ik ook veel geleerd.' Maar hij was er nog – dat was nu juist het rare; ondanks zijn schijnbare onzichtbaarheid was hij hier nu wezenlijker bij haar dan ooit tevoren. Ze bedacht zich dat het misschien wel de eerste keer was dat er een gevoel van medeplichtigheid tussen hen bestond, net zoals ze dat had met de roeken… Ineens herinnerde ze zich iets. 'Ik vroeg me af, ik dacht laatst dat ik jou tussen de roeken zag…?'

'O ja, de roeken! Het was leuk om te vliegen.'

Nu viel er niet veel meer te zeggen.

'Zul je me een teken geven als je vertrekt, ik bedoel, als je naar – ?'

'Ik zal je een teken geven.'

'Ook als het –?'

Hij knikte. 'Goed of slecht, ik laat het je weten. Tussen twee haakjes, het spijt me van die ring.'

'Wat?'

'Van die saffieren ring die ik aan Frances gegeven heb.'

'O, daar ben ik allang overheen.'

Het lijkbleke gezicht keek haar aan.

'Gelukkig. Het zat me dwars, het zit me nog steeds een beetje dwars. Je moet niet vergeten, ik ben ook maar een mens!'

Maar ditmaal glimlachte hij niet, en toen hij sprak was het met de stem van de werkelijken. 'Het spijt me. Het was niet omdat ik minder van jou hield.'

Bridget dacht: *'t Is onvermijdelijk dat wij vergeten/ de schulden aan onszelve te voldoen.*

'Dit is de eerste keer dat je me zegt dat je ergens spijt van hebt.'

'Dat spijt me ook. Ik wou dat je me meer over Shakespeare had geleerd.'

'Weet je, Peter, ik heb meer over Shakespeare geleerd van jou dan van wie dan ook – van jou en van Zuster Maria Eustasia. Maar met Gertrude had ze het mis – Gertrude hertrouwde niet uit hebzucht, maar omdat ze eenzaam was.'

'Ik vind het naar voor je dat jij eenzaam bent, Bid.'

'Tja, dat hoort bij het menszijn, nietwaar? Eenzaam zijn. Ik neem aan dat dat bij jou anders is…?'

'Ja, hier is dat anders…'

Woordenloos keken ze elkaar aan, tot ze zelfs in de tactvolle duisternis haar ogen neer moest slaan. En toen ze weer opkeek zag ze slechts de zeepaardjes op en neer deinen, alsof ze dat eeuwig zouden blijven doen.

Hoofdstuk 53

Uiteindelijk was er volgens Painter maar één manier waarop Frances zich van Ed Bittle kon ontdoen: zich door Painter laten schilderen. 'Je hebt per slot van rekening nog nooit voor me geposeerd.'

'Je wilde me niet! Je hield je alleen maar bezig met abstracte kunst.'

'Ik kan me niet herinneren dat ik je niet wilde!'

Hij mat haar op met zijn onbewogen, scheve blik en werkte gestaag door. 'Tekenen naar levend model is alsof je een baby maakt,' zei hij eens. 'Het is jij, ik en het schilderij. Het schilderij wordt alleen goed als de andere twee bij elkaar passen.'

Ed kwam langs en ging gepikeerd weer weg. Hij zei in vertrouwen tegen Lottie, die hij in het ziekenhuis ontmoet had toen ze beiden bij Frances op bezoek waren, 'Ze had me beloofd dat ze voor mij zou poseren!'

'Ik zal wel voor je poseren,' zei Lottie, geïmponeerd door Eds leren motorpak.

Frances was van plan geweest na een week bij de Painters weg te gaan – maar op de een of andere manier ging de 'week' geleidelijk aan over in september. Het was een onnatuurlijk heet najaar; Petra lag op de deken op het grasveld zonder luier, en de Gemberkoekjes – de zeven kleine schildpadjes – baadden naast haar in de zon. Het was zonde om de kinderkamer op te breken, zei Painter.

Hij wilde Frances ook per se betalen voor het poseren. 'Maar Patrick, dat kan ik niet aannemen – ik ben jou eerder geld schuldig, voor mijn kost en inwoning!'

'Je denkt zeker dat ik het niet kan betalen,' zei Painter, zogenaamd beledigd. 'Ga toch eens recht zitten, mens, je linkertiet hangt!'

'Dat betekent dat ik Petra moet gaan voeden.'

Bridget kwam op bezoek met een totaal veranderde Zahin. Hij noemde Frances bij haar voornaam, en gaf Petra een fluwelen konijn waarmee hij haar, heel normaal, aan het lachen probeerde te maken.

'Ze is nog niet oud genoeg om te lachen, Zahin.'

Zahin vertelde hun alles over zijn broodjeszaak en Mrs. Painter gaf hem een recept voor sodabrood. Zijn stem had zijn klingelklokjesgeluid verloren en klonk nogal bars – een stem die paste bij een jongeman die zijn zinnen had gezet op het grote geld.

Voordat Zahin en Bridget vertrokken, had Frances beleefd naar Zelda geïnformeerd. Bridget had haar uitgelegd dat Zelda terug was naar Iran, heel spijtig – maar binnenkort kwam er misschien een ander zusje van Zahin over – en zijn moeder had ook beloofd op bezoek te komen…

'Die jongen gedroeg zich buitengewoon normaal,' zei Frances, toen de twee vertrokken waren. 'Kennelijk loopt alles daar op rolletjes.'

'Laat Bridget maar schuiven – die krijgt iedereen in het gareel!'

'Jij gaat te veel af op wat mensen je voorspiegelen.'

'Waar moet een kunstenaar dan op af gaan? Ga eens rechtop zitten – je zit erbij als een voddenbaal.'

Maar tegen het einde van september vond Frances het tijd om te vertrekken. 'Ik moet gaan, Patrick, anders word ik nooit meer onafhankelijk.'

'En wat zou dat?' De groene ogen keken haar onderzoekend aan.

'Ik kan – we kunnen – hier toch niet eeuwig bij jou blijven.'

'Waarom niet?' Painter, die binnenkort een expositie had, was bezig uiterst nauwgezet vermeende defecten in de piepkleine gekleurde vierkantjes over te schilderen.

'Je moet toch schilderen…'

'Wat heeft dat er nou mee te maken? Bevalt het je soms niet om bij mij te wonen?'

'Het zou een eigenaardige situatie zijn.'

Painter keerde zich om. 'Ik weet best dat ik als eigenaardig bekend sta, maar is het nu heus zo gek om een knappe vrouw te vragen bij je in te trekken?'

Frances voelde dat ze bloosde. 'Maar Patrick...'

'Je denkt dat ik homo ben, hè?' zei Painter. Hij keek haar zijdelings met een scheef oog aan.

Frances bloosde nog heviger. 'Nou ja –'

'Een man die van zijn moeder houdt hoeft nog geen homo te zijn! Ik dacht toch dat jij ruimdenkender was!'

'Het is toch geen schande om homofiel te zijn.'

'Makkelijk lullen!' zei Painter grof.

'Maar dat was niet het enige!' wierp Frances tegen.

'Wat dan nog meer?'

'Je hebt nooit vriendinnen.'

'Ik vind bijna geen een vrouw aantrekkelijk – Celia Johnson is dood en Anne Bancroft is bezet. Jij bent een van de weinige beschikbare vrouwen die ik leuk vind.'

'Dank je,' zei Frances. Ze voelde zich gelouterd.

'Nou, wat dacht je ervan? Je mag hier komen wonen.'

Frances dacht erover na. 'Ik geloof niet dat ik geschikt ben voor het huwelijk,' zei ze.

'Waarom niet? En trouwens, we hoeven niet te trouwen, als je dat niet wilt.'

'Altijd met één en dezelfde persoon – da's niks voor mij. Ik denk dat ik daarom minnares ben geweest. Kennelijk werk ik het best in een driemanschap.'

'In dat geval ben ik ideaal,' zei Painter. 'Want ik ben niet alleen – mijn moeder is er ook nog!'

'Maar die gaat dood,' flapte Frances eruit.

'Die gaat een keer dood, maar dan hebben we Petra nog – en dan ga ik dood, en dan ga jij dood – eens gaan we allemaal dood. Zelfs Petra. Wat doet het ertoe?'

Misschien niets, dacht Frances. Misschien neem ik alles veel te serieus op.

Iets scherps viel haar teen aan. Frances keek omlaag en zag dat er een schildpad aan haar voeten knabbelde. 'Hé!'

'Dat komt door je rode nagellak – hij denkt dat je een tomaat bent!'

'Ik zal erover nadenken,' zei Frances, 'maar ik moet eerst naar huis.' Ze was gevleid door het geknabbel van de schildpad.

'Beloof je me dat je erover na zult denken? Tussen twee haakjes, ik ben blij dat je niet meer van die saaie kleuren draagt. Die nagellak staat je goed, past bij je zilveren sandaaltjes – hoe heet die kleur?'

'Hij heet "Perzische Nachten".'

'Jij dacht dat ik op die mooie Perzische jongen viel, hè?' zei Painter, en hij lachte schor.

Hij hielp haar met het inpakken van de auto en droeg Petra naar buiten in haar biezen mandje.

'Ginger en Fred zouden het ook leuk vinden.'

'Hoe weet je dat?'

'Die houden van je,' zei Painter.

'Je bedoelt dat ze van mijn tenen houden!'

'Dat ook. Maar ze reageren op je stem. Bij sommige stemmen trekken ze hun kopje in, maar bij jou steken ze het juist naar buiten, dat hebben ze altijd gedaan. Dat is de beste toets.'

Frances vroeg niet waarvan. Ze wuifde en reed weg.

Toen ze, een minuut of wat later, weer aan kwam rijden stond Painter nog voor de deur.

'Moet je horen,' zei ze, 'ik dacht zo – als Ginger en Fred het nou echt leuk vinden…'

Hoofdstuk 54

Zahin deed niet langer meer of hij studeerde. De broodjeszaak nam hem volledig in beslag; hij moest voorraden bestellen voor Mrs. Michael, de bezorgingen regelen, praten met de bank, en de tijd die hij overhield bracht hij voor het grootste deel door in Bridgets keuken met het uitproberen van nieuwe vullingen. De rol die hij ooit zo overtuigend voor haar man gespeeld had leek hij volledig vergeten te zijn.

Op een dag zocht hij Bridget op in haar winkel. 'Die computer van jou, Bridget, ik vroeg me af of ik die misschien, voor mijn financiële administratie...?

Bridget had daar al over nagedacht. 'Ja, gebruik hem maar. Binnenkort krijg je hem misschien wel van me.'

De nieuwe Zahin was zakelijk ingesteld. 'Dan zal ik hem graag van je overnemen.'

Maar Bridget was nieuwsgierig. Ze greep het aanbod dat ze net gedaan had aan om hem uit te horen: 'Vindt je familie het niet erg dat je nu geen ingenieur wordt?'

'Ze vinden het vast veel erger als ik de mensen vertel dat ik prostituee ben geweest. Ik zal ze zeggen dat ik dat rond ga vertellen als ze mij mijn gang niet laat gaan.'

Leuk voor de reputatie van zijn zusje! dacht Bridget.

Zahin was niet ongevoelig voor wat er in anderen omging. Zijn stem klonk een tikkeltje defensief toen hij zei, 'Mr. Hansome heeft me aangeraden om dat te zeggen als ze moeilijk zouden doen.'

'Zahin, die keer dat je mijn man wilde spreken, waarom kwam je toen als jongen – zoals je nu bent?'

'Zal ik de computer dan maar meteen meenemen, Bridget?'

De weken gingen voorbij, en Bridget kon geen besluit nemen. Frances was bij Painter ingetrokken – en Claris werd Petra's vaste oppas toen Frances weer part-time ging werken in de galerie. Lottie, die het appartement in Turnham Green had gehuurd, had een deel van Frances' uren overgenomen. De zuster van Lotties moeder bleek op school gezeten te hebben met de zuster van Lady Kathleen, en die vage connectie was voor Roy reden genoeg om Lottie in zijn hart te sluiten. Ze was bevriend geraakt met Ed Bittle, die nu volledig in beslag genomen werd door het plan een beeld van haar te maken – Maria na de Boodschap, noemde Painter het. De relatie tussen Painter en Ed Bittle was verkoeld, maar Zahin en Mickey daarentegen dreven 'Broodje Bijzonder' als dikke maatjes. Bridget leek de enige die er helemaal alleen voorstond.

Inmiddels was het oktober geworden, bijna een jaar nadat Peter verongelukt was. Bridget was al twee maanden niet meer op Farings geweest toen op een ochtend de telefoon rinkelde in de gang. Bridget stond op het punt naar de winkel te gaan.

'Hallo?'

Aan het andere eind van de lijn bleef het stil – Stan?

'Bridget?'

'Stan?' Weer een stilte – Stan! 'Stan, is alles goed met je?'

'Dat wilde ik juist aan jou vragen, Bridget.'

'Met mij gaat het goed.' Wat moest ze anders zeggen?

'Je bent helemaal niet meer op Farings geweest.'

'Nee.'

Weer een stilte.

'Dat is niet goed.'

'Ach, wat heet goed…?'

'Ik wil niet dat je wegblijft vanwege ons.'

'Maar je vrouw dan?' Ze kon de naam niet over haar lippen krijgen.

'Gloria heeft mij. Ik zou niet weten waarom jij niet in je eigen huis zou mogen zijn. Dat heeft ze maar te slikken.'

Zo, dat was andere koek.

'En nog wat,' zei Stan. 'Over *Antonius en Cleopatra…*'

'Wat is daarmee?'

'Ik heb me iets bedacht – Antonius pleegt zelfmoord omdat Cleopatra doet alsof ze dood is – ze is niet dood, maar dat neemt hij haar niet kwalijk.'

'Ik begrijp het.' Maar ze wist niet of ze het begreep.

Had Zahin daarom als jongen op de stoep gestaan – om Peter te chanteren, om hem de 'waarheid' te laten zien, hem te tonen wie hij was?

'Misschien begrijp ik het...'

'Waarschijnlijk is het onzin. Nou ja...'

'Je kunt nu beter ophangen, Stan.'

'Ja.' Stilte. 'Je bent uniek, Bridget.'

'Jij ook, Stan.'

Een week later, toen Bridget langs de makelaar liep waar Mickey Frances ontmoet had, nam ze een flitsend besluit. Binnen een paar dagen was het huis verkocht aan een koper die contant wilde betalen, een rock-ster op leeftijd die het voor zijn zoon wilde – de zaak moest op 31 oktober beklonken zijn, zei Bridget, anders ging het niet door. Zahin zou bij Mickey intrekken, om voorlopig uit de klauwen van zijn familie te blijven. Ruimte voor logees was daar niet.

Toen Bridget bij het huis in Isleworth aanbelde was Painter uit, en dat was misschien ook wel goed. Claris was met Petra boodschappen doen en Mrs. Painter was naar de pedicure – dus Bridget en Frances waren alleen. Net als vroeger.

'Heb je er last van als ik een sigaretje opsteek?'

'Ja, eerlijk gezegd wel.'

'Dat had je vroeger nooit!'

'Jawel, maar toen zei ik het niet. Maar bovendien moet ik nu rekening houden met Petra.'

Bridget hoefde niet te zeggen: maar die is er niet eens, want Frances draaide meteen bij. 'Nou ja, ga je gang ook maar.'

'Ik heb iets voor je,' zei Bridget, en ze overhandigde Frances een in kant gewikkeld pakje. 'Of liever gezegd, voor Petra. Ik heb haar bij haar geboorte nog niks gegeven.'

'Bridget, wat aardig van je.'

'Nee hoor. Als je ziet wat het is zul je me helemaal niet aardig vinden. Maar ik heb liever dat je het pas openmaakt als ik weg ben.'

'Mij best.'

'Dus je bent wel gelukkig, hier?' Bridget dronk haar koffie –

wat een opluchting dat Frances weer gewoon koffie dronk in plaats van al die vreselijke kruidentheeën.

'Heel gelukkig, eigenlijk.'

'Houwen zo.'

Frances, die wel besefte dat teveel 'geluk' uitgelegd zou kunnen worden als ontrouw aan Peter, zei vlug, 'Patrick is stapelgek op Petra.'

Maar Bridget was niet alleen gekomen om haar pakje af te geven. Ze moest ook nog wat zeggen. Een dwingend beeld zweefde voor haar ogen toen ze haar voornemen ten uitvoer bracht. 'Daar zou Peter blij om zijn. Ik weet zeker dat hij het beste voor Petra gewild zou hebben.' Ze had nu tenminste het recht om dat te beweren, vond ze.

Frances keek naar Peters vrouw. Ze was verbazend kies geweest – en dat was ze nog steeds. Denk je eens in hoe andere vrouwen zich opgesteld zouden hebben...

'Je bent een echte vriendin geweest, Bridget.'

'Ik weet niet of ik een vriendin geweest ben – maar iemand, *iets*,' verbeterde ze zichzelf, 'heeft me laten zien dat *echt* zijn het enige is wat telt.' Dat was wat die bedaarde geestenblik haar duidelijk had willen maken.

'Nou, als er iemand echt is, dan ben jij het wel, Bridget!' had Frances gezegd.

Het huis was leeg en de verhuiswagen vertrok met al Bridgets draagbare bezittingen om deze, op een paar dingen na, op te slaan. Ze keek hoe hij tussen de verkeerspaaltjes door manoeuvreerde die de buurtvereniging op de hoek van de straat had geplaatst. Zou de zoon van de rock-ster wel met Mickey kunnen opschieten? Nou ja, dat was haar zaak niet meer – en wie weet werd hij wel een vriend van Zahin.

'Ziezo, Zahin. Ik ga ervandoor.'

'Ik zal je koffers naar de auto brengen.'

Bij de auto gaf ze hem een zoen, en voelde het begin van stoppeltjes. 'Het beste, Zahin.' Peter had dat net niet meer meegemaakt, dat die zachte wangen ruw werden als schuurpapier.

'Vaarwel, Bridget. Het ga je goed!'

Toen de auto optrok stak de jongen – staande voor het huis dat zij met hem en Peter gedeeld had – zijn hand op en wuifde, en haar blik werd getroffen door het ongelooflijke blauw van zijn ogen, alsof ze dat voor het eerst zag. Je kon het Peter niet kwalijk nemen – dit was pure schoonheid – die levensglans; amoreel, onbevattelijk, en net zozeer een onderdeel van het oneindige plan als liegen en trouw en vergeetachtigheid en mislukking – die ze ook met hen allebei had gedeeld.

De rit leek eindeloos te duren. Er was mist op komen zetten en het zicht was slecht. Bridgets bekeuring lag haar nog vers in het geheugen, en voorzichtiger dan ze gewend was reed ze de snelweg op. Bij het bekende knooppunt ging ze er weer af.

Het was vandaag precies een jaar en een dag geleden dat Peter stierf: 31 oktober – Halloween. Morgen zou het Allerheiligen zijn, de dag waarop, volgens de katholieke kerk, de lichaamloze heiligen zich mengden met de vleesgeworden zondaars – maar vanavond waren de geesten aan de beurt. Bridgets gedachten dwaalden naar haar eigen geest, op weg naar zijn bestemming, wat die dan ook zijn mocht. Ze had altijd gedacht dat ze haar man door en door kende, maar je kon iemand nooit verder kennen dan het moment. *We weten wat we zijn, maar niet wat we zullen worden*, zei de gekke Ophelia in haar wijsheid. Hoe zou Peter het eraf brengen in de eeuwigheid? Wat zouden zijn verdiensten zijn…? Maar hoe kon een menselijke maat die ooit meten? *Als je iedereen naar verdienste behandelt, wie ontkomt er dan aan de zweep?*

En hoe zat het met haar eigen verdiensten? Zij verdiende het al helemaal niet om aan de zweep te ontkomen! Omdat ze gezwegen had over haar eigen ellende – over de dingen die men haar, in haar ogen, misdaan had – had ze zichzelf stiekem beter gevonden dan haar man, zichzelf bewonderd om haar stoïcijnse gedrag en haar zelfbeheersing. Maar ze zag nu – althans, dat dacht ze – dat de ene zijnswijze niet beter was dan de andere: zij was geen beter mens dan Peter – of dan Frances. Frances zou het 'cadeautje' dat Bridget aan Peters dochter gegeven had inmiddels wel opengemaakt hebben, de ring die ze, toen ze diep in de nacht thuisgekomen was, in Zahins rubberen handschoen gevonden had – de saffier met de kleur van de ogen van het liefje van haar man. Nou ja, gedane zaken nemen geen keer! En waar zouden ze geweest zijn zonder alles wat er gebeurd was, zonder Zahins toneelspel en Peters blindheid? Zij en Peter zouden misschien – nee, zeker – nooit zo naar elkaar toe gegroeid zijn. Ze zouden altijd netjes en beleefd gebleven zijn en nooit echt hebben leren kennen wat ze moesten leren kennen: elkaar. En Zahin zou nooit een broodjeszaak begonnen zijn – en ze zou Peters dochter nooit… nou ja, maar die ring had ze ook best zelf kunnen houden, nietwaar? Frances zou toch wel reëel genoeg zijn om dat in te zien.

Aan het eind van de hobbelige zandweg viel het licht door de ramen van Farings op de wijkende violette schaduw van de tuin, als een plas goud. Zou ze de vorige keer bij haar vertrek de lichten vergeten hebben uit te doen?

Toen Bridget de voordeur opendeed sprong haar hart vol verwachting op.

'Wie is daar…?'

Maar niemand maakte zich los uit de duisternis.

Bridget liep de verlichte huiskamer binnen en zag een boek op de bank – had zij dat daar laten liggen? – met tussen de bladzijden een zwarte veer.

Bridget sloeg het boek, het cadeau van Stanley Godwit, open en las, terwijl er vlokjes van de broze band met de veer mee naar beneden dwarrelden:

Ik twijfel niet aan mijn eigen verlossing; en in wie kan ik zoveel aanleiding tot twijfel vinden als in mij Zelve? Als…

☙

Ik twijfel niet aan mijn eigen verlossing; en in wie kan ik zoveel aanleiding tot twijfel vinden als in mij Zelve? Als ik in de hemel kom, zal ik dan tegen om het even wie kunnen zeggen, Heer! Hoe bent u hier gekomen? Was er enig mens van wie het minder waarschijnlijk was dat hij hier zou komen dan ik?

JOHN DONNE, *Preek VIII, 371*

Salley Vickers

Miss Garnet's engelen

Prachtig geconstrueerde roman tegen de achtergrond van romantisch Venetië

Na de dood van haar vriendin Harriet besluit de 60-jarige Julia Garnet om voor een half jaar een appartement te huren in Venetië. Het verdriet over de dood van Harriet en de overweldigende schoonheid van de stad hebben een bijzondere invloed op Julia. Ze raakt bevriend met een Italiaanse jongen en een Engelse tweeling die een kapel aan het restaureren is. En voor het eerst in haar leven wordt Julia verliefd.

Tijdens een van haar wandelingen door de stad, ontdekt Julia in de kerk van aartsengel Rafaël schilderijen over het apocriefe boek Tobias. Hierin stuurt Tobias zijn zoon op een verre reis zonder dat zijn zoon weet dat aartsengel Rafaël hem vergezelt. Het eeuwenoude verhaal van Tobias en de ervaringen van Julia vertonen opvallende parallellen en worden op een bijzondere wijze met elkaar verweven.

De pers:
'Het is heerlijk om met Julia Garnet door Venetië te wandelen. (…) *Dit* is zo'n boek dat elke keer wanneer je het herleest, rijker wordt.' *Midi*

'*Miss Garnet's engelen* biedt volop herkenning voor wie in Venetië eens ronddwaalde en volop verlangen voor wie de stad nooit heeft bezocht.' *Trouw*

'Boeiend en stijlvol geschreven. (…) Een combinatie van inhoudelijk en stilistisch hoog niveau.' *Nederlandse Bibliotheek Dienst*
ISBN: 90.5695.127.0   Prijs: € 18,–